朱培庚著

# 古事今鑑

中冊

古隸集自漢碑

文史哲出版社印行

古事今鑑 / 朱培庚著. -- 初版. -- 臺北市：
文史哲，民82
面；　公分
ISBN 957-547-795-2(平裝三冊)
ISBN 957-547-794-4(精裝三冊)

610.8

# 古事今鑑（全三冊）

著　者：朱　培　庚
出版者：文　史　哲　出　版　社
登記證字號：行政院新聞局局版臺業字五三三七號
發行人：彭　正　雄
發行所：文　史　哲　出　版　社
台北市羅斯福路一段七十二巷四號
郵撥〇五一二八八一二彭正雄帳戶
電話：三　五　一　一　〇　二　八
印刷者：文　史　哲　出　版　社

精裝定價新臺幣一五〇〇元
平裝定價新臺幣一二〇〇元

八　十　一　年　六　月　初　版



ISBN 957-547-794-4（精裝）
ISBN 957-547-795-2（平裝）

# 古事今鑑 中冊 目錄

## 一七一 匈奴未滅無以家為（忘私）

西漢時，驃騎將軍霍去病（元前一四五—前一一七），平陽人，精於騎射。前後六次北擊匈奴，與大將軍衛青（元前?—前一〇六）齊名，封爲冠軍侯。

漢武帝（元前一五七—前八七）曾想教霍去病學習孫吳兵法。霍去病說：「兵事只須看作戰方略怎樣決定就可以了。」

武帝又想爲霍去病起造侯府，先要他看一看。霍去病說：「匈奴還未消滅，怎可先行安家？」由此漢武帝更加愛重他了。

**【原文附參】**：霍去病，善騎射，爲驃騎將軍。天子嘗欲教之孫吳兵法，對曰：「顧方略何如耳。」天子爲治第，令驃騎視之，對曰：「匈奴未滅，無以家爲也。」由此上益重愛之。（見：《史記》、卷一百一十一、列傳第五十一）

**【另文錄參之一】**：岳飛家貧力學，尤好《左氏春秋》《孫吳兵法》。宗澤大奇之，曰：爾智勇才藝，古良將不能過也。然好野戰，非萬全計。因授以陣圖。飛曰：陣而後戰，兵法之常；運用之妙，存乎一心。澤是其言。招討使張所待飛以國士，所問曰：汝能敵幾何？飛曰：勇不足恃，用兵在先定謀。欒枝曳柴以敗荊，莫敖采樵以致絞，皆謀定也。所矍然曰：君殆非行伍中人也。（見：《宋史》、卷三百六十五、列傳第一百二十四）

**【另文錄參之二】**：宋高宗初欲爲岳飛營第，飛辭曰：北虜未滅，何以爲家？或問天下何時太平？飛曰：文臣不愛錢，武臣不惜死，天下太平矣。（見：《宋史》、卷三百六十五、列傳第一百二十四）

**【編者私語】**：前有西漢霍去病，後有南宋岳武穆。論兵法：霍去病說：「顧方略何如耳。」岳武穆說：「運用之妙，存乎一心。」兩朝皇帝都擬爲他倆營治府第，霍去病說：「匈奴未滅，無以家爲？」岳武穆說：「北虜未滅，何以爲家？」兩雄所見相同，先後輝映。此種國爾忘家的豪氣，我們是不是也能受到若干啓發？

# 一七二　伯俞泣杖（孝親）

漢代韓伯俞，生性純孝。伯俞犯了過錯，他母親用竹板子打他，他忍不住哭起來了。他母親問道：「以前我也打你，從來沒見你哭過。今天打你，爲甚麼要哭呢？」伯俞哭著說道：「以前我得罪了媽，媽打我，我感覺到很痛，知道媽身體健康。今天媽打我，用了大力，但我不覺得痛，恐怕是媽媽年紀老了，力氣衰弱，所以我傷心哭了。」

**【原文附參】**：伯俞有過，其母笞之泣。其母曰：他日笞子，未嘗見泣，今泣何也？對曰：他日俞得罪，笞嘗痛。今母之力不能使痛，是以泣也。（見：漢、劉向：《說苑》、卷第三、建本）

**【編者私語】**：望子成龍，望女成鳳；恨不成鋼，乃施教訓。以前打我，皮肉很痛，母親健康，舉鞭有勁。今天受笞，嘆母衰邁，全無疼楚，力已不逮。吁嗟今日，母年已老，餘歲無多，報恩趁早。

## 一七三　伯道無兒　（乏嗣）

晉朝有位鄧攸，字伯道，官拜右僕射。那時候，五胡亂華，天下大壞，連晉懷帝（永嘉末年）也被北漢劉曜（五胡十六國之一）虜去，不久鄧攸又淪陷於後趙石勒（也是十六國之一）的亂兵佔領之下。

這時情況十分混亂，大家紛紛逃命。鄧攸只留有一匹馬，再用一條牛，分別馱著弱妻、幼子、和死去弟弟的兒子鄧綏，四人過泗水而逃（泗水發源於山東泗水縣）。在半路上，又遇到另一股盜賊，搶走了他的牛馬。鄧攸找來兩隻籮筐，一隻裝自己的兒子，一隻裝胞弟的兒子鄧綏，用扁擔挑著，和妻子一同徒步急逃。

途中饑寒交迫，苦不堪言，他拖著弱妻和兩個幼兒，哪能走得動。鄧攸忖度，在這急難之際，四條性命勢難全保，情不得已，和妻子商量道：「我胞弟去世很早，只留一個獨子，道義上不能讓他絕後，只好捨棄自己的兒子吧。如果上天保佑，我們能活下去，將來還應有兒子的。」他妻子也只好哭著同意，忍心丟下了自己的幼兒，終於逃出亂區，安頓下來。

可是，兩人到老，沒有生下兒子。許多人都同情鄧攸的義行，也婉惜他沒有後嗣，大家都說：「上天沒有道理，竟然讓鄧伯道無兒。」

鄧攸死後，他姪兒鄧綏，爲了報恩，改服親生兒子的喪禮，守制三年。

**【原文附參】**：晉右僕射鄧攸，永嘉末，沒於石勒，過泗水，攸以牛馬負妻子而逃。又遇賊掠其牛馬。乃步走擔其兒及弟之子綏，度不能兩全，乃謂妻曰：吾弟早亡，唯有一子，理不可絕；止應自棄我兒耳。幸而得存，我後當有子。妻泣而從之，乃棄其子而去。卒以無嗣。時人義而哀之，爲之語曰：天道無知，使鄧伯道無兒。弟子綏，服攸喪三年。（見：朱熹：《小學集註》、外篇、善行第六。又見：《晉書》、卷九十、列傳第六十）

**【編者私語】**：積善是好，但積善不能寄望好報。時代在變，觀念或許也須改變，那就是：兒女不一定要親生。若是劣子，親生不如沒有。若是佳兒，異姓兒也當推愛而悅助之。

## 一七四　歧路亡羊　（求學）

戰國時的學者楊朱，字子居，衛人，世稱楊子（主張爲我，但失傳）。他的鄰居走失了一隻羊，除了帶領許多親人去追尋之外，又請楊子的家僮幫忙去追，想把那失羊找到。

楊子說：「嗳呀！只丟了一隻羊，幹嘛要那麼多的人去追呢？」

鄰人答道：「前面岔（音差、歧路也）路太多了呀。」

家僮回來了，楊子問他追到沒有。回答說：「羊走丟了，不見了。」

楊子問：「這許多人怎麼追不到呢？」

家僮回答說：「前面有許多分岔的路，岔路前面又有岔路，不知道羊兒往哪條路上跑了，追尋不到，只好空手回來了。」

楊子聽了，心中憂戚，一臉不快之色，好久都不肯講話，整天都不見笑容。弟子們很納悶，請問他說：「羊兒是低賤的家畜，而且又不是你的，老師因它而終日不言不笑，爲甚麼呢？」

楊子說：「大道上因爲歧路太多，羊便走失，追不見了。我們追求學問，也往往想要貪多廣涉，如若不能專心致志，獨攻一科，也會貽誤了一生呀。」

【原文附參】：楊子之鄰亡羊，既率其黨，又請楊子之豎追之。楊子曰：噫，亡一羊，何追者之衆？鄰人曰：多歧路。既反，問：獲羊乎？曰：亡之矣。曰：奚亡之？曰：歧路之中，又有歧焉，吾不知所之，所以反也。楊子戚然變容，不言者移時，不笑者竟日。門人怪之，請曰：羊賤畜，又非夫子之有，而損言笑者何哉？曰：大道以多歧亡羊，學者以多方喪生。（見：戰國、鄭、列禦寇：《列子》、說符篇）

【編者私語】：本篇主旨，在「學者以多方喪生」一語。胡適說：「爲學有如金字塔，要能廣大要能高。」他做得到，我們卻難。廣大是博，精通是高。精是獨擅一門，廣是百科全懂。既博又精，那是上上，恐怕很不容易。如做不到，則宜先通一門以立其本，後及他科以榮其枝。但要懂得本末先後，賓主輕重。倘捨本逐末，或貪多務得，將會在歧路中再遇歧路，永遠找不到那隻失羊了。

## 一七五　吾舌尚在（游說）

戰國時代張儀（元前？——前三〇九），魏國人。起初，和蘇秦（元前？——前三一七，字季子，倡合縱抗秦之說）一同拜鬼谷先生（古之高士，居鬼谷，因以爲號）爲師，學習合縱連横之術。

張儀學成後，游說各國諸侯，還未謀得官位，只是個游士。有一次，參加楚國相府的酒宴。散筵後，楚相發現珍貴的玉璧不見了。相府裡的人懷疑張儀，說：「張儀家境貧寒，品德又不很好，一定是他偸了相君的玉璧。」

於是一同將張儀捉住，打了好幾百板子。張儀始終不服，最後只好把他釋放了。

張儀回到家中，妻子悲憤地埋怨他道：「唉喲！看你打成這副形像。如果當初你不去讀書，沒有去學那些游說的伎倆，到各國去賣弄，哪會在楚國遭受這場羞辱呢？」

張儀卻關心更重要的事，反問道：「你看看我的舌頭還在不在？」

妻子覺得好笑，答道：「你的舌頭在呀，還是好好的呢！」

張儀說：「我的舌頭還在，這就足夠了。」

於是張儀西行，到達秦國。說動了秦惠王（秦孝公之子，公元前三三八年即位，到前三二五年稱王），用張儀爲相，倡連橫之説，號曰武信君。

**【原文附參】**：張儀者，魏人也。始嘗與蘇秦俱事鬼谷先生。張儀已學，而游説諸侯。嘗從楚相飲，已而楚相亡璧，門下意張儀，曰：儀貧無行，必此人盜相君之璧。共執張儀，掠笞數百，不服，釋之。其妻曰：嘻，子毋讀書游説，安得此辱乎？張儀謂其妻曰：視吾舌尚在不？其妻笑曰：舌在也。儀曰：足矣。乃遂入秦，秦惠王以儀爲相。（見：《史記》、卷七十、張儀列傳第十）

**【編者私語】**：戰國時代，貴族逐漸衰微，民間的讀書人應運而起。他們以「學」「術」干王侯，謀取祿位，這些人叫做游士。他們游説各國，不分國界，誰給奶吃，認誰做娘。誓死盡忠的少，獵取富貴的多，尤其是習縱橫術的這兩位難兄難弟爲甚。蘇秦原想仕秦，碰了釘子，便反倡合縱抗秦之説。他宣稱「人生在世，勢位富厚，蓋不可忽。」希求的是權勢與財富（參第二五八篇季子多金）。張儀原想在楚爲官，受辱才去秦國，推銷連橫親秦之説。他只問「吾舌在不？」如在、「足矣！」賣弄的是花言巧語。這兩位同班同學，一東一西，都做了國相，而且暗通聲氣，互保祿位，這便是縱橫家的不可取之處。但這一時期，由於平民學者地位日高，以致百花齊放，百家爭鳴，終於造成學術上一段極爲輝煌燦爛的時代，倒是十分值得慶幸的。

〔附註：古史傳記中，每疏於記下各人何年出生，只好用？代之，甚歉。〕

## 一七六　吳起吮疽（帶兵）

吳起（元前？──前三七八）是戰國時代的偉大軍事家，他的《吳子兵法》一書，和春秋時代的《孫子兵法》齊名，而且書中還含有許多爲政的大道理。

他在魏國爲大將時，奉派去攻打中山國，部隊裡有個小兵，身上長了個毒疽，紅腫化膿，非常痛苦。吳起親自拿醫鍼挑破膿皮，用口去吮盡那膿癰的毒血，使他得以痊癒。

這小兵的母親知道了，哭了起來。旁邊的人說：「吳大將軍待你兒子這麼好，你還哭個甚麼呢？」他母親回答說：「吳大將軍以前也吮吸過我兒子父親的膿疱，他父親就在注水之戰中，奮勇作戰，沒多久就犧牲了。如今又吮了我兒，我準會料到兒子在哪一次戰役中又會爲他送命，所以我不得不哭呀！」

**【原文附參】**：吳起爲魏將，攻中山。軍人有病疽者，吳子自吮其膿。其母泣之，旁人曰：將軍於而子如是，尚何爲泣？對曰：吳子曾吮此子父之創，此父赴注水之戰，戰不旋踵而死。今又吮吾子，安知是子何戰而死，是以哭之矣。（見：《說苑》、卷第六、復恩）

**【編者私語】**：帶兵要帶心。一個小兵，生了毒癰，元帥親口爲他吮吸毒膿，比關愛親兒子還勝過。這小兵感恩感德，哪有不拼死報答之理。

# 一七七 呈身御史（敦品）

李周，宋代人，字純之，進士出身。做過長安尉，洪洞及雲安縣令，都有惠政。

司馬光（公元一〇一九—一〇八六，《資治通鑑》是他撰的）將要推舉他做御史（負責糾察彈劾），想要他來見一面，官職就可決定。李周說：「以司馬公的賢聲令望，我本極想去拜謁他的。但聽說因要薦我，我此時去見他，這是叫做獻身去求個御史來做的呀。」始終不肯去造府相見。

宋神宗（一〇四八—一〇八五，勵精圖治，用王安石變法）要起用賢能，召集大臣舉賢。孫固（神宗爲太子時任侍讀官，即位後任工部郎中）將李周呈報。神宗召他談話，問李周說：「我知道你不肯游走於權貴之門，你認識當今的執政嗎（執政綜攬國務，譬猶今天的行政院長）？」

李周答奏：「很慚愧，我不認識。」

神宗又問：「認識司馬光嗎？」

李周答奏：「我十分欽仰他。但未見過面，我還不認識。」

神宗點了點頭。第二天，對孫固說：「李周是位樸厚忠實的君子，我要他做御史。」

【原文附參】：李周，字純之。司馬光將薦爲御史，欲使來見。周曰：司馬公之賢，吾固願見。但聞薦而往，是所謂『呈身御史』也。卒不往。神宗召近臣舉士，孫固以周聞。神宗召對，謂曰：知卿不游權門，識今執政乎？對曰：不識也。識司馬光乎？曰：不識也。神宗頷之。翌日，語固曰：李周，樸忠之士也，朕以爲御史。（見：元、脫克脫：《宋史》、卷三百四十四、列傳第一百三）

【編者私語】：現在時代變了，觀念也不同了。往昔大家以德操爲重，不屑於奔競。如今則隨時要「推銷」自己，以獲得別人賞識。往昔尚謙虛，對懂得七分的事，謙稱只懂三分，以免滿而招損。如今尚吹噓，對懂得三分的事，常誇稱懂得七分。似乎無所不能，無所不曉。若依美國人的理念，幾乎把人看成上市的貨品。爲求賣得好價，便要講求人力供需的「市場學」，要講求自我推薦的「銷售學」，要講求儀容美潔的「包裝術」，要講求打知名度的「宣傳術」。因此今天的謀職之道，要常常主動鑽門路，拉關係。大言不慚的聲稱：我是某公的嬌婿，我太太是某長的乾女兒，我兒與某主席之兒是同學，叫人不可忘記，不可輕視。至於登侯門而拜見，更須勤快。李白《與韓荊州書》說：「一登龍門，則聲價十倍。」可惜李白雖懂此理，卻只寫封白信，既不跑腿上門，又不呈送禮物，無怪乎只會唱「舉杯邀明月，對影成三人」了。高官的婚喪喜慶，禮到人到，乃可攀龍附鳳也。相對於李周的不游權門，不做呈身御史，對耶？錯耶？社會風氣如此，不知該何去何從？

## 一七八　攻翟不下　（志忥）

戰國時代，齊國田單，以劫餘的即墨和莒邑兩個孤城，規復了齊國。「毋忘在莒」，就是此中故事。他迎立齊襄王，被封爲安平君。

過了好久，田單以上將軍之尊，帶領十萬大軍，去攻打翟國（就是後來的中山國）。行前，田單去拜訪魯仲連，表示辭行，也聽聽他的意見。

那魯仲連是齊國的高士，觀人料事，都很透徹。他對田單說：「田將軍此次攻翟，一定打不下來。」

田單很不高興，抗聲道：「想我田單，曾憑五里十里的小城，作爲反攻據點，光復了整個齊國，哪會連小小的翟國也拿不下來？」就生氣走了，直到上車，都沒有再說話。

進攻翟國，打了三個月，眞的攻不下。田單愈想愈不對，抽身回去見魯仲連，請教說：「先生怎會預知我田單攻翟不下呢？」

魯仲連答道：「這很容易看出來。想當年，你在即墨準備反攻，坐下時就編織挑土的竹簣（畚箕）來堆沙堡，站立時就拿圓鍬來挖戰壕，事事作士兵的帶頭人。那時節，將軍有必死的決心，士卒也有忘生的勇氣，自會復國成功。可是今天嘛，你東面有掖邑的封地供養你，西面有淄水的珍寶貢奉你。頭冠上鑲飾著金絲銀片的黃帶，何等尊榮。有暇就在淄川和澠水之間躍馬縱遊，何等愜意。此時也，你正在享受生命的歡樂，哪想去賣命拚死而捐生呢？所以我說攻不下呀。」

第二天，田單回到戰場，便束起頭髮，直接站到那弓箭滾石交加的最前線，拿起鼓槌，奮力擊鼓，激勵全軍的鬥志，向前衝鋒，才把翟人打敗，攻下了城池。

**【原文附參】**：田單爲齊上將軍，興師十萬，將以攻翟。往見魯仲連子。仲連子曰：將軍之攻翟，必不能下矣。田將軍曰：單以五里之城，十里之郭，復齊之國，何爲攻翟不能下？去、上車不與言。攻翟三月，而不能下。於是田將軍恐，往見仲連子曰：先生何以知單之攻翟不能下也？仲連子曰：夫將軍在即墨之時，坐則織蕢，立則杖臿，爲士卒倡。將有必死之心，士卒無生之氣。今將軍東有掖邑之封，西有淄上之竇，金銀黃帶，馳騁乎淄澠之間，是以樂生而惡死也。田將軍明日，結髮徑立矢石之所，乃引枹而鼓之，翟人下之。（見：《說苑》、卷第十五、指武）

**【編者私語】**：功成名就的人，有顯赫的官位要貪戀，有儻來的財富要聚斂，有無窮的聲色要享受，有自身的龍體要愛惜，有當朝的權貴要逢迎，有手下的狐狗要卵翼。瞻顧太多，以致保家重於保國，衛己重於衛民。若不能衝破此關，晚節下場，就很難說了。

# 一七九　你不是仁君（善說）

魏文侯（戰國魏君，名斯，任用賢士，號爲明主）和臣僚們坐在一堂，閒叙中，問群臣道：「你們說說看，我是個甚麼樣的君主？」

大家依次都說：「大王是個仁君。」輪到翟黃（又作翟璜，魏國名臣），卻說：「大王不是仁君。」

魏文侯問道：「何以這樣說呢？」

翟黃說：「大王攻滅了中山（古國名），不封給你的弟弟，卻賞給你的兒子（名擊）。從這件事看來，大王你不是仁君。」

魏文侯聽了怒起，命令他退出宮外。翟黃站起來出去了。又輪到任座了（魏國之卿）。魏文侯問道：「你看我是甚麼樣的君主？」

任座說：「你是仁君。」

魏文侯問道：「何以這樣說呢？」

任座答：「有句格言說：『君仁則臣直。』剛才翟黃講的話是直話。他既敢於講直話，我從這事看，大王乃是一位仁君。」

魏文侯道：「這話不錯嘛！」即刻將翟黃找回來，封他爲上卿，獎勉他敢講直話。

**【原文附參】**：魏文侯與士大夫坐。問群臣曰：寡人何如君也？皆曰：君、仁君也。次至翟黃，曰：君非仁君也。曰：子何以言之？對曰：君伐中山，不以封君之弟，而以封君之子，臣以此知君之非仁也，文侯怒而逐翟黃，黃起而出。次至任座。文侯問曰：寡人何如君也？任座對曰：君、仁君也。曰：子何以言之？對曰：臣聞之，其君仁者其臣直。向者翟黃之言直，臣是以知君仁君也。文侯曰：善。復召翟黃入，拜爲上卿。（見：漢、劉向：《新序》、卷一、雜事第一）

**【另文錄參之一】**：魏文侯使樂羊伐中山，克之，以封其子擊。文侯問於群臣曰：我何如主？皆曰：仁君。任座曰：君得中山，不以封君之弟，而以封君之子，何謂仁君？文侯怒，任座趨出。次問翟璜。對曰：仁君。文侯曰：何以知之？對曰：臣聞君仁則臣直。嚮者任座之言直，臣是以知之。文侯悅，使翟璜召任座而反之，親下堂迎之，以爲上客。（見：《資治通鑑》、卷一、周紀一）

**【另文錄參之二】**：魏文侯燕飲，皆令諸大夫論己。或言君之智也。至於任座。任座曰：君、不肖君也。得中山不以封君之弟，而以封君之子，是以知君之不肖也。文侯不悅，現於顏色。任座趨而出。次及翟黃。翟黃曰：君、賢君也。臣聞其主賢者，其臣之言直。今者任座之言直，是以知君之賢也。文侯喜曰：可反。任座入，終座以爲上客。（見：《呂氏春秋》、卷二十四、不苟論第四）

【編者私語】：本文出現在三本書中，《新序》、《資治通鑑》及《呂氏春秋》都將翟黃與任座之名互換，而意則同。翟黃又作翟璜。本篇是顯示說話率直與婉轉的佳例。吾人都愛聽奉承話，不愛聽直話。說直話的目的，本在勸善規過，是一番好意；但如說得過當，起了反效果，便失去說直話的原意，這是我們要引以爲鑑的。至於奉承話，則要說得適宜，說得適時，雖是奉承而令人不覺得是奉承。任座寥寥數語，化解了侯王的怒心，挽回了大臣的面子，功效就大了。只見他娓娓道來，不費力氣，已達到說話藝術化的妙境。如果平時沒有蘊蓄，臨場之際，哪會輕鬆的對付得來，這也是我們要引以爲鑑的。本篇讀後，我們不要拘泥於表面的君臣名分，時至今日，舉凡部屬對長官、伙計對老闆、總經理對董事長，都可視爲昔日的君臣關係。首長要廣納善言，屬員也宜盡心獻言，上下同心同德，才可成就大業，這尤其是我們要引以爲鑑的。

## 一八〇 何必做假王（機智）

漢高祖四年（公元前二〇三），韓信（前？—前一九六）率領大軍東征，滅了齊王田廣（叔父田橫率五百人入海繼位為齊王），攻佔了齊國全境。韓信特派專使，帶著書信，報告漢王劉邦。書中說道：「齊國人欺假狡詐，時常滋生變故，是個反覆無常的邦國；南方又與楚地接界，很不安定。如果不權宜先立一位假暫的侯王來鎮守，局勢很難控制。希望能讓我暫作假王，以便行事。」

當這時，楚（項羽）漢（劉邦）相爭正烈，楚強漢弱，項羽正以大軍在滎陽（在今河南省）地區圍住了漢兵，情況緊急，眼看劉邦就要被項羽吃掉了。

韓信的專使到了，劉邦拆開書信一看，勃然大怒，罵道：「我被圍困在此，動彈不得，每天早晚都盼望韓信趕來援救。如今他卻賴在齊國，按兵不動，全不管我的死活，還要請求自立為王……」

張良（字子房）與陳平（字孺子）也都在座，一聽情況不對，連忙在桌下暗踩劉邦的腳，示意他不要罵人，附在劉邦耳邊，輕聲說道：「漢軍正處在不利的地位，自救不暇，有何力量能攔阻韓信不在齊國稱王？不如順勢照准，好好的安撫他，使韓信穩住。如不答應，逼得韓信一反，天下就不是你漢王所有的了。」

經此一說，劉邦也猛然醒悟了，順勢又罵道：「大丈夫打下了江山（滅了齊王廣），要做就直接做個眞王好了，爲何做假王，那有甚麼光采？」

於是派張良前往，正式封韓信爲齊王。隨後便徵發韓信的大軍，合力共破項羽。漢高祖三年（公元前二〇二），項羽兵敗，行到烏江自刎了。

**【原文附參】**：漢四年，韓信引兵東，滅齊王廣。使人言漢王曰：齊人僞詐多變，反覆之國也。南邊楚，不爲假王以鎭之，其勢不定，願爲假王便。當是時，楚方急圍漢王於滎陽。韓信使者至，發書，漢王大怒，罵曰：吾困於此，旦暮望若來佐我，乃欲自立爲王！張良陳平躡漢王足，因附耳語曰：漢方不利，寧能禁信之王乎？不如因而立，善遇之，使自爲守。不然，變生。漢王亦悟，因復罵曰：大丈夫定諸侯，即爲眞王耳，何以假爲？乃遣張良往立信爲齊王，徵其兵擊楚。（見：《史記》、卷九十二、淮陰列傳第三十三）

**【編者私語】**：劉邦沒有習文，又未學武。但他有個最大的長處，就是智商高，反應快，任何事一點就透。傷胸捫足，計安士卒之心；急封雍齒，先平諸將之怨，這都是過人之處。以本篇而論，劉邦困於項羽，急盼解圍，韓信一無行動，反而要挾爲王。劉邦罵他，也近情理。但站在韓信那一邊來看，則許我固是王，不許也是王，誰能說一個不字？韓信能吞下齊國，反過來也足以打敗劉邦，這便是張良陳平之所見也。順水推舟，安撫爲上；假王還不好，升格賜眞王。韓信心中大樂，就回師共滅項羽了。劉邦之機智應變能力，常人豈可及哉？

# 一八一　何愁不富貴（達識）

明太祖朱元璋（一三二八—一三九八）有個哥哥，叫朱興隆，封爲南昌王。哥哥的兒子叫朱文正，也就是朱元璋的親姪。

當明太祖起兵之初，哥哥南昌王已經死了。朱文正隨著寡母王氏投依明太祖，太祖和高皇后撫愛他如同親兒子一般。後來朱文正長大成人，攻讀經書史傳，富於智勇謀略，很有出息。

朱文正隨軍和叔父明太祖渡江南征，攻取集慶路（行政區域之名），打下了，朱文正立了大功。明太祖從容問他說：「你希望要個甚麼官職？」朱文正回答道：「叔父大人建立了帝業之後，何愁我不富貴？倘若這次封官賞爵，先照顧自家親人，怎麼能使大衆心服？」

明太祖很高興他這段識大體的話，更加喜歡他了。後來終於積功作了大都督。

【原文附參】：朱文正，南昌王之子，明太祖之姪也。當太祖起兵時，南昌王前死，妻王氏攜文正依太祖。太祖與高后撫如己子。比長，涉獵傳記，饒勇略。隨渡江取集慶路，已，有功。太祖從容問：汝欲何官？文正對曰：叔父成大業，何患不

富貴?爵賞先私親，何以服衆?太祖喜其言，益愛之。（見：《明史》、卷一百十八、列傳第六、諸王三）

**【編者私語】**：叔父是皇王，何愁無富貴?讓爵顯謙光，後生誠可畏。

# 一八二 岑鼎的眞假（守信）

春秋時代，齊國攻魯國，齊國勝了，要魯國獻出那尊高大的岑鼎（上大下小形狀似甑的鼎叫岑鼎，是鎭國之寶）。這是魯之國寶，怎可輕易送出。魯國就搬出其他的一尊鼎，隆重的載往齊國，意欲冒充抵數。

齊君不相信，將鼎退還，通知魯君說：「住在你們魯國的柳下惠（魯國人，即展禽，字季，居柳下，故叫柳下季。謚惠，故稱柳下惠），是位誠信君子，一言九鼎。如果柳下惠說這是眞的岑鼎，我便收受。」

魯君向柳下惠說明眞象，希望他能說句圓通的話。

柳下惠答道：「你之所以送出岑鼎，是要保全魯國。我心中也有個『國』要保全，那就是『信』。如要破滅我的國，來保全你的國，這使我很爲難，因爲我一生還沒有說過假話。」

於是魯君只好將眞的岑鼎送去。

**【原文附參】**：齊攻魯，求岑鼎，魯君載他鼎以往。齊侯弗信而反之，告魯侯曰：柳下季以爲是，請因受之。魯君請於柳下季，柳下季答曰：君之賂以岑鼎也，欲以免國也。臣亦有國於此。破臣之國，以免君之國，此臣之所難也。於是魯君乃以眞岑鼎往也。（見：呂不韋：《呂氏春秋》、審己。又見：韓非：《韓非子》、說林。又見：漢、劉向：《新序》）

**【編者私語】**：《論語》說：「信近於義。」《詩》衛風氓：「信誓旦旦。」《左傳》，昭八：「君子之言，信而有徵。」西諺說：「信用是第二生命。」無信寸步難行，有信暢走天下。足證「人而無信，不知其可也。」守信太重要了，無信的人，雖可偷機於一時，不能爽約於永遠。

# 一八三　快諾與慢諾　（利弊）

【一】

齊國攻打宋國（宋的都城在今河南商丘縣，宋國夾在齊楚兩國之間），齊強宋弱，不能相抗，宋國便派臧孫子南行往楚國求救（楚國舊稱荆國，故原文曰荆）。

楚王見臧孫子來了，非常高興，毫不猶豫的立即答允派兵援救，交談過程中一直表現得十分歡樂。

求救獲准了，臧孫子在回國途中，卻憂心忡忡，沒有喜色。駕車的車夫問道：「你來楚國求救，楚王爽快的接受了，這不是很圓滿嗎？而今你卻面有憂色，爲甚麼呢？」

臧孫子說：「我宋國太小，強鄰齊國太大。倘若因爲援救小宋而結怨於大齊，這是在一般常理上要謹愼考慮而不會很快就承諾的。但這次楚王馬上就一口答應了，我猜他是要堅定我宋國的信心，拚力抵抗。等到我宋國土地被佔了，齊國也筋疲力竭了，便是楚國漁翁得利的時期了。」

臧孫子國到宋國後，終於抵擋不住齊國的進攻，被齊兵佔去了五個城邑，而楚國承諾的援軍，一直不見來到。

【二】

戰國時代，魏文侯（名斯，他奉田子方爲師，稱爲賢君）要向趙國借路去討伐中山國（魏文侯曾派樂羊攻中山。中山在今河北省中部，中山之南是趙國，趙國之南才是魏國）。

趙肅侯（趙威侯之子，名語）覺得讓魏軍穿過自己的國土去打中山，未免欠妥，不想答允。

大夫趙利說：「大王你失算了。魏國去打中山，如果打不下來，那魏國勢必疲敝，國力就弱了。魏國一旦弱了，我趙國相對就強了，這樣一來，不是很好嗎？再如魏國果眞打下了中山，他總不可能跨越我趙國去保有中山吧。這樣一來，用兵的是魏國，得地的卻是我趙國，這不又是很好嗎？因此，大王一定可以答應借道的。不過，在表面上，你不可爽快的答應，以免顯出高興得意的臉色，使魏國察覺到我趙國正反兩面都可獲益，那他就不會出兵了。不妨慢慢的同意他可以借道，表示實在是不得已而且非常勉強而同意的才好。」

【原文附參之一】：齊攻宋，宋使臧孫子南求救於荊。荊大悅，許救之，甚歡。臧孫子憂而反。其御曰：索救而得，今子有憂色，何也？臧孫子曰：宋小而齊大。夫救小宋而惡於大齊，此人之所以憂也。而荊王悅，必以堅我也。我削而齊敝，荊之所利也。臧孫子歸，齊人拔五城於宋，而荊救不至。（見《朱氏淘沙》、卷二）

【原文附參之二】：魏文侯借道於趙而攻中山，趙肅侯將不許。趙利曰：君過矣。魏攻中山而弗能取，則魏必疲。疲則魏輕，魏輕則趙重。魏拔中山，必不能越趙而有中山也。是用兵者魏也，而得地者趙也。君必許之。而若太歡，彼將知君利之也，必將輟行。不如借之道，示以不得已也。（見：《朱氏淘沙》、卷二）

【編者私語】：國際間的或迎或拒，都很詭譎，卻不必以奇怪視之。楚國對宋國答應很快，趙國對魏國答應很慢，看來好像南轅北轍，都是本著自己利益而作的決定。答應爽快，是使對方安其心；答應緩慢，是要對方不疑心。快諾和慢諾都是對的，爲己身謀取利益的目標都相同的。原則上是讓別國消耗國力，好漁翁得利。但怎樣因時因地去運用得宜，這靠智慧。臧孫子想得深，看穿了。趙利想得遠，看準了。都是高人。

## 一八四　求官送金餅（廉正）

南北朝時代，中國橫切成兩半。江淮流域叫南朝，由宋齊梁陳相繼更迭，到隋文帝才北南統一。

南朝宋代，有位褚彥回，名褚淵（彥回是字，卒謚文簡），是宋武帝（即劉裕，於四二〇年開國）的駙馬，從小就有清高的聲譽。父親褚湛之（字休玄），一門官宦人家。分家產時，彥回推讓家財，盡給胞弟褚澄（字彥道，官侍中），只要了家中的藏書好幾千卷，就滿足了。

到了宋明帝（四六五—四七二在位八年），褚彥回官任吏部尙書（掌銓敍升遷）。有一人想求高官，在寬大的袍袖中，密藏了一個大金餅（昔時大袖中可以藏物，甚至藏袖刀，射袖箭），直接來拜會褚彥回，請他私下單獨接見，獻上金餅，請求照顧升官。低聲說：「沒有旁人知道的。」

褚彥回說道：「你如確應得官，就不須送此重賄，官位必然是你的。如果一定要送，我是尙書，不得不奏明皇上。」

客人聽了，大爲驚恐，收起金餅告辭了。之後、褚彥回仍將這事奏明，但沒有提到姓名，不傷陰德，其他的人也無從知道。

**【原文附參】**：褚彥回，幼有清譽。父湛之。彥回悉推財與弟澄，唯取書數千卷。宋明帝即位，遷吏部尚書。有人求官，密袖中將一餅金，因求請間，出金示之，曰：人無知者。彥回曰：卿自應得官，無假此物。若必見與，不得不相啓。此人大懼，收金而去。彥回敘其事，而不言其名，時人莫之知也。（見：《南史》、卷二十八、列傳第十八）

**【編者私語】**：升官應憑才能品德。如果才德高，此官非我莫屬。如果花錢買，要不要連本帶利賺回來呢？既是花錢給官，那不如公開競標算了。揆諸近代，像褚彥回這樣的人，已不多見。還有些掌升遷大權的官員，借國家的職官，謀一己之私利，對不送賄的人，借故刁難，推說他專長不合。對送了賄的人，找理由解釋，說可帶職歷練，正反都有理由。再者，通常一個職位，要開列三位候選人，供首長圈定。如果想讓你中選，他會挑兩個稍有瑕疵的人陪榜，在學歷經歷年資功過獎懲考績及評語方面，多少會有一兩項比不上你的地方，你的機會就大了。如果不想讓你中選，則反其道而行之。生殺操之於無形，很是可慮。中興以人才爲先，治國以人才爲本。人才何處求？這好比找良馬，千里馬常有，但伯樂卻少有也。

## 一八五 改稱愧賢堂（懿範）

晉代五胡亂華，冒出了五胡十六國。劉聰（匈奴人，子玄明，劉淵的第四子）據有長安，國號稱爲前趙。

他要爲皇后劉氏，在後庭中起造一座䳄儀殿。廷尉（掌刑辟的朝中之官）陳元達諫阻，劉聰大怒道：「我乃萬機之主，要造一個殿，還要問你這鼠輩的意見嗎？不殺掉你這奴才，我的寶殿怎可建起？」便下令推出斬首。

這場爭論，地點是在逍遙園中的李中堂（廳堂名）裡。武弁押他下堂時，陳元達抱著堂下的樹幹，大聲說：「我所講的，乃是爲國家著想。皇上要殺我，如果死後有知，我當上訴於天神，下訴於先帝。漢代朱雲說過：『我有幸和龍逄比干齊同，心願已足了。』（參看本書第四一八篇「殿檻不要換新」）但不知皇上算是哪一類的君主？」

陳元達腰上先已纏著鎖鍊，他到了樹旁，就把鍊條纏繞著樹身，以致耗費多時，仍舊拖他不走。

此時皇后劉氏，在後堂知道了這事，就秘密叫人停止行刑。同時手寫奏疏，啓道：「聽說皇上下了聖旨，要爲我營造宮殿。如今四境尙未統一，災難禍患仍多，廷尉陳元達所言，實係爲國家計慮。理應賜他美爵，爲何反要殺他呢？皇上如此震怒，實是由我而起，廷尉的受害，也是因我而生。從古以來，國敗家亡的禍苗，未嘗不是由婦人所招致。我每次看到這些古例，心中痛忿不已，哪知今天我也犯了。後人將來批判我，正如我之批判前人一般，我哪有顏面再行服侍皇上？請准我死在這個殿堂裡，也好杜塞別人說皇上有誤受婦人蠱惑的過錯吧！」

劉聰看了這份奏疏，正義懍然，臉色都變了，連忙寬恕了陳元達，命他整理衣裳冠履，重新入座。並將劉皇后的奏表，拿給陳元達閱看，說道：「皇宮外面的國政，有你們來輔佐，皇宮內面的事務，有皇后來主持，我還有甚麼擔憂的呢？」於是把逍遙園改名爲納賢園，把李中堂改稱爲愧賢堂。

**【原文附參】**：劉聰將起鷂儀殿於後庭，廷尉陳元達諫。聰大怒曰：吾爲萬機主，將營一殿，豈問汝鼠子乎？不殺此奴，朕殿何當得成？將出斬之。時在逍遙園李中堂。元達抱堂下樹叫曰：臣所言者，社稷之計也，而陛下殺臣。若死而有知，臣當上訴陛下於天，下訴陛下於先帝。朱雲有云：臣得與龍逄比干游於地下足矣。未審陛下何如主也。元達先鎖腰，及至，即以鍊繞樹，左右曳之不能動。聰皇后劉氏，在後堂聞之，密敕左右停刑，上手疏啓曰：伏聞敕旨，將爲妾營殿。今四海未一，禍難猶繁，廷尉之言，社稷之計，當賞以美爵，而反欲誅之？陛下此怒，由妾而起；廷尉之禍，由妾而招。自古國敗家喪，未始不由婦人，妾每覽古事，忿之不已。何竟今日，妾自為之？後人視妾，猶妾之視前人，復何面目，仰侍巾櫛？請歸死此堂，以塞陛下誤惑之過。聰覽之色變，命元達冠履就坐，以劉后表、示之曰：外輔如公等，內輔如此后，朕亦何憂矣。改逍遙園為納賢園、李中堂為愧賢堂。

（見：淸、湯球：《十六國春秋輯補》、卷三、前趙錄之三）

**【編者私語】**：劉聰弒兄自立，先俘晉懷帝，又虜晉愍帝北去的都是他，在位八年，窮兵黷武，大興土木，其時五胡十六國分據，幾個君王並存，大都是一丘之貉。陳元達為國進言，犯顏強諫，惜乎未遇明主，可謂委屈了。唯有劉皇后賢良通達，不意當時女流卻具此卓識。一篇奏疏，警暴君，停土木，拯忠蓋，揚淑德，是不可多見的懿範。

# 一八六　我獨有二天　（嚴正）

後漢蘇章（字孺文），博學能文。漢安帝時，舉賢良方正。後出任冀州刺史（冀州在河北。刺史是刺舉不法，有如巡按御史）。他有位從前的好朋友，官任淸河太守（淸河在河北，太守爲治郡官），貪贓枉法，政聲竄敗。

蘇刺史打算究問後參劾他，爲顧及以往交情一場，便先備辦了酒菜，邀請他來餐敘，兩人互訴生平，言談十分歡洽。

這位太守很是高興，趁著酒酣，歡然說道：「別人都只有一片天，我卻獨有兩片天。因爲孺文（指蘇章）故友念及舊交，必會幫我諒我。」

蘇章回答說：「今天晚上請宴，我蘇孺文和老朋友互相敬酒，這是屬於私誼；在人情上，我應當作此表示。到了明天，我以冀州刺史身分，審問案情，那是執行公務；我也不可以違法呀！」果眞舉發了他的罪狀，全州的政風，因而變得端肅了。

【原文附參】：蘇章、爲冀州刺史。有故人爲淸河太守。欲案其姦贓，乃請太守，爲設酒肴，陳生平之好，甚歡。太守喜曰：人皆有一天，我獨有二天。章曰：今夕蘇孺文與故人飲者，私恩也。明日冀州刺史案事者，公法也。遂舉正其罪，州境肅

然。（見：《資治通鑑》、卷五十二、漢紀四十四）

**【編者私語】**：我們行事，最難的是在公私分際上很不容易處理。蘇章如要逕行究辦故人，似乎對舊誼有虧，顯得太絕情。如要念惜友情，對執法有損，又顯得不公正。於是先盡私誼，後伸公權，不因私情而影響公務，不因公務而廢斷私交。法理情都顧全了。

## 一八七　肚痛不能留（正直）

王毛仲，高麗人，長於照顧駿馬、駱駝、鷹鷲、獵犬，很得唐玄宗（即唐明皇，公元七一三—七五五在位）的寵信，封爲輔國大將軍。文武百官，爭相向他巴結。

他要嫁女兒了，喜事自然希望辦得極爲風光。唐玄宗關愛他，問他還缺少甚麼？王毛仲叩頭答道：「微臣萬事都備，只是貴賓捧場的大臣還不夠。」

唐玄宗問：「朝中列卿，如張說（字道濟，洛陽人）、源乾曜（源師之孫，臨潼人）這一班要人，不是呼喚一聲就會來的嗎？」

王毛仲答道：「這些長官大人倒是一齊會到場的。」

唐玄宗說：「我知道了，你所不能請到的只有一個人，那就是宰相宋璟（六六三—七三七，接姚崇爲相）吧？」

王毛仲道：「正是獨缺這一位尊客。」

唐玄宗笑道：「不必擔心，你請不到，明天我替你代邀便是了。」

第二天，唐玄宗對宋璟說：「我那位愛臣王毛仲女兒出嫁，你和其他衆官都該到他家去賀一賀呀！」

婚期當天，太陽已升到正午了，賀客盈門，喜宴擺開，滿廳坐無虛席。但大家都不敢動筷子，因爲主客宋璟沒到，人人都在候他。等了好久，宋璟才來，衆人簇擁他，延入上座。他先酌滿一杯酒，轉臉朝西，率領衆賓，向空拜謝，這是代表向天子示敬。然而這杯酒還未飲完。突然聲稱肚子痛，不能久留，告辭回去了。

宋璟的剛直，到此時年歲大了，更顯得耿介。

**【原文附參】**：王毛仲有寵於上，百官附之者輻輳。毛仲嫁女，上問何須？毛仲頓首對曰：臣萬事已備，但未得客。上曰：張説、源乾曜等輩，豈不可呼耶？對曰：此則得之。上曰：知汝所不能致者一人耳，必宋璟也。對曰：然。上笑曰：朕明日爲汝召客。明日，上謂宰相：「朕奴毛仲有婚事，卿等宜與諸達官悉詣其第。既而日中，衆客未敢舉箸，待璟。久之方至，先執酒西向拜謝，飲不盡卮，遽稱腹痛而歸。璟之剛直，老而彌篤。（見：《資治通鑑》、卷二百十三、唐紀二十九。又見：唐、魏徵：《四鑑錄》）

**【編者私語】**：小人佞幸，君子端方；涇渭分明，自是南轅北轍；只因天子有諭，必得親臨；肚痛本虛，賴此託辭早走。宋璟之高：一是沒違皇命，我已到場（遵奉天子旨意）。二是飲不盡卮，不肯久待（保全自己品格）。三是推説肚痛，未傷王家（顧及毛仲面子）。誠脱身之妙方，守清之中道也。悦賞之餘，打油歌曰：毛仲雖邀皇帝寵，與吾異道不相謀；舉杯西酌爲遵旨，肚痛難當未肯留。

## 一八八　你的文章不好　（筆澀）

明朝時代，江蘇省常州府所轄的江陰縣，有位張畏巖，唸了不少書，文章也不壞，在文藝界頗有聲望。甲午年，他到南京去參加鄉試（秀才去考舉人，叫鄉試），應考期間，他借住在南京一處寺廟裡。

考試結果發佈，榜文上卻沒有他的名字。他沒有錄取，不反省自己的文章不好，卻一逕大罵主考官，說他眼睛迷糊，看不懂他文章的佳妙。

這時有位道士在旁，見他大發脾氣，對他微微含笑。張畏巖怨氣更加增大了，就把心中的怒火，轉向道士身上發洩。

道士對他說：「相公，你的文章，一定不好。」

張畏巖益加冒火，叱責他道：「你沒有看過我的文章，怎會知道我的文章不好？」

道士答道：「我聽人說：寫文章時，最要緊的是心平氣和，讓智慧開花。現在聽你在咒罵考試官，你的怨氣太重了，文章怎麼會好呢？」

道士的話，說得有理，張畏巖聽了，不知不覺的服氣了，就轉而向道士請他指教。丁酉年果然考中了。

**【原文附參】**：江陰張畏巖，積學工文，有聲藝林。甲午南京鄉試，寓一寺中，揭曉無名，大篤試官，以爲瞇目。時有一道者，在旁微笑。張遽移怒道者。道者曰：相公文必不佳。張益怒曰：汝不見我文，烏知不佳？道者曰：聞作文貴心氣平和，今聽公罵詈，不平甚矣，文安得工？張不覺屈服，因就而請教焉。（見：袁了凡：《了凡四訓》、謙德之效）

**【編者私語】**：爲文首在「立意」，其次「佈局」，其次「遣詞」。「爲天地立心，爲生民立命」，立意也。「明月松間照，清泉石上流」，佈局也。「古木無人徑，深山何處鐘」，遣詞也。但須要心有靈犀，胸無窒礙才可。若滿懷忿懥，不得其正，佳意美詞，會被扼殺，筆下不能生花，文章哪能上榜。

# 一八九　何以負周世宗　（遠慮）

宋太祖（九二七－九七六，名趙匡胤）登基後，鑑於唐代安史之亂，藩鎮擁兵顛覆了朝廷，便用杯酒釋兵權之策，把軍權收歸中央。終宋之世，軍人未再擁兵作亂。中央兵多，仍須派人統率。宋太祖又想要符彥卿（字冠侯，做過節度使、太傅、太師、）再行管軍，宰相趙普（九二二－九九二）多次諫諍阻止，認爲他名位已經太高，不可再將兵權交給他，以免發生事變。

宋太祖一直沒有採納。最後，委任的詔書已經發出了，趙普截留了詔書，藏在懷裡，來見宋太祖。

宋太祖問道：「又是爲了符彥卿的事吧？」

趙普說：「不是。」因奏論其他的政事。等到討論完畢，才慢慢掏出委派符彥卿的詔書來。

宋太祖道：「果然還是爲了這件事。這份詔書，爲何還在你的手上？」

趙普說：「我藉故說詔書裡的文句還不盡理想，要再修改，便留下了它。仍想請你深思熟慮，權衡利害。不然怕要後悔的。」

太祖道：「你苦苦的懷疑符彥卿，爲甚麼呀？我對他這樣的恩深義厚，他也對我貼心盡力，怎會背叛我呢？」

趙普說：「這就很難講了。陛下以前不是對周世宗很好，一直效忠他嗎？爲甚麼後來你卻背叛了他呢？」

原來宋太祖在周世宗時代，任殿前都點檢，兵權在握。周世宗一死，陳橋兵變，大家擁護宋太祖，回京就做了天子。大凡集軍政大權於一身者，終非國家之福。

宋太祖聽了趙普的反問，默然沒有回話。想想趙普的顧慮確有遠見，這事就中止了。

【原文附參】：宋太祖杯酒釋兵權後，已而欲使符彥卿管軍。趙普屢諫，以爲彥卿名位已盛，不可復委以兵權。太祖不從，宣已出。普復懷之，太祖謂之曰：豈爲符彥卿事耶？對曰：非也。因奏他事。既罷，乃出彥卿宣進之。太祖曰：果然，宣何以復在卿所？普曰：臣託以處分之語有侏离者，復留之，唯陛下深思利害，勿後悔。太祖曰：卿苦疑彥卿，何也？朕待彥卿厚，彥卿豈負朕耶？普對曰：陛下何以能負周世宗？太祖默然，事遂中止。（見：《宋史》、卷二百五十、列傳第九）

【編者私語】：武力猶如一把利刀，對內鎮壓反動，對外威服強鄰。利刀不能鎖在保險箱中，交給誰好呢？將刀柄給別人握著，是很危險的。所以當國者授人兵權，不在乎被受者的才能是否最優，而在乎他的忠誠是否絕對可靠，以免禍生肘腋，自己被殺。因此，從反面來看，便有人強調「槍桿子裡出政權」，在東方國家中，這話有很多佐證。誰握兵權，誰就是老大。現今引爆核子武器按鈕的黑箱子，也是要由兩個人同時按下，才起作用，以免爲暴君所獨控，同是此理。宋太祖在北周時代，集軍政大權於一身，他對周世宗，本也推誠相報。卻因幼主新立，又有部隊擁護，順勢便做了皇帝，這哪是周世宗預先可料到的？趙普的顧慮，正在此點，一言提醒，宋太祖默然不語者久之。這把利刀的刀柄，就不肯給符彥卿了。解救之道，軍隊必須國家化，部隊長要按任期輪調，將不統兵，兵不附將，不搞湘軍淮軍這種鄉黨子弟兵，士兵只捍衛國家，不可效忠個人，如此或可弭除兵變。

## 一九〇　何得每事盡善（任事）

晉代王述，字懷祖。有才學，也饒識見。但行年三十了，還未出名。父親王承（字安期），爲中興名臣第一。祖父王湛（字處沖），博通經史，可謂書香門閥。

司徒王導（二六七—三三九），字茂弘。晉元帝時（三一七—三二二在位）爲丞相（亦稱大司徒），後受元帝遺詔輔佐晉明帝（三二三—三二五在位），又受明帝遺詔輔佐晉成帝（三二六—三四二在位）。歷經三朝，官至太傅。當他作大司徒時，選拔了王述爲中兵屬（中兵曹掌畿內之兵，中兵屬輔佐之），王述甚有表現。

每當集會議事時，只要王導一開口，滿座的人，莫不贊美王導的見解高超，王導也以爲當然，次次如是。王述看不慣了，獨排衆議，正色說道：「我們又不是堯舜，哪能每件事都盡美盡善，屢屢坦受諛詞呢？」王導雖權傾滿朝，竟然向他認錯。

王述因官聲日隆，外放爲臨海太守（今浙江臨海縣），又升建威將軍，再任會稽內史（今浙江紹興縣）。他每次升任新職，並不假意推辭；但他不願幹的，就絕不接受。長子王坦之（字文度）勸父親在升官時，禮應稍示謙遜，這是官場習慣，也可彰顯自己的風度。

王述道：「你認爲我才識不夠，幹不了嗎？」

王坦之說：「那倒不是。但謙讓一下，也是美德呀！」

王述道：「既說我足以擔任，爲甚麼要故作謙態？別人都說你比我又強又好（後來王坦之做到中書令），如此看來，你一定還及不上我嘛。」

**【原文附參】**：王述、年三十，尚未知名。司徒王導，辟爲中兵屬。嘗見導每發言，一座莫不讚美。述正色曰：人非堯舜，何得每事盡善？導改容謝之。後述出補臨海太守，遷建威將軍，會稽內史。述每受職，不爲虛讓；其有所辭，必於不受。至是，子坦之諫，以爲故事應讓。述曰：汝謂我不堪耶？坦之曰：非也。但克讓自美事耳。述曰：既云堪，何爲復讓？人言汝勝我，定不及也。（見：《晉書》、卷七十五、列傳第四十五）

**【編者私語】**：我們流行一句話：「官大學問大。」不論開會發言，或是登台演講，大官都有一番宏論和訓示，好似上懂天文，下明地理，科技文史，無所不通，沒人敢挑毛病。這好比秦朝丞相呂不韋，著了一部《呂氏春秋》（實際是他的門客們寫的），懸之國門，說「誰能增損一字，賞千金。」沒人領賞。這不是不能，而是無人敢捋丞相的虎鬚，恐惹殺身之禍也。沒做大官的，固然不必盲信大官是天縱之聖；身居大官的，也不可誤認自己確是十項全能。《論語》子路篇孔子說：「吾不如老農，吾不如老圃。」這才令人肅然生敬。

## 一九一　兵法可試婦人（立威）

春秋時代，齊國有位孫武（是孫臏的遠祖），精通兵法，他到吳國會見吳王闔閭（亦作闔廬），想貢獻所學，發展抱負。

吳王問道：「你的《兵法》十三篇，我全都看了，可以小規模的試驗一下統兵布陣嗎？」

孫武說：「可以。」

吳王問道：「可以讓女人來試練嗎？」

孫武說：「可以。」

於是召集宮裡美女一百八十人，孫武將她們編成左右兩隊，請到吳王兩位寵愛的嬪妃作爲隊長，開始演練。

孫武向兩隊大聲問道：「你們知道心、背、左手、右手的方位嗎？」

隊員們都回答：「知道。」

孫武下令說：「前進就是朝心胸所向的方位，向右就是往右手那邊的方位，後退就是朝背面所向的方位。」

命命宣達後，接著設立賞罰的刀斧用具，也三番五次的講解請楚。然後下令擂鼓，命兩隊向右行進。哪知這些美女散漫嬉戲慣了，雖然聽到命令，卻都嘻哈大笑。

孫武宣告說：「約束不明白，講解不清楚，乃是主將的罪過。既已明白清楚，而不聽號令，乃是班長隊長的罪過。」下令軍法制裁，將兩位隊長當場斬了。

孫武再指定依次的兩人升任隊長，下令繼續擂鼓操演，兩隊女兵，膽都嚇破了，果然前進後退、左彎右轉，甚至跪下起立，全都聽命行事，隊形嚴肅，中規中矩。

孫武派副將跑到閱兵台，報告吳王說：「隊伍編練完成，只等大王的命令，即使下油鍋上火山都會捨命以赴了。」

於是吳王確知孫武子善能用兵，便以他爲大將，向西攻破強大的楚國，向北威震齊國和晉國。吳王能夠揚名於列強之間，實有賴於孫武子治軍的力量。

**【原文附參】**：孫子武者，齊人也。以兵法見於吳王闔閭。闔閭曰：子之十三篇，吾盡觀之矣，可以小試勒兵乎？對曰：可。闔閭曰：可試以婦人乎？曰：可。於是出宮中美女，得百八十人。孫子分爲二隊，以王之寵姬二人各爲隊長。令之曰：汝知而心與左右手背乎？婦人曰：知之。孫子曰：前則視心，右視右手，後即視背。約束既布，乃設鈇鉞，即三令五申之。於是鼓之右，婦人大笑。孫子曰：約束不明，申令不熟，將之罪也。既已明而不如法者，吏士之罪也，遂斬隊長二人以徇。用其次爲隊長。於是復鼓之，婦人左右前後跪起，皆中規矩。於是孫子使使報王曰：兵既整齊，唯王所欲用之，雖赴水火猶可也。於是闔閭知孫子能用兵，以為將，西破強楚，北威齊晉，顯名諸侯，孫子與有力焉。（見：《史記》、孫子吳起列傳）

**【編者私語】**：殺一可以儆百，嚴令可以立威。兵凶戰危，要在槍林彈雨中陷陣衝鋒，有賴森嚴的紀律，乃能赴湯蹈火，出死入生。

# 一九二　君子焉可貨取　（辭受）

孟子的弟子陳臻問道：「夫子前次在齊國時，齊王送你一百鎰雙料純質精金作餽儀，你不肯接受。在宋國時，送你七十鎰，你接受了。在薛國送你五十鎰，也受了。如果前次的不接受合理，那今天的接受便不合理。如果今天的接受合理，那前天的不接受便不合理。這兩者之中，夫子總會有一次不對吧。」

孟子答道：「都合理呀。當我在宋國時，正要遠行，對遠行的人，應該致送路費，宋君的餽辭說：『這是送行的程儀』，我為何不受呢。當在薛國時，因有歹人要加害於我，我有戒心，還備有兵器來防備，薛君的餽辭說：『聽聞有戒備之舉，奉上兵備之費』，我為何不受呢。至於在齊國時，我任何緣由都沒有，毫無名義而餽送金鎰與我，那是想用錢財來籠絡我。豈有身為君子的人，可以接受錢財而被人像貨物一樣的收買嗎？」

**【原文附參】**：陳臻問曰：前日於齊，王餽兼金一百而不受。於宋、餽七十鎰而受。於薛、餽五十鎰而受。前日之不受是，則今日之受非也。今日之受是，則前日之不受非也。夫子必居一於此矣。孟子曰：皆是也。當在宋也，予將有遠行，行者必以贐，辭曰餽贐，予何為不受。當在薛也，予有戒心，辭曰聞戒，故為兵餽之，

予何爲不受。若於齊，則未有處也。無處而餽之，是貨之也，焉有君子而可以貨取乎？（見：《孟子》、公孫丑章句下）

**【編者私語】**：辭受取與，關乎操守。遇所當受，雖取天下不爲過。遇所不當受，雖一介也不能取，唯義所在。《孟子》離婁章另有言曰：「可以取，可以不取，取傷廉。可以與，可以不與，與傷惠。」宜並觀。

# 一九三　吾何以天下為（高逸）

堯、舜、禹三代都是禪讓之世，把帝位傳給賢能的人。那時政治清純，人民安樂。（我國最古的的民謠歌詞《擊壤歌》便是佳證）除了堯帝時黃河汎濫，常鬧水災，以及舜帝時與三苗有大戰之外，社會上呈現一片祥和氣象。

舜帝在位四十八年（攝政卅年，為帝十八年，天下大治），這期間，他曾想將帝位讓給善卷，因爲善卷是一位賢哲隱逸的高士。

善卷說：「我活在宇宙之中，冬天有厚而軟的毛皮衣服穿，十分溫暖。夏天有薄而細的麻葛衣穿，十分涼爽。春天耕種，藉充分的勞動，使身體保持健康。秋天收穫，有豐盈的米麥足夠我食用。我日出而作，日入而息，在天地之間，逍遙自在。心情愉快，意願也很滿足。我爲何要接受帝君之位，勞累的來統治天下做甚麼呢？那不是自尋煩惱嗎？你這番眷顧的美意，對我來說，是要我套上一付脫不掉的枷鎖，我慨歎你還沒有眞正瞭解我的心意呢。」

善卷不欲接受，爲了免除困擾，就悄然離開原來的住處，避入深山中，不知道到甚麼地方去了。

**【原文附參】**：舜以天下讓善卷。善卷曰：予立於宇宙之中，冬日衣皮毛，夏日衣葛絺。春耕種、形足以勞動。秋收斂，身足以休食。日出而作，日入而息。逍遙於天地之間，而心意自得，吾何以天下爲哉？悲夫、子之不知予也。遂不受，於是去而入深山，莫知其處。（見：《莊子》、讓王）

**【編者私語】**：心胸博大而坦蕩者，就會體察到人生在世，不止是求名求利而已，還有更高的境界。回頭看看那些被名韁利鎖所困住的人，一生爲權位得失而煩心，爲財富增損所羈絆，終日營營，有何可取？我們要追求精神上的富足，如果汲汲於物欲上的擴張，那就會發生爭奪，交戰，世界難得太平。假如你胸懷曠達，生活充實，心情愉悅，寵辱兩忘，便與世無爭了，何必要作帝王，豈不自尋煩惱？

# 一九四　坑卒四十萬人（輕率）

秦昭王與趙孝成王的大軍，戰於長平（在趙國境內，即今山西省高平縣），相持不下。趙國由廉頗（趙國上將）擔任指揮官。他深知秦兵強悍，不可硬拚，時間一久，秦兵自會退走，便修了堅強的堡壘固守，不打硬仗。使得秦國指揮官白起（封武安君，很善用兵）勞師遠征，卻毫無進展。

秦國使出反間計，放出謠言說：「我們秦國，只怕趙國起用趙奢（趙王賜爵為馬服君，曾大破秦軍）的兒子趙括（元前？—前二六〇）作指揮官，因為他是將門之子，深通兵法，天下知名。至於現在任指揮官的廉頗，他年紀太大，又膽小怕事，一味躲避，我們很容易就會打敗他。」

趙孝成王信以為眞，果然改派趙括為指揮官。陣前換將，命他前去取代廉頗。

那趙括從小就學習兵法，認為自己最能，天下沒有人可以和他旗鼓相當的。還常與他父親趙奢討論用兵之道，趙奢都講不過他，但一直認為趙括不是良將。

趙括的母親問趙奢何以見得？趙奢說：「兩軍作戰，非死即傷，是何等戒愼恐懼的大事，而趙括卻看得十分容易。將來我趙國如果不用他，就算走運了；萬一不幸用上了他，恐怕使趙國士兵覆滅的必定是趙括了。」

趙括得令，要上前線了，他母親趕忙上書啓奏給趙孝成王。書中強調：「不可叫趙括當指揮官。」

趙王問她：「爲甚麼不可以呢？」

趙括母親說：「從前他父親作了將軍，靠他父親供養吃飯的人有幾十位，與他父親結爲知交好友的人有幾百位。大王所賞賜的財帛，全都分給屬下軍吏。接到出征命令的那天開始，他父親便無暇過問家裡的事務了。如今趙括一旦作了將軍，便傲據東方主位高高端坐，昂然接受軍吏士卒的參拜，人人心懷恐懼，不敢抬頭看他。大王賜他的金帛，全都運回家裡收藏。請大王想想，是不是比他父親差遠了？希望不要派他才好。」

趙王說：「這事我已經決定了，不必改換了。」仍然派趙括前往。

趙括到長平，接替廉頗爲將。他把廉頗原有的規定一一推翻，不以防守爲主。秦軍指揮官白起發動奇襲，進攻趙軍，一場惡戰，趙括被箭射死，俘虜了全部四十萬趙兵，統統挖坑埋了。長平縣有個山谷，就是坑埋之處，舊名殺谷。唐玄宗經過該地，改名叫省冤谷。

趙括的母親，因爲有言在先，故爾免於追究。

**【原文附參】**：秦與趙兵相距長平。趙使廉頗爲將，固壁不戰。秦之間言曰：秦獨畏趙奢之子趙括爲將耳。趙王因以括爲將代廉頗。括自少時學兵法，以天下莫能當。嘗與其父奢言兵事，奢不能難，然不謂之善。括母問其故？奢曰：兵、死地也，而括易言之。使趙不將括則已，若必將之，破趙軍者必括也。及括將行，其母上書曰：括不可使將。王曰：何以？對曰：始妾事其父時，爲將。所奉飯者以十數，所友者以百數，大王所賞賜者，盡以與軍吏。受命之日，不問家事。今括一旦爲將，東向而朝，軍吏無仰視之者。王所賜金帛，歸藏家。王以爲何如其父？願王弗遣。王曰：吾已決矣。終遣之。括既代廉頗，悉更約束。秦將白起縱奇兵射殺括，數十萬衆，秦悉坑之。（見：魏徵：《群書治要》、卷十二。又見：《史記》、卷八十一、廉頗列傳。又見：《資治通鑑》、卷五、周紀五）

**【編者私語】**：《老子》說：「兵者不祥之器，不得已而用之。」殺人盈野，血流成河，一將成功萬骨枯，何等慘烈？《孟子》離婁篇說：「故善戰者服上刑。」須知兵凶戰危，爲統帥者，尤須戒愼恐懼。蓋勝敗存亡，常在俄頃之間也。趙括僅長於嘴上談兵，卻短於實戰用兵；他年少氣驕，自以爲天下事都甚爲易與。身死不足惜，乃使數十萬士卒盡坑。誦「可憐無定河邊骨，猶是深閨夢裡人」之句，不禁唏嘘久之。

## 一九五　宋人及楚人平（誠實）

春秋時代，楚莊王圍攻宋國，楚軍只剩七天的糧食了。如果糧盡還攻不下，便打算解圍回國。於是派司馬子反登上城邊土山去察看宋國城內的狀況。不料宋國大夫華元，也自城內登上土山，兩人不期對面看到了。

司馬子反問道：「貴國情況怎麼樣了？」

華元答道：「很疲困了。」

司馬子反問道：「疲困到甚麼程度了呢？」

華元道：「吃的光了，只好交換小孩殺來作食物。燒的也沒有了，只好挖尋枯骨來作燃料，好慘呀！」

子反說：「唉，眞是疲困極了。可是我聽人說：『被圍的人缺糧，都不肯把實情顯露出來，還假意拿好穀子餵馬，卻用木棍夾在馬嘴裡，使馬不能呑嚼。又牽出肥馬來接應賓客，表示糧足。』你爲何把實話告訴我呢？」

華元道：「我聽人說：『君子見別人有困厄，常生哀憐之心。小人見別人有困厄，常表高興之意。』我知道你是位君子，所以才對你講實話。」

子反說：「是呀，你們再儘力守住吧。實不相瞞：我們軍中也只七日之糧了，糧盡如不勝，也會回去了。」他向華元拱手道別，回來覆報楚莊王。

莊王問他道：「那宋國情況怎麼樣了？」

子反說：「很疲困了。」

莊王問道：「疲困到甚麼程度了呢？」

子反說：「沒有吃的了，只好交換小孩殺來作食物；燒的也沒有了，只好找尋枯骨來作燃料，好慘呀！」

莊王道：「唉，眞是疲困極了。不過，我現在還是打算攻下它，再行回去。」

子反說：「不行呀！我也告訴了他，我們只有七天的糧食了。」

莊王大怒道：「我叫你去偵察敵情，你竟敢洩露我方的機密，你爲何要講實話？」

子反說：「那小小的宋國，尙且有不肯欺人的臣子，我強大的楚國獨可以沒有嗎？所以我就告訴他了。」

莊王沈默了許久，然後說道：「算啦！你去紮個營舍留下來吧。雖然缺糧，我還是要拿下宋城，才會回去。」

子反說：「那就請你獨自留下吧，我要請你准許我先行回國去了。」

莊王道：「你要離開我先走，那我單獨留在這裡和誰相處呢？好吧！我也同你一齊回去好了。」便率領大軍，同回楚國去了。

**【原文附參】**：莊王圍宋，軍有七日之糧爾。盡此不勝，將去而歸爾。於是使司馬子反乘堙而闚宋城。宋華元亦乘堙而出見之。司馬子反曰：子之國何如？華元曰：憊矣。曰：何如？曰：易子而食之，析骸而炊之。司馬子反曰：嘻，甚矣憊。雖然，吾聞之也，圍者柑馬而秣之，使肥者應客，是何子之情也？華元曰：吾聞之：君子見人之厄，則矜之；小人見人之厄，則幸之。吾見子之君子也，是以告情於子也。司馬子反曰：諾、勉之矣！吾軍亦剩七日之糧也，盡此不勝，將去而歸爾。揖而去之，反於莊王。莊王曰：何如？司馬子反曰：憊矣。曰：何如？曰：易子而食之，析骸而炊之。莊王曰：嘻，甚矣憊；雖然，吾今取此，然後而歸爾。司馬子反曰：不可，臣已告之矣，軍有七日之糧爾。莊王怒曰：吾使子往視之，子曷爲告之。司馬子反曰：以區區之宋，猶有不欺人之臣，可以楚而無乎？是以告之也。莊王曰：諾、舍而止。雖然、吾猶取此，然後歸爾。司馬子反曰：然則君請處於此，臣請歸爾。莊王曰：子去我而歸，吾孰與處於此？吾亦從子而歸爾。引師而去之。

（見：周、公羊高：《公羊傳》、宣公十五年）

**【編者私語】**：《公羊傳》是解經的。原文說：「外平不書（別國講和的事都不記載，例如楚鄭之和，《春秋》不錄）。此何以書（這次爲何要記呢）？大其平乎己也（是稱贊這謀和全賴子反華元兩位大夫達成的）。其稱人何（本是大夫，何故不稱官職而只稱宋『人』及楚『人』平呢）？貶（責怪他倆不對也）。曷爲貶（何以要責怪）？

平者在下也（因爲非由君王而是由大夫達成講和的）。」既贊許和議達成，又責怪兩大夫專擅。一字之褒，一字之貶，這就是高妙的《春秋》之筆。（《春秋》之法：政不在大夫。國家外交事務，不可以由大夫擅自作主謀和。此一故事，在董仲舒撰《春秋繁露》卷二、竹林第三中嘗予討論。）此外，兩軍交戰之際，雖分敵我，雙方仍不失君子互信之風；而楚莊王與司馬子反，君臣感情篤厚，竟罷兵偕與同歸；可見古人儀範，有足多者。《春秋》記此一句，《公羊》述此一事，都寓深意。

## 一九六　婦人見之必笑　（知幾）

唐朝郭子儀（六九七—七八一），玄宗時就做了節度使。肅宗時，封爲汾陽王，因稱郭汾陽。代宗時，單騎退回紇。德宗時，進爲太尉中書令，故又叫郭令公。身繫唐朝安危二十年，權傾中外。兒子娶了公主，和皇室結成了親家。

他本是累世重臣，有次、病得很厲害，文武百官，都來探病。郭子儀常在寢宮裡接見他們，左右服事的侍妾姬婢，都未迴避。但一聽到盧杞（字子良，性情凶毒，面貌醜陋，憑口才做到宰相）要來，便把所有的侍姬都屏退了，一個也不許留下，獨自倚靠著几案，等待盧杞光臨。

家裡的人都感到怪異，問是甚麼緣故。郭子儀解釋道：「盧杞生得太醜，心地又太險惡，女人家見事不多，看到他那長相，忍不住必會發笑，盧杞善於記仇，來日他掌握大權時，我們這群人就可能被殺得一個都逃不掉了呀！」

**【原文附參】**：唐郭子儀病甚，百官造省，不屏侍姬。及盧杞至，則屏之，隱几而待。家人怪，問其故。曰：杞貌陋而心險，婦人見之必笑。他日得志，吾屬無焦類矣。（見：明、俞琳：《經世奇謀》、知幾）

【編者私語】：身體有缺憾的人，出身不光彩的人，都很敏感。朱元璋當過和尚，以乞丐而爲明太祖。即帝位後，一切僧、秃、光、丐字都是忌諱，任誰寫了說了，都要殺頭。實則缺憾不是罪過，自己要能寬解，不宜動怒。別人則應寄同情，不宜訕笑。按史載盧杞鬼獰藍面，險狡陰狠，人有小忤己，不置之死地不止。這種小人在朝，既無法疏遠，唯有處處小心。郭子儀能防患於微，以故二十年功勳不墜。持盈保泰，連小處都要注意。

## 一九七 我比我弟肥胖（友愛）

漢朝趙孝，沛國人（在今安徽），字長平（父親趙普，王莽時封為田禾將軍，屯田在北方，等於是實施寓兵於農的政策）。新莽時代，天下不安，赤眉禍起，民不潦生，相率為盜，甚至有人吃人的慘事。

有一股飢民，被逼為盜，流竄到趙孝的村鎮裡，擄掠不到糧食，情急了，就胡亂抓人殺來充飢，竟把趙孝的弟弟趙禮捉到了，要殺掉他。

趙孝篤愛弟弟，連忙自己縛了雙手，到賊窩裡投身訴道：「你們捉到我的弟弟趙禮，我知道他已好久沒有吃飽過，又弱又瘦，身上沒有好肉，只有骨頭，不如我趙孝的肥壯飽滿，請讓我來代替他吧。」

這群盜賊尚不失人性，聽了趙孝的這番話，十分驚佩，便把他兩人都釋放了，但卻囑咐說：「暫且放你們回去，明天得弄些粟米和乾飯交來！」

那時節，十室九空，半口袋的米糧都無法弄到，趙孝又去回報流賊說：「我實在弄不到米糧，甘願用自身代替，任由你們宰也好，烹也好，沒有怨言。」

賊衆見趙孝篤友誠信，也很感動，便不再追究他了。以後傳揚開來，鄉里族黨之間，都敬服他的義行。

**【原文附參】**：趙孝，字長平，沛國人。王莽時，天下亂，人相食。孝弟禮，爲餓賊所得。孝聞之，即自縛詣賊曰：禮久餓，羸瘦，不如孝肥飽。賊大驚，並放之，謂曰：可且歸，更持米糒來。孝求不能得，復往報賊，願就烹。衆異之，遂不害。鄉黨服其義。（見：《後漢書》、卷六十九、列傳第二十九）

**【編者私語】**：飢民爲盜可憫，天良尚未全泯；趙孝以身代弟，餓賊也知不忍。

## 一九八　我今十二歲了（幼慧）

秦國文信侯呂不韋（元前？——前二三五），位居宰相，權大勢大。他請張唐到燕國去輔佐燕王。張唐推辭說：「我如果要去燕國，必須經過趙國（秦在西方，燕在東北，中間隔著趙國）。趙國有賞令：凡是捉到我張唐的，可以領受一百里土地的賞格。我恐怕不方便前去哩。」

呂不韋很不高興。他的門下有位少年才俊，名叫甘羅（本篇引自《潼山子》，此書作者即甘羅），下蔡人。這時問道：「侯爺今天為甚麼很不愉快呢？」

呂不韋說：「今天我親自請求張唐去燕國為相，他卻不肯答應。」

甘羅道：「讓我去說服他前往燕國好了。」

這甘羅好大的口氣，年紀輕輕，顯然少不更事。呂不韋叱罵他說：「我是相國，親口請他都不行，你憑甚麼請得動他？」

甘羅道：「從前有個項櫜（魯人，《論衡》作項託），七歲就做了孔子的老師，如今我已經十二歲了，應該讓我試一試，有甚麼好罵的？」

甘羅去見張唐，問道：「你的功勞與武安君白起（一戰就坑殺趙兵四十萬人）比較，誰個高些？」

張唐回答說：「我當然比不上白起。」

甘羅再問道：「應侯范睢（採遠交近政之策，很得寵信）在我秦國，與呂不韋比較，誰的權大？」

張唐回答說：「范睢比不上呂丞相不韋。」

甘羅解釋道：「范睢想攻趙國，白起反對。出城離此地咸陽都城不過七里，范睢就借故把白起絞殺了。你自承功勞比不上白起，而白起又比不上范睢，那范睢又不及呂不韋，可見你相差了好一大截。如今呂不韋大權在握，那裡容得下抗命的人呢？他親自請你去燕國，已經給了你大面子，你卻不肯答應，這是自己找死呀，我不曉得你會在何時何地被呂不韋殺掉了！」

張唐恍然大悟，連忙說：「就憑你年輕人的這一席話，我決定去就是了。」

**【原文附參】**：文信侯請張唐相燕。張唐辭曰：燕者必徑於趙。趙人得唐者，受百里之地。文信侯不快。甘羅曰：君侯何不快甚也？文信侯曰：今吾自請張卿相燕而不肯行。甘羅曰：臣請行之。文信侯叱曰：我自請且不肯行，卿安能行之？甘羅曰：夫項橐七歲而爲孔子師，今臣十二歲於茲矣。君其試臣，奚遽叱也？甘羅見張唐曰：卿之功孰與武安君？唐曰：不如也。甘羅曰：應侯之用秦也，孰與文信侯專？曰：應侯不如文信專。甘羅曰：應侯欲伐趙，武安君難之，去咸陽七里，絞而

殺之。今文信侯自請卿相燕，而卿不肯行，臣不知卿所死之處矣。唐曰：請因孺子而行。（見：戰國、秦、甘羅：《潼山子》、說趙）

**【編者私語】**：呂不韋以秦王子楚奇貨可居，將懷孕之妾相贈，生下了秦始皇。貴爲相國，尊爲仲父，儼然自己就是天子，身邊豈容拂逆之士。張唐未悟此理，甘羅一語點破；既消弭張唐殺身之禍，又保全呂相命使之尊。確係神童，足稱幼慧。

## 一九九　我以不受為寶　（高操）

春秋時代，有一百多國（按粹芬閣藏本《春秋三傳》中有「春秋一百二十四國爵姓」表，顧棟高《春秋列國爵姓及存滅表》共考得一百四十八國，《左傳》記有一百七十國）。宋國是其中之一。宋的土地雖小，卻是具有爵姓之國，在今河南境內。

宋國有個鄉人，栽種農作物爲生，在犁地時，在土中檢到一塊寶玉，呈獻給官拜司空（司空即司城，見《左傳》文十六年注）的子罕。子罕卻辭謝不要。

鄉人說：「這是我鄉下人拾到的寶物，希望相國賜我面子收受才好。」

子罕答道：「你認爲『玉』是珍寶，我則認爲『不受』才是珍寶。」

宋國的長者贊美道：「子罕不是沒有珍寶，不過他所寶的和別人不同吧了。」

**【原文附參】**：宋之野人，耕而得玉，獻之司城子罕，子罕不受。野人請曰：此野人之寶也，願相國爲之賜而受之也。子罕曰：子以玉爲寶，我以不受爲寶。宋國之長者曰：子罕非無寶也，所寶者異也。（見：《呂氏春秋》、異寶）

**【編者私語】**：以「不受」爲寶，這要有大修養才辦得到。借用《呂氏春秋》的話：「其知彌精（凡智識理念愈高深的），其所取彌精（他所選擇的必愈高而精）。

其知彌𤣩（凡智識理念愈淺薄的），其所取彌𤣩（他所選擇的必愈淺而粗）。」又《楚書》曰：「楚國無以爲寶，惟善以爲寶」。舅犯（晉文公之舅，名狐偃，字子犯，故稱舅犯）曰：「亡人無以爲寶，仁親以爲寶」（以上兩段，均見《大學》第十章）。觀念昇華之後，理想就高了，爲國爲民的人，「所寶唯賢」。請體會本篇的眞義。

# 二〇〇　我的醫術最下　（透察）

名醫扁鵲，是戰國時代渤海郡的鄭縣人（古地名，在今河北省任丘縣北，鄚音莫）。他本名叫秦越人（姓秦、名越人）。精於醫道，天下聞名。爲甚麼又叫扁鵲呢？根據《史記》扁鵲列傳正義註解說：古時有個扁鵲，本是黃帝軒轅氏時代的良醫，如今這個叫秦越人的醫術，和扁鵲差不多一樣的高明，所以逕稱他爲扁鵲。

魏文王很佩服扁鵲，問他道：「你家兄弟三人，都精於醫術，誰是最好的呢？」

扁鵲回答說：「長兄最好，中兄次之，我最差。」

魏文王再問道：「這倒很有興趣，你能說明白一點嗎？」

扁鵲說：「讓我分別來講：我長兄治病，是醫之於病尚未生之前。當毛病還沒有發作，就預防了。別人根本不知道會起病，他的名氣也傳不開，只有在家裡的我們知道。但他卻是最高等的神醫。

「我的中兄治病，是治之於病情初起之際。當毛病還沒有擴大，就醫好了。別人以爲那只是輕微的小病，因此他的名氣不大，只有本鄉本縣的人知道。但他卻是次高等的良醫。

「至於我扁鵲治病，常常是醫之於病況已重之後。當病情變得很危急，我把他治好了。別人看到我挖肉切骨，大動手術，皮膚上敷了毒藥來攻毒，經脈上穿刺針管來放血，起死而回生，因此名氣最響，天下各國都知道。但我卻只是個普通的醫生而已，沒有甚麼好誇耀的。」

魏文王贊道：「先生診脈最靈，又能看淸病人的五臟癥結，更能藥到病除，先生的醫術已夠精深了，仍然如此謙虛，眞不愧是當代的扁鵲呀。」

**【原文附參】**：魏文王問扁鵲曰：子昆弟三人，其孰最善爲醫？扁鵲曰：長兄最善，中兄次之，扁鵲最爲下。魏文侯曰：可得聞耶？扁鵲曰：長兄於病，視神未有形而除之，故名不出於家。中兄治病，其在毫毛，故名不出於閭。若扁鵲者，鑱血脈，投毒藥，副肌膚間，而名聞於諸侯。魏文侯曰：善。（見：戰國、楚、著者爲隱士、名不詳：《鶡冠子》、卷下、世賢第十六）

**【編者私語】**：事先從容弭禍的措施，比事後匆忙補救高明多了，卻常常爲一般人所忽視。君不見：焦頭爛額爲上客，曲突徙薪無恩澤乎（見《漢書》霍光傳）？本篇似是鶡冠子假託扁鵲以寄意，要旨在暗示高瞻遠矚的人，大家都不太了解他，有時候是蠻寂寞的，還宜坦蕩忍受。

# 二〇一　我是儒生師表

（高潔）

陳敬宗（自號澹然居士）、明成祖永樂二年（一四〇三）進士，參加過《永樂大典》（永樂年御修之叢書，故名，共二二八七七卷）的撰修。明宣宗宣德二年（一四二七），轉任南京國子監司業（國子監即太學堂，司業掌國學之政），進祭酒（等於校長）。宣宗對他說：「侍講（對君王講授經書）、這是譽崇學邃的殊選。司業、這是儒道師尊的首席。位置雖不算最隆，但名望卻十分優寵的。」

陳敬宗力求以師道自勉，太學館裡有儒士千多位，每次升堂講課，或是集體會餐，儀節整齊嚴肅，各人都進退有序，儼如朝廷大典一般。

他回到京師北平，那時太監王振（？—一四四九）恃寵弄權，作威作福，滿朝大臣都怕他。久聞陳敬宗的賢名，想叫他來會面，要周忱（字恂如，宣德年間任職侍郎）轉達此意。若能討得王振的歡心，前途就無量了。

陳敬宗說：「我身爲儒生的師表，如果私下去會見中貴人（指宮中貴幸的宦官），何能再面對這些儒生呢？」

宦官王振邀他來見面不成，知他不肯屈從，就改變方式，贈送他一批錦繡和美酒，請他書寫「程子四箴」（北宋程頤撰有視聽言動四箴，以寓規戒），裱掛在自宅堂上；盼望他寫成之後，必會前來道謝的。

陳敬宗不能峻拒，只好照寫。寫成之後，僅在文末落款（寫上自己姓名，這叫下款）。上款（對方姓名應寫在文前，叫上款）不寫。託人送去，連同文錦羊酒全部退還，一直不肯親去見面。

**【原文附參】**：陳敬宗，永樂進士，與修永樂大典。宣德二年，轉南京國子監司業。帝諭之曰：侍講、清華之選；司業、師儒之席。位雖不崇，任則重矣。敬宗力以師道自任，館士千餘人，每升堂聽講，設饌會食，整肅如朝廷。後回京師，王振欲見之，令周忱道意。敬宗曰：吾爲諸生師表，而私謁中貴，何以對諸生？振知不可屈，乃貽之文錦羊酒，求書程子四箴，冀其來謝。敬宗書訖，署名而已。返其禮，終不往見。（見：清、張廷玉：《明史》、卷一百六十三、列傳第五十一）

**【編者私語】**：處在清濁混淆的政局中，或是良窳紛亂的社會裡，既不願污染自身的高潔，又不能忿忤所有的壞人。唯有保持距離，以維清譽。像王振這類宦官，每天在皇帝身邊，多講半句小話，就可要某人的性命。若因細故開罪了他，一萌殺機，將無所逃於天地之間矣。陳敬宗不肯降格會見於先，就不能再拒絕求字於後。寫一幅中堂（掛在廳室中的大幅字畫叫中堂），無傷也。達成了對方表面的願望（拒絕不是辦法），也保全了自己謹守的清操（上款絕不能寫）。同時璧還厚贈之物（一件也不能留），這就免卻登門道謝之勞了。實是應付奸人的好主意，我們有時也會遇上這類難題，峻拒結了怨仇，依順非我所願，如何在不傷對方、不污己身的原則下，不亢不卑而得以化解，這便要運用大智慧來決定了。

## 二〇二　我要做丞相了（識賢）

漢高祖劉邦（前二四七—前一九五）逝世，由漢惠帝（劉邦子，名盈）繼位，蕭何以先朝重臣，續爲丞相。後來蕭何病了，惠帝親臨他家探疾。因便問道：「蕭卿百歲之後，誰可以接替你的相位？」

蕭何說：「了解臣子的，莫過於皇上呀。」

惠帝問道：「你看曹參（也是沛人。元前？—前一九〇）如何？」

蕭何說：「陛下已說出了適當的人選，我死也沒有遺憾了。」

那時曹參輔佐齊王（劉邦長子肥封爲齊王）爲王國丞相，做了九年，境內治理得安和樂利。

曹參聽到蕭何去世的訊息，立即催促家人趕快整治行裝，說：「我就要入京當漢相了。」

果然隔不多久，漢皇使者來了，宣召曹參，入京爲相。

起初，當曹參還未發跡之前，與蕭何很友善。及至蕭何爲相，就漸漸產生了嫌隙。因爲曹參自以爲功多，但封賞每在蕭何之後，故而怨生。等到蕭何臨終時，心目中要推薦的人，還是曹參。古人胸懷，確有過人之處。

**【原文附參】**：漢高祖崩，何事惠帝。何病，帝親臨，視何疾。因問曰：君百歲後，誰可代君？對曰：知臣莫若主。帝曰：曹參何如？何曰：帝得之矣，何死不恨矣。時參爲齊相，相齊九年，齊國安集。蕭何薨，參聞之，告舍人趣治行：吾且入相。居無何，使者果召參。始參微時，與蕭何善。及爲宰相，有隙。至何且死，所舉賢唯參焉。（見：《前漢書》、卷第三十九、蕭曹列傳第九）

**【編者私語】**：有才識的人，機會會主動來找他，等著好了。姜太公渭濱垂釣，直勾子怎能釣魚？乃是待時。諸葛亮隱居務農，卻在隆中高臥，大白天竟然睡覺，也是待時。《孟子》公孫丑下章說：「當今之世，捨我其誰？」曹參預先料到了，故立即治裝，等待詔命。有大志者，應有此等抱負。

## 二〇三　抗齊三計都用（兼施）

戰國時代，楚襄王做太子時，他被當作人質，留置在齊國。後來，他父親楚懷王死了，太子極想回國繼承王位。齊閔王想擱阻他，趁機提出要求：「你要割讓東邊五百里土地給我，才放你回去。」

楚太子不知如何應付，回頭請教愼子（名愼到，戰國趙人，是位法家）。愼子說：「答應他好了。」

太子回到楚國，即位爲楚襄王。齊國跟著派來使臣，專程索取承諾割讓的土地。

襄王問愼子說：「我該怎麼辦呢？」

愼子答道：「你明天上朝，要朝臣都出個主意好了。」

第二天，襄王徵詢群臣的意見。

子良說：「既然允諾了，我們不能不給他。但給他之後，再去攻佔它。給他是我們守信用，攻它是我們有武力。」

昭常說：「土地豈可輕易割讓？請派我去死守。」

景鯉說：「土地當然不能給他。但獨力鎭守，恐怕很難。請派我到秦國，求請援軍助戰。」

朝臣退去後，襄王將三人的意見告訴慎子，問道：「誰的計策可用？」

慎子回答說：「統統都用好了。」

襄王不高興，抱怨道：「你這樣隨便敷衍的話是甚麼意思？」

慎子回答說：「請不要生氣，讓我解釋：這三位大臣都對。子良既主張割地，你明天就派他到齊國去獻地。昭常既主張死守，你過一天，就派他去護土。景鯉既主張求援，你再過一天，就派他去秦國請兵。這不是都用上了嗎？」

襄王說：「這樣的確很好，我就照做是了。」

子良派往齊國，呈獻土地圖籍。齊王帶領兵卒，前去接受土地，卻發現昭常駐軍守護。昭常說：「我的任務是管理和保衛這塊東方國土。我不會放棄職責，唯有誓死抵抗。」

齊閔王問子良道：「你來向我獻地，如今昭常卻要死守，這是怎麼回事？」

子良回答說：「我動身的那天，是楚王親口交代，向你獻地，未聽說還有其他的決定。這昭常想必是假冒聖旨來抗拒，你攻他好了。」

齊閔王準備攻擊昭常，豈知景鯉向秦國求得了五十萬大軍，兵臨齊國國境，責怪齊閔王說：「你攔阻楚太子不讓他回國，是不仁。又想奪取五百里土地，是不義。對這不仁不義的行為，我秦國願以正義之師，與你決戰。」

齊閔王恐怕腹背受敵，就此罷兵回去了。

**【原文附參】**：楚襄王爲太子，質於齊。楚懷王薨，太子欲歸。齊王隘之曰：予我東地五百里乃得歸。太子退而問愼子。對曰：獻之。太子歸，即王位。齊使來取地，楚王問愼子曰：奈何？對曰：王明日朝群臣，皆令獻計。子良曰：不可不與也。請與而復攻之。與之信，攻之武。昭常曰：不可與也，臣請守之。景鯉曰：不可與也，然不能獨守，臣請求救於秦。諸子出，王以三子計告愼子曰：誰計可用？對曰：皆用之。王拂然曰：何謂也？對曰：臣請畢其說：王遣子良獻地於齊。明日，遣昭常往守。又明日，遣景鯉索救於秦。王曰：善。遣子良至齊獻地，齊王發兵受地。昭常曰：我典主東地，誓以死守。齊王謂子良曰：子來獻地，今昭常守之，奈何？子良曰：臣受命於王，常矯也，請攻之。齊王興兵伐昭常。強秦以兵五十萬臨齊，責曰：夫隘楚太子弗歸不仁，又欲奪地不義，願戰。齊王恐，罷還。（見：戰國、愼到：《愼子》、內篇。又見：《增廣智囊補》、卷下、術智篇，事同）

**【編者私語】**：此篇甚妙：有文德（履行諾言），有武備（守土抵抗），有外援（國際制裁）。可見做領袖的，即或自己沒有主意，只要有好的參謀團，而又從善如流，弱國也不難爭勝。

# 二〇四　材與不材之間　（避禍）

莊子去訪友，帶著學生，走過一座深山，看見一株很高的大樹，枝繁葉茂，應是好木料。可是伐木工人停在樹旁，不打算去砍它。追問是何原因，匠人回答說：「這樹雖大，但材質窳劣，毫無用處，砍下來也沒人要。」莊子歎道：「這樹因不成材，別人反而不會傷害它，可以平安的一直活到它生命終結之日。」

莊子出了山，到一位老朋友家中作客。老友很高興，叫小童兒殺隻鵝燉來待客。小童問道：「一隻鵝會叫，另一隻不會叫，請問該殺哪一隻？」主人說：「就殺那隻不會叫的吧。」

第二天，學生問莊子說：「前天山上的大樹，因不成材而沒有砍掉，昨天主人家的鵝，卻因不會叫而被殺掉。這材與不材之間，實在很難取捨。請問先生，究應如何自處呢？」

莊子笑著答道：「我莊周的處世哲學，乃是明哲保身，將會置身於材與不材之間。逢此亂世，只有處在『有用』和『無用』的中間，方可避禍免害。」

**【原文附參】**：莊子行於山中，見大木，枝葉盛茂。伐木者止其旁而不取也。問其故？曰：無所可用。莊子曰：此木以不材得終其天年。夫子出於山，舍於故人之家。故人喜，命豎子殺雁而烹之。豎子請曰：其一能鳴，其一不能鳴，請奚殺。主人曰：殺不能鳴者。明日，弟子問於莊子曰：昨日山中之木，以不材得終其天年。今主人之雁，以不材死。先生將何處？莊子笑曰：周將處乎材與不材之間。（見：《莊子》、山木）

**【編者私語】**：居亂世，欲處於材與不材之間。想要不爲人先（強出頭會遭殃），不居人後（殿尾恐被截殺），以圖免禍，這是遁世。但一味逃避現實，就能躲過人間浩劫嗎？只怕很難如願。倘若智者人人都隱遁起來，只讓愚者挺身赴難，豈其宜乎？莊子之義，甚爲玄奧，有賴博雅哲人評釋。

# 二〇五　沈先生還好吧　（尊賢）

明代沈周（一四二七—一五〇九），字啓南，號石田，長洲人（今江蘇吳縣）。爲人耿介，與世無爭。他自己設計，造一住所，題曰「有竹居」，過著如神仙般的自得生活。明成祖（一三六〇—一四二〇名朱棣）永樂年間，江蘇巡撫崔恭，舉行面試，要他作《鳳凰臺賦》（臺在南京之南），沈周不假思索，提筆就寫成了。

沈周爲文，仿效左丘明（左氏傳）。作詩，追擬白居易（樂天）蘇軾（東坡）陸游（放翁）。書法摹似黃庭堅（魯直）。尤其精於繪畫，評爲明代第一（又有謂與唐伯虎、文徵明、仇十洲稱明代四大家）。有人勸他出來作官，他推說母親年老，辭謝了。

該郡太守，要徵用畫工在衙署牆上繪壁畫，里邑中有人妒忌沈周，故意把他的姓名列冊呈報，於是被徵召作義務畫工。有人勸他去找個大官說情，免除差遣，沈周說：「徵召服役，這是做百姓的義務；如果去求貴官，不是自找羞辱嗎？」終於畫壁完成才回家。

不多久，這位太守入京朝見，拜會了吏部的銓曹（掌管選拔官吏的上司），公務交談之後，銓曹問他說：「沈先生還好吧？」

太守不認識誰是沈先生，不知如何回答，只好漫應道：「他近況還好。」

太守又拜會了內閣，見到文淵閣大學士李東陽（一四四七—一五一六，字賓之），也問他說：「沈先生有書信來嗎？」

這位太守更加驚奇了，這沈先生究竟是誰呢？又只好漫應道：「有信，但還沒有遞到。」

太守辭出後，急忙去請敎侍郎吳寬（字原博）問道：「這位沈先生，京城裡好幾位大人物都關心他，問到他，究竟是誰？」吳寬把沈周的年籍、狀貌、特長、性格都告訴了他。

太守辭別，回到驛館，找左右的人查問，原來就是那個徵來繪壁畫的畫工。回歸任上後，太守即刻親訪沈周家中，拜了幾拜，頻頻道歉，連說自己的不是，有眼不識大師，得罪了高士。沈周也不計較，還留他吃了飯才離去。

**【原文附參】**：沈周，字啓南。搆有竹居。永樂間，巡撫崔恭，面試鳳凰臺賦，援筆立就。周文摹左氏，詩擬白居易蘇軾陸游，字倣黃庭堅。尤工於畫，評爲明世第一。或勸之仕，以母老辭。有郡守徵畫工繪屋壁，里人疾周者，入其姓名，遂被攝。或勸周謁貴官以免，周曰：往役、義也。謁貴官，不更辱乎？卒供役而還。已而守入覲，銓曹問曰：沈先生無恙乎？守不知所對，漫應曰：無恙。見內閣，李東陽曰：沈先生有牘乎？守益愕，復漫應曰：有而未至。守出，倉皇謁侍郎吳寬，問：沈先生何人？寬備言其狀。詢左右，乃畫壁生也。比還，謁周舍，再拜引咎，

飯之而去。（見：《明史》、卷二百九十八、列傳第一百八十六、隱逸）

**【編者私語】**：這位糊塗郡守，眞是一個昏官。他身爲一郡之宰，郡裡有甚麼高人，也不過問一下。想必這個太守，是納捐而得官，否則只要是讀書之人，不必打聽，也當知道這詩文書畫四絕的沈周先生，名聲遠播於京師，多人都問起他，獨有這位郡守，愕然不知所對，他結納京官不少，唯獨不禮賢士，他身爲郡牧，所司何事？幸遇沈先生宏量，不和他計較，諒也不屑於與他計較也，一計較自己便也是俗人了。高士胸懷，自是豁達。

## 二〇六　你們愛才我愛法　（嚴正）

唐宣宗時（八四七—八五九在位），宮中善操樂器的匠師羅程，最擅於彈奏琵琶，才藝出神入化。他自前朝唐武宗時代（八四一—八四六在位），就已得皇上的歡心。唐宣宗從小精通音律，尤其對羅程寵愛有加。

羅程仗恃皇帝喜愛他，在宮外驕橫暴戾，竟與別人因一點小不合意而殺死了對方，因而關在京都（長安）監牢裡，等候判處死罪。

宮中樂隊的同事們，設法要營救羅程，唯有借天子的眷顧來影響審判，以圖脫罪。在這時候，唐宣宗到後宮皇家花園遊幸，行程裡排入了樂曲演奏的節目。樂工們便在樂隊演奏場地的中央，擺上一個空的坐椅，椅上立放著一張琵琶。大家圍成半圓形，環跪在庭前地上，一同哭泣。

宣宗垂問是怎麼回事？大家就說：「羅程辜負了陛下的恩典，犯了大罪，萬死也是應該。但我們愛惜他身懷天下第一絕藝，今後不能再在陛下宴會遊樂時奏給皇上聽了。」

宣宗道：「你們所愛惜的，是羅程的才藝。我所愛惜的，則是自高祖（李淵）、太宗（李世民）歷朝傳承下來的國法。死生輕重，自應由有司（有司指審判官）去裁量。」竟然斬了羅程。

**【原文附參】**：唐宣宗時，樂工羅程，善琵琶，自武宗朝已得幸。上素曉音律，尤有寵。程恃恩暴橫，以睚眥殺人，繫京兆獄。諸樂工欲為之請，因上幸後苑奏樂，乃設虛坐，置琵琶，而羅拜於庭，且泣。上問其故，對曰：羅程負陛下，萬死。然臣等惜其天下絕藝，不復得奉宴遊矣。上曰：汝曹所惜者，羅程藝。朕所惜者，高祖太宗法也。竟殺之。（見：《資治通鑑》、卷二百四十九、唐紀六十五）

**【編者私語】**：藝人死了，只是悅耳的琴音絕了；國法壞了，則是公正的軌範毀了。這本是鴻毛與泰山孰輕孰重的問題，很容易做成決定。但我們不宜用今天的眼光，站在局外，僅作個觀察者，輕輕鬆鬆地評是評非，這是不當的。要置身當時當地，作個當事人，想一想：那是距今一千多年的昔日，那是大唐居於四海一統的威權地位，時空都異於今日，皇上唯我獨尊。琴音絕了，是切身的不歡；法律一時鬆一點，容或沒有甚麼大礙。若是此念一起，可能就饒羅程一命，這只要半句話。幸而唐宣宗能去嗜欲而識大體，作了明智的分判。「汝曹惜藝朕惜法」，擲地有聲，不得不令我們贊佩。

## 二〇七　你教韓信造反嗎　（護主）

淮陰侯韓信要造反，卻被呂后（劉邦之妻）騙到長樂宮殺掉了。漢高祖劉邦回到洛陽，得知韓信死了，問呂后道：「韓信臨死之時，說了甚麼話沒有？」

呂后道：「韓信說：『我自恨沒有採用蒯通（蒯音塊）的計謀。』顯得很後悔。」

劉邦即時發下詔書，要齊王追捕蒯通到京問罪。

那蒯通，本叫蒯徹。因爲後來漢武帝名徹，便改叫蒯通。是他勸韓信反漢自立的，但韓信當初沒有聽從。等到後來韓信反漢失敗，蒯通只好逃亡齊國，可是仍被抓到，押解來見劉邦。

劉邦問道：「是你教唆淮陰侯韓信造反的麼？」

蒯通答道：「是我說的。秦朝亡了，人人都想爭奪帝位。天下好比是一匹野鹿，大家都在追逐它，誰的才智高、腳步快，誰就趕先捉到。從前盜跖是個強盜，他養的狗，看見堯帝也會吠叫。並非堯帝不是仁君，而是狗在衛護自己的主人，對不認識的任何人都會咆哮。當年我在韓信帳下的時候，我只知道有淮陰侯，並不知道有你，我替他獻計，這沒有犯錯呀。」

劉邦聽了，說道：「算了，不必追究了。」赦免了他。

【原文附參】：漢高祖還洛陽，聞淮陰侯死，問呂后曰：信死亦何言？后曰：信言恨不用蒯通之計。上詔齊捕之。蒯通至，上曰：若教淮陰侯反乎？對曰：然。秦失其鹿，天下共逐之，高材疾足者先得焉。跖之狗吠堯，堯非不仁，狗固吠非其主。當是時，臣唯知韓信，非知陛下。上曰：置之。（見：明、俞琳：《經世奇謀》、一卷、紓禍類）

【另文錄參之一】：信以罪廢爲淮陰侯，謀反被誅。臨死歎曰：悔不用蒯通之言。高帝曰：是齊辯士蒯通也。迺詔齊召蒯通。通至，上欲烹之。曰：若教韓信反、何也？通曰：狗各吠非其主。當彼時，臣獨知齊王韓信，非知陛下也。且秦失其鹿，天下共逐之，高材者先得。天下匈匈，爭欲爲陛下所爲，顧力不能，可殫（盡也）誅耶？上迺赦之。（見：東漢、班彪撰、未竟、子班固續成：《前漢書》、列傳第十五）

【另文錄參之二】：上還洛陽，聞淮陰侯之死，且喜且憐之。問呂后曰：信死亦何言？呂后曰：信言恨不用蒯徹計。上曰：是齊辯士蒯徹也。乃召齊捕蒯徹。蒯徹至，上曰：若教淮陰侯反乎？對曰：然。臣固教之。豎子不用臣之策，故令自夷如此。如用臣之計，陛下安得而夷之乎？上怒曰：烹之。徹曰：嗟呼！冤哉烹也。上曰：若教韓信反，何冤？對曰：秦失其鹿，天下共逐之，高材疾足者先得焉。跖之狗吠堯，堯非不仁，狗固吠非其主。當是時，臣唯獨知韓信，非知陛下也。且天下銳精持鋒，欲爲陛下所爲者甚衆，顧力不能耳，又可盡烹之耶？上曰：置之。

（見：《資治通鑑》、卷十二、漢紀四）

**【編者私語】**：世界上廣泛存在著一種關係：那就是長官與部屬、擴而言之，亦即老闆與伙計、或服務者與被服務者的關係。總經理是公司的老闆，同時也是董事長的伙計。身爲伙計者，必須一心爲老闆效命，換言之就是盡忠。桀犬吠堯，乃是忠狗；謀士獻策，才是忠臣。甚至雙方本是敵人，也贊佩盡忠的反對者：以故「爲嚴將軍頭，」張飛壯之；「爲漢蘇武節，」匈奴敬之，因謹守忠道也。至若秦檜，本身貴爲宋相，卻私通金國，當時或得左右逢源，但終於遺臭千古。

## 二〇八 但恐富貴來逼我（自信）

楊素（公元？—七九），華陰人（屬今陝西省），字處道。少年時就落拓有大志，不拘束於小枝節，長於文詞，又善於草書隸書。帶兵作戰也很勇敢，賀若弼（字輔伯，隋文帝時爲大將軍）說：「楊素是猛將（見《北史》卷六十八）。」

他初仕北周爲車騎大將軍。北周武帝（五六一—五七七在位）命他撰寫皇帝詔書，揮筆立即寫就，詞藻書法都美。武帝極爲稱贊，勉勵楊素說：「好好的幹下去，不用耽心不得富貴。」

楊素應聲回稟道：「我只怕富貴來逼我，我還無心去求富貴呢？」後續仕隋朝，封越國公，貴盛無比。

**【原文附參】**：楊素，字處道。少有大志，不拘小節。善屬文，工草隸。武帝命素爲詔書，下筆立成，詞文兼美。帝嘉之，顧謂素曰：善自勉之，勿憂不富貴。素應聲答曰：臣但恐富貴來逼臣，臣無心圖富貴。後封越國公。（見：《隋書》、卷四十八、列傳第十三。又見：《北史》、卷四十一、列傳第二十九）

**【編者私語】**：有才華的人，總會出人頭地的。譬如錐處囊中，其穎必現。楊素甚有才華，所以他敢說「但恐富貴來逼我，我無心圖富貴」的豪語，這是富貴將自動找上門來但還沒有來之例。此外，西漢時，蕭何薨，曹參聞之，告舍人趣治行（告訴家人趕快治辦行裝），曰：「吾且入相（我就要進京接任宰相了）。」這是預知富貴即將到來也果然來了之例（見《前漢書》卷卅九）。似比楊素更能兑現。另外，莊子釣於濮水，楚王使大夫二人往先焉（先派兩人往謁，表示禮敬），曰：「願以境內累矣（要將國政，付託給莊子）。」莊子卻不愛：「寧生而曳尾塗中（與其作宰相累死了，不如活著，學那烏龜在泥巴裡自由的搖尾爬行）。」這是富貴已經來了，反而拒絕富貴之例（見《莊子》外篇秋水）。似乎境界更高了。莊子是隱逸派，不願富貴，曹參是務實派，接受富貴，楊素似乎是假裝派。他雖口稱無心圖富貴，但歷仕周隋兩朝，行事詐智，貪財戀權，爲時所鄙。隋煬帝爭奪太子設計把哥哥楊勇廢掉改立自己時，楊素實爲主謀，和他當初無心圖富貴的話不同。等到隋煬帝即位後，他又恃功驕慢，煬帝猜忌他，藉機外放疏遠他了。他雖才華過人，卻是品德可議。又清代咸豐甲寅年「識字農人」王永彬，著有《圍爐夜話》格言，其中一則曰：「人皆欲貴也，請問一官到手，怎樣施行？人皆欲富也，且問萬貫纏腰，如何布置？」錄供省思。

## 二〇九　別人不忍騙我嗎　（詐欺）

清朝廣東花縣人洪秀全（一八一四—一八六四），自稱上帝會教主，起兵連下湘鄂皖蘇諸省，建立太平天國，定都南京，歷經十五年（一八五〇—一八六四），被曾國藩（一八一一—一八七二）曾國荃（一八二四—一八九〇）平定了。

當南京攻下的時候，有位客人去見曾國藩（他已封為毅勇侯），在交談中，說到用人要防止欺騙，這是用人的要務。

這位客人揚言道：「受不受人欺騙，也要看自己會不會接受。例如以你曾侯爺誠篤待人的大德，別人自然不忍欺騙你。像左宗棠季高爺（一八一二—一八八五）嚴格方正的性格，別人自然也不敢欺騙他。至於某某那幾位大爺，別人雖然不想欺騙他，他們卻總是懷疑受到欺騙；甚至已經被騙了，自己還懵然不知，類此之人，比比皆是，這就只怪自己低能了。侯爺你認為如何？」

曾國藩聽到客人捧揚自己，心中歡喜，覺得這位客人看事很正確，言談得體，評論時人也很恰當，款待他作上客，又委任他在手下做事。

過不多久，這位客人突然拐帶大筆銀錢，逃之夭夭，不明去向。

曾國藩受了欺騙，無奈的摸著鬍鬚，悠悠地自言自語說：「別人不忍欺騙我？別人不忍欺騙我呀？」身旁的人，只能暗暗地偷笑。

**【原文附參】**：當金陵初復之日，有人往謁曾侯。言談中論及用人須杜絕欺騙。客因大言曰：受欺不受欺，亦顧在自己之如何耳。若中堂之至誠盛德，人自不忍欺。左公之嚴氣正性，人亦不敢欺。至於某某諸公，則人雖不欺，而尚疑其欺。或已受欺，而不悟其欺也，比比也。侯大喜，待爲上客，委以政事。未幾，客忽挾重金遁去。侯乃自捋其鬚曰：人不忍欺，人不忍欺？左右聞者皆匿笑。（見：《朱氏淘沙》、卷一）

**【編者私語】**：惡客存心騙，諛詞入耳宜。才華堪助我，錢帛可交伊。捲款鴻飛杳，瞞天免脫奇。捋鬚空自歎，爲甚獨余欺。

# 二一〇　宋帝未嘗薄待你（明辨）

元世祖忽必烈（一二一五—一二九四），蒙古族人。併金滅宋，統一中國，建立元朝。領土跨有全亞及東歐，版圖爲前古所未有。

董文忠，字彥誠，是一直在元世祖身旁的近臣，參與了許多大計。忽必烈很器重他，每次不呼其名，而稱他爲董八，可見十分親近。

元世祖十一年（一二七四），忽必烈再攻南宋，南宋很多將帥，都投降了元朝。有一天，元世祖召見了這批降將，從容談話，問他們宋朝滅亡的原因何在？

他們答道：「宋理宗和宋度宗都寵信賈似道（一二一三—一二七五），任爲丞相當國。他輕視武將，重用文人。將士們都心懷怨恨，沒有了鬥志。所以皇上的天兵一到，便爭著棄械投降了。」

忽必烈回顧董文忠，問道：「他們這番說辭，你認爲怎樣？」

董文忠轉頭對那批降將責問道：「賈似道是薄待了你們了，算是事實吧。但宋朝天子，將官爵封給你們，夠尊貴的了。又將俸祿賜給你們，夠富厚的了。宋天子沒有薄待你們呀！你們拿對丞相的怨恨，轉移去對付宋朝皇帝，不肯盡力作戰，坐著等待亡國。你們做藎臣的氣節哪裡去了？這樣看來，賈似道瞧不起你們，豈不是早就預知你們靠不住，不足倚仗麼？」

忽必烈深深認爲這段話責問得很對。

那時政局很亂，制度未立，盜取官物的事不少。有人告發太府監屬（太府監是掌管庫藏財物的主管，屬是僚佐）盧甲，說他侵吞了庫中大批官布。忽必烈盛怒，下令斬首以儆衆。董文忠費心查出是被人誣告，竭力辯解，還給他以淸白，赦免他沒事了。這位太府監屬盧甲獲慶重生，備了厚禮，專誠謁見董文忠，哭著叩謝說：「卑職蒙大人拯救，留下性命，一生都感德不盡！」

董文忠道：「我本來還不認識你。其所以在危急時救你之故，乃是求個法律公道。你既沒有犯罪，原本就該淸白。我是爲了國法的公平公正而爭，哪會希望你報答我呢？」堅決不受他的厚禮。

**【原文附參】**：董文忠，字彥誠。元世祖十一年，伐宋。帝嘗見宋降將，從容問宋所以亡者。皆曰：賈似道當國，薄武人而重文儒，將士怨之，莫有鬥志。故大軍既至，爭解甲歸命也。帝問文忠：此言何如？文忠因詰之曰：似道薄汝矣，而君則貴汝以官，富汝以祿，未嘗薄汝也。今有怨於相，而移於君，不肯一戰，坐視國亡，如臣節何？然則似道薄汝者，豈非預知汝曹不足恃乎？帝深善之。時多盜，或告太府監屬盧甲盜剪官布。帝怒，命殺以懲衆。文忠辯其誣，得赦。太府監屬奉物詣文忠，泣謝曰：鄙人賴公復生。文忠曰：吾素非知子。所以相救於危急者，蓋爲國平刑，豈望子見報哉?卻其物不受。（見：宋濂：《元史》、卷一百四十八、列傳第三十五）

**【編者私語】**：南宋降將，一派胡言。宋代官祿比歷朝都豐厚，希望他們收復疆土。那時應有兩條路由他們選擇：一條是辭官不幹，如認爲丞相賈似道對他們不好，大可解甲歸田，所謂「天下有道則現，無道則隱」。另一條路是受此職即有此責，應該竭力保國，像岳飛、文天祥、陸秀夫、張世傑等之盡忠。但這批人手下帶了兵，卻不肯打仗，還繳械投降；有愧於國，有慚於己。董文忠的詰責，實在還不夠嚴厲。

## 二一　希望以道德輔國（敦品）

東漢光武帝劉秀（公元六——五七）即位，封宋弘（字仲子）爲大司空（周制指工部，漢制指御史大夫）。又請宋弘薦舉通達博雅的士人，宋弘便推介桓譚（沛國人）才學俱佳，幾乎可以與揚雄（西漢揚子雲，長於作賦）劉向（西漢劉子政，著《新序》、《說苑》）相比。於是召來，任他爲議郎給事中（掌議論，秩比六百石）之職。

光武帝每有宴會時，都請桓譚彈琴，很喜歡他彈出那複雜的同步和聲，音調悅耳動聽。但宋弘很不高興，後悔不該保舉他入朝爲官。

有一次宴會後，宋弘得知桓譚離開了皇宮，便穿上整齊的朝服，在官署大堂正襟危坐，命官員將桓譚召來。桓譚到了，沒有讓他坐下，直接責備他說：「我之所以薦舉你，乃是希望用你的道德來輔助國家。你卻屢次都只是彈奏那些花腔花調的曲子，取悅滿殿君臣，把中正和平的純良雅樂都污染了，這不是忠臣的正派作風。你考慮一下吧：還是自己改過好呢？還是要我交給司法官去議處好呢？」

桓譚叩頭在地，連說知罪，一定會改。宋弘讓他稽留了好久，才放他離去。

後來又有一場群臣畢集的大宴會，光武帝又叫桓譚奏琴。桓譚看到宋弘在座，彈起琴來指頭發抖，節奏失調。光武帝感到怪異，便問是怎麼回事？

桓譚想要找藉口來遮掩，宋弘已先站起身來，離開座席，摘下官帽，向光武帝告罪，說道：「我推薦桓譚的原意，是盼望他以忠誠正直的品德來貢獻給皇上，如今朝廷裡卻喜歡聽那靡靡之音，我想這是我薦介錯誤而應當領受責罰的了。」

光武帝見宋弘一派正話，言之有理，不禁臉有愧色，中止了鼓琴的命令。

**【原文附參】**：光武即位，封宋弘爲大司空。帝嘗問弘通博之士，弘乃薦桓譚，才學洽聞，幾能及揚雄劉向父子。於是召譚，拜議郎給事中。帝每讌，輒令鼓琴，好其繁聲。弘聞之不悅，悔於薦舉。伺譚內出，正朝服坐府上，遣吏召之。譚至，不與席而讓之曰：吾所以薦子者，欲令輔國家以道德也，而今數進鄭聲，以亂雅頌，非忠正者也。能自改耶？將令相舉以法乎？譚頓首辭謝，良久乃遣之。後大會群臣，帝使譚鼓琴。譚見弘，失其常度。帝怪而問之，弘乃離席免冠謝曰：臣所以薦桓譚者，望能以忠正導主，而今朝廷耽悅鄭聲，臣之罪也。帝改容謝。（見《後漢書》卷五十六、列傳第十六。又見：魏徵：《群書治要》、卷二十三）

**【編者私語】**：接近帝王的人可分兩種：一爲弄臣，俳優之類，以開心逗樂爲務。一爲國士，宰輔之類，以匡時濟世爲志。帝王輕忽大臣，命他鼓琴娛賓；大臣賤視自身，屢次操弦媚上，雙方都在貶低品格。無怪乎桓譚心怯失常，光武改容謝過也。昔日之帝王，可以比擬爲今天的高級首長。今日用逢迎拍馬以取悅上司的更多了。有陪領導人玩橋牌的，有隨元首打高爾夫的。且故意輸多贏少，曲取歡心。國士們殫精竭慮擬定的國是大計，不見得會被採納施行；那玩友們牌桌球場上談笑間的偶語片言，收效卻極宏大。首長喜歡諛佞呢？喜歡正直呢？在乎一念之間而已。

本篇事例雖微，卻是興衰所繫，宜予取鑑。

## 二一二　坐大佛腿上讀書　（勵學）

明代有位王冕（一二八七—一三五九），字元章，浙江諸暨人。幼年時家境貧寒，父親叫他牧牛（牽牛到田野間去吃草）。他將牛牽到草地裡，讓牛自由吃草，自己閒著無事，就偷偷地前往近旁學舍裡去聽學生唸書，聽得入神，把一切都忘了。到天快黑時才回來，牛已不見了。

父親大怒，打了他一頓，但他秉性難改，第二次還是如此。母親勸道：「這個兒子，如此癡心想唸書，就讓他去唸吧！」

於是王冕找到一所寺廟，求得住持和尙的允許，准他在廟裡用功。白天苦讀還不夠，夜晚便坐在殿中大佛像的腿膝上，映著像前懸垂下來的長明燈（大佛像前，多有日夜長明不熄之燈懸照），繼續讀書。

會稽大儒韓性（字明善，學者多受業於門，謚莊節先生）聽到了，覺得王冕異於常兒，就收他爲弟子，學業因此大進，博知典籍，成了通儒，還長於繪畫。韓性去世之後，學生們尊奉王冕，如同敬奉韓性一樣。

王冕後來隱居在九里山，種了一千株梅樹、五百株桃樹和杏樹，自號梅花房主，又號煮石山農。《明史》裡有他的傳記。

**【原文附參】**：王冕、字元章，諸暨人。幼貧，父使牧牛，冕竊入學舍，聽諸生誦書，暮乃返，亡其牛。父怒撻之，已而復然。母曰：兒癡如此，曷不聽其所爲？冕因去依寺僧，夜坐佛膝上，映長明燈讀書。會稽韓性聞而異之，錄爲弟子，遂稱通儒。性卒，門人事冕如事性。後隱九里山，樹梅千株，桃杏半之，自號梅花房主。（見：《明史》卷二百八十五、列傳第一百七十三）

**【編者私語】**：我們活著，必須要通曉事理，必須要增廣知識，最有效的途徑，就是讀書。讀書是直接吸收前人的寶貴知識，將它當成踏腳石，踩著向高處發展，豈不是事半功倍嗎？今天社會急速進步，要學的東西太多，因此讀書要趁早。老來再起步，那就遲了。父母尤當有此認識，以之督教兒女，不宜荒廢光陰。宋代余良弼有《課子詩》曰：「白髮無憑吾老矣，青春不在汝知乎？年將弱冠非童子，學未成名豈丈夫？幸有明窗兼淨几，何勞鑿壁與編蒲？功勳欲自殊頭角，記取韓公訓阿符。」（韓愈之子名韓昶，小字阿符）錄之附參。不過，倒是不少年輕人，對精美的文言文不願深讀，喜歡淺易的白話小說。但是讀白話小說還是太傷腦筋，不如看漫畫之類只須由官能直感一看就懂的低俗讀物，這才合大眾口味。然而如此褪化下去，只恐怕中華文化，將漸漸地消逝了。

## 二一三　吾心獨無主乎（敦品）

許衡（公元一二〇九—一二八一），字仲平，學者稱爲魯齋先生。宋末元初河內人（約今河南沁陽縣）。七歲入學讀書，老師授以章句之學（古書的章節句讀稱章句），只敎背誦而已。許衡問道：「讀書有甚麼用處？」

老師說：「讀了書，就可以考取科第（設科取士，謂之科舉。因有甲乙次第，故叫科第）呀。」

許衡又問：「讀書就只爲了取科第而已嗎？」

老師覺得這個七歲幼童遇事要尋根究柢，十分稱奇，前途應無限量。

有個暑天，許衡和一群朋友，路過河陽（約今河南孟縣。晉代潘岳做過河陽縣令，遍種桃花，傳爲美談）。大家都很口渴，路旁種有許多梨樹，友朋們都爭著摘梨來吃，獨有許衡端坐樹下，若無其事。朋友問他：「爲何你不去摘梨呢？」

許衡說：「不屬於我的東西，我擅自取來，這是不可以的。」

朋友辯道：「現在世局很亂（那時北有金國南侵，蒙古成吉思汗勢也正盛，連年兵燹，時局不安），這些梨果已經沒有主人了呀！」

許衡說：「梨沒有主，我心中難道沒有主嗎？」

**【原文附參】**：許衡，字仲平。七歲入學，授章句。問其師曰：讀書為何？師曰：取科第耳。曰：如斯而已乎？師大奇之。衡嘗暑中過河陽，渴甚，道有梨，衆爭取啖之，衡獨危坐樹下自若。或問之，曰：非其有而取之，不可也。人曰：世亂，此無主矣。曰：梨無主，吾心獨無主乎？（見：《元史》卷一百五十八、列傳第四十五）

**【編者私語】**：宋儒蘇軾說：「天地之間，物各有主。苟非吾之所有，雖一毫而莫取。」（《前赤壁賦》）本篇許衡說：「梨無主，吾心獨無主乎？」意與蘇同。其實、不妄取者，不過是做人的起碼條件而已，不算甚麼了不起的修養。但現代人則正好相反：無主之物，當然佔為己有；即令是國家政府之物，也可或蠶蝕、或鯨吞，用五鬼搬運大法，遲早會化公歸己；至若他人有主之物，更可實行侵佔、乾沒、矇騙、詐欺諸手段，攫歸自己，暗偷不到，不妨明搶，此所以今天劫盜綁票猖獗也。這全然是自私，是「為我」。「為我」派的祖師，應是古代楊朱，他說「拔一毛以利天下而不為」，這是不是極端的為我呢？且慢、他還有下一句我們忽略了，他又說「悉天下以奉己也不為」（拿全世界的東西來孝敬我，我也不要）。一般人只引述前一句，殊不知後一句更需極大的克制耐力。古往今來，大概沒有幾個人能做到《孟子》所說的「一介不以取諸人」（《萬章上》）。老實說：只要大家勉行楊朱的後一句話（包括金錢名譽權勢），天下也就太平了。

# 二一四　我的官位讓給他（進賢）

唐代張嘉貞，山西省猗氏縣人，官任平鄉尉（緝捕盜賊，維持治安的郡官）。有位御史張循憲，派來巡使河東。要查一件公案。案情複雜，牽連也廣，想要毋枉毋縱，很難裁斷，便想找個人來商酌。因問郡吏道：「你知道郡裡有甚麼能人嗎？」郡吏說：「有位張嘉貞，大家都說他很精幹。」

張循憲找他來見面，徵詢他對案件的意見。張嘉貞閱卷後，依據事實和法理，一層一層寫明，將案情分析得十分清楚洽當，讓張循憲大為驚服。進一步試著叫他草擬呈報皇帝的奏章，寫成了，一看，許多中肯的話，都是張循憲當初所沒有料到的，他十分歡喜。

張循憲回京覆命，那時是武則天（六二四—七〇五，稱則天皇帝）當朝。她看完奏章，對張循憲處事的允當，多所誇贊。

張循憲回奏道：「這件疑難大案，其實都是張嘉貞辦的，我不便掠人之美。此人才能特優，強我十倍。請求將我這御史的官位，讓給他來做好了。」

武后說：「有此人才，豈可埋沒？我難道不能自己進用一位賢良的好人嗎？」於是召見張嘉貞，在朝廷上問答奏對，都十分得體，便封他為監察御史。

**【原文附參】**：張嘉貞，為平鄉尉。御史張循憲使河東，事有未決，問吏曰：若頗知有佳客乎？吏以嘉貞對。循憲召見，咨以事。嘉貞條析理分，循憲大驚。試命草奏，皆意所未及。它日，武后以為能。循憲對以皆嘉貞所為，因請以己官讓。后曰：朕寧無一官自進賢耶？召嘉貞，奏對侃侃，拜監察御史。（見：《新唐書》、卷一百二十七、列傳第五十二）

**【編者私語】**：本篇有三贊：張嘉貞有才，屈居低職；幸遇識者，乃得出頭。毛遂是自薦的，張嘉貞卻是旁人提到的，更是幸運。都像錐處囊中，一有機會，便能脫穎，一贊也（多少賢士，埋沒草野之間，或許他是馮唐顏駟，或許他是朱舜水嚴復，這是國家的大不幸）。張循憲官居柏臺御史，豈是泛泛之輩，卻自認不及嘉貞，而且實話實說，不把別人功勞，算在自己帳上，可敬。尤其他在佩服之餘，竟然要主動讓出官位給人，這種美行，古今少見，二贊也（由於他的揄揚，張喜貞作了御史京官，唐玄宗時，做到宰相。飲水思源，循憲之功之德偉矣）。武則天能用才惜才，我們看她讀駱賓王的《討武檄》文時，反而嘆息「有如此才，而使之淪落，宰相之過也。」她固然穢亂宮闈，但那是另一件公案（皇帝蓄千百嬪妃，獨多責於武后，可證標準有偏）。就惜才這一點來說，應受稱道，三贊也。

## 二一五　我願擔任指揮官　（機變）

漢高祖劉邦的子孫很多，其中一個孫兒，叫劉安（《淮南子》一書是他寫的），文帝十六年（元前一六四），封為淮南王。到了漢景帝三年（元前一五四），為要削減諸侯封地，引起吳楚七國（另五國為趙、膠西、膠東、菑川、濟南）反叛。吳王派使者到淮南連絡，淮南王同病相憐，決定發兵響應吳楚七國，共同起兵叛漢。

他的丞相眼見淮南王心意已定，便建議說：「大王如果決心發兵追隨吳王，我願意擔任軍事指揮官，統領部隊去作戰。」

淮南王見丞相贊同己意，自願統兵，當即應允，將兵權交付，由丞相來統御指揮。

這位丞相既已掌握了兵權，便將部隊分派在首都城垣固守，以抵禦叛軍的入侵。不但沒有遵照淮南王原先的意向，反而聽命於漢天子。淮南兵力不強，漢景帝還增派曲城侯（姓蟲名捷，父親名逢，是漢高祖功臣）帶兵來增援，使免受七國叛軍的侵擾。

第二年，叛軍被周亞夫敉平了，依叛亂論罪，淮南王絲毫未受牽累。

**【原文附參】**：漢景帝三年，吳楚七國反。吳使者至淮南，淮南王欲發兵應之。其相曰：大王必欲發兵應吳，臣願為將。王乃屬相兵。淮南相已將兵，因城守，不聽王而爲漢。漢亦使曲城侯將兵救淮南，淮南以故得完。孝景四年，吳楚已破，淮南王如故。（見：《史記》、卷一百一十八、淮南列傳第五十八）

**【編者私語】**：淮南丞相，不愧爲智高才捷之士。王爺決定起兵響應叛軍，志慮已決，此時如果直諫抗爭，必定不會接受，反而把事弄僵，難以收拾。虧得他反應迅速，立即順應情勢，將計就計，輕易取到軍權。兵符既已歸己，則「將在軍，君命有所不受」，反而抗吳助漢，淮南得以保全矣。想此丞相，以往必一心輔國，才會獲得淮南王之信任，而能順利售其騙術也。騙是暫時的權宜，久後觀之，更顯忠藎。惜乎史書未錄其姓名，頗有憾焉。覽古鑑今，我們在緊急關頭，也不妨從權；但從權只是手段，藉以完成正當的目標則可，枉尺直尋以求利則不可。

# 二一六　忘了會稽之恥嗎（苦勵）

春秋時代，吳越（約當今江蘇與浙江）兩國相鄰，越王句踐（句音溝）被吳王夫差打得慘敗，困在會稽山（在今浙江紹興東南），勢窮力蹙，歎息著說：「我難道要老死在這裡，永遠不得翻身嗎？」

跟隨他一起的越國大夫文種勸慰說：「打敗了，也不必太洩氣。以前、商湯王被關在夏台，周文王被囚在羑里，晉文公（名重耳）逃奔翟國，齊桓公（名小白）逃去莒國。到後來，都做了帝王，或稱爲霸主。由這些實例看來，這次失敗，未嘗將來不會得福呀。」

吳越終於訂了和約，夫差放回了句踐。他經此敗亡之痛，深思苦索，要如何雪恥呢？《吳越春秋》一書中說：「他自念要雪吳仇，實非一天可報。苦身勞心，夜以繼日。眼睛疲倦了，就用蓼（蓼葉辛辣，有刺激作用）來燻，使自己淸醒；腳掌寒冷了，就浸在水裡，使自己警覺。他懸掛著一個苦膽，坐之前，睡之前，都要嚐這苦膽，吃飯也要先嚐膽，說：「你忘記了會稽的恥辱嗎？」」，時時提醒自己，不容稍有懈怠（蘇軾《擬孫權答曹操書》：「僕受遣以來，臥薪嘗膽。」都是刻苦自勵之意）

不但這樣，句踐還親自下田耕作，帶頭使糧食豐足；妻子也親自紡織，使全國婦女習於勤勞；吃飯不要肉類，穿衣不尚花彩。卑躬折節，尊賢任能。對國家有貢獻的賓客，都優厚款待；對本國百姓，則賑救貧困，弔唁死亡，和人民一同勤勞憤發。《左傳》哀公元年記載：「越王十年生聚，十年教訓。」在公元前四七五年終於把吳國滅了。

**【原文附參】**：句踐之困會稽也，喟然歎曰：吾終於此乎？種曰：湯繫夏台，文王囚羑里，晉重耳奔翟，齊小白奔莒，其卒王霸。由是觀之，何遽不爲福乎？吳既赦越，越王句踐反國，乃苦身焦思，置膽於坐，坐臥即仰膽，飲食亦仰膽也，曰：汝忘會稽之恥耶？身自耕作，夫人自織；食不加肉，衣不重采，折節下賢人，厚遇賓客。振貧弔死，與百姓同其勞，卒平吳。（見：《史記》、卷四十一、越王句踐世家）

**【編者私語】**：吳越第一次戰爭，越勝吳敗，吳王闔閭傷足而亡。兒子吳王夫差復仇，發動第二次戰爭，吳勝越敗，越王句踐乞和（即本篇故事）。句踐爲雪恥，再起第三次戰爭，越勝吳亡。說明了立下誓願，長期發憤者，終獲成功。鑑此可知：只要全力投入，鍥而不捨，自會有達成志願的一天。

## 二一七　快回蔥店去賣蔥　（嚴正）

南北朝時代，南方的梁朝，由蕭衍（字叔達）開國，仍都建業（今南京），是爲梁武帝，又號高祖（五〇二—五四九在位）。他布衣粗食，選賢任能，國內大治。

那時有位呂僧珍（字元瑜，請參第八篇「一千萬買鄰」），從寒賤起家，跟隨梁武帝征伐，封爲左衛將軍（一說是輔國將軍），加官爲散騎常侍（常侍是出入禁中奏事的親顯官職），一直受到梁武帝的信賴，甚至在皇帝卧室裡也進出無礙。

呂僧珍離開故鄉已經很久了。梁武帝爲使他榮耀回歸本鄉，便派他爲南兗州刺史（兗州代有變革，約今魯南蘇北地區），返故里去任職。

他在刺史任內，奉公守法，御下寬和。因是本邑本鄉，不免和衆多的族戚常相接觸，但不肯徇私。

他的伯叔父、從兄（同祖叔伯之子）以及姪兒等人，世代原是做賣蔥（蒠是「葱」的本字）的生意。見他貴爲刺史，又是本郡之長，便放棄蔥店，要來謀個州政府的官職。

呂僧珍說：「我受了國家的厚恩，常恐沒有竭盡全力，以報答政府的栽培。用人不敢苟且，不可能在州府裡特意爲你們安插職位。你們原有常業，該守本分，怎可妄想做官？州官的水準要高，你等的才識不夠。還是馬上回到原店裡去賣蔥吧！」

呂僧珍舊有的住宅，在市區北邊，前面被一棟督郵署（郡裡考查功績等級的官署）擋住了，同鄉們都勸他把督郵署遷走，以便將他的舊宅擴建。

呂僧珍怒道：「督郵署是國家的官衙，從開始立署到現在，就建在這裡。憑甚麼理由可以把它遷走來擴建我自己的私人房屋呢？」

**【原文附參】**：呂僧珍，起自寒賤，隨高祖征戰，爲左衛將軍，加散騎常侍。僧珍去家久，高祖欲榮之，使回本州，乃授南兗州刺史。僧珍在任，平心率下，不私親戚。從父兄子先以販蔥爲業，僧珍既至，乃棄業欲求州官。僧珍曰：吾荷國重恩，無以報效。汝等自有常分，豈可妄求叨越，但當速返蔥肆耳。僧珍舊宅在市北，前有督郵廨，鄉人咸勸徙廨以益其宅。僧珍怒曰：督郵官廨也，置之以來，便在此地，豈可徙之益吾私宅？（見：《梁書》、卷十一、列傳第五）

**【編者私語】**：官位是國家的名器，豈可私授？大官如院長部長，若才德兩欠，決策一錯，會誤國亡國。小官如警察稅吏，與百姓直接接觸，若操守不好，會擾民害民，擇官不可不愼也。因此設考試制度以求才。但考試只測驗專業智識，不管品德節操，這是個大漏洞，應該怎樣去彌補呢？再看，國父胞兄孫德彰（孫眉，一八五四—一九一五），在檀香山經商致富，對革命資助甚多。民國肇建之初，有人建議宜任爲廣東省長，亦榮耀還鄉之意（孫爲廣東中山縣人）。國父說：胞兄只長於經商，不適宜於從政。不允。與本篇呂僧珍要家人速返蔥肆之語，同爲佳話。

# 二一八　作小官也不可曠職（處事）

宋代傅堯俞，字欽之，作監察御史。他在朝廷論事，清廉敢言，從不迴避權貴，司馬光（一〇一九—一〇八六）贊他說：「清直勇三德，人所難兼，吾於欽之見焉。」司馬光一生不說誑語，要得到他的稱譽，還眞不易。

後來因爲說話太直，貶到和州（今安徽和縣）作太守。和州通判（佐理州政的屬官）楊洙趁著閒暇請問道：「傅公，你由於講了直話，降調到這和州來了，何以從來沒有談過以前做御史時期的事？」

傅堯俞說：「從前我是御史，要舉發錯誤，在職務上就是應該多講話的，不講話就是失職。現在我是一郡太守，便應宣達朝廷的美意。如果喋喋不休，儘講朝廷的壞話，雖然我自己快意，但那與誹謗有何不同？做人也好，做官也好，不能不守分寸！」

宋神宗時（一〇四八—一〇八五），又降調到黎陽縣（在河南省）草料場倉庫，任監督員。州裡的幕僚官到縣裡來，就是上級視察官的身分。俞堯俞也參加迎接的行列，盡他的職分。縣長知他以前是御史，不想過分委屈他，叫別人代他來報告草料場的收發業務。俞堯俞沒有同意，說道：「擔任甚麼官，就要做甚麼事，怎麼可以曠廢職責？」一直到元祐年間（宋哲宗時代），才又回朝任中書侍郎。

**【原文附參】**：傅堯俞，字欽之。後貶知和州，通判楊洙乘間問曰：公以直言斥居於此，爲何未嘗言御史時事？堯俞曰：前日、言職也，豈得已哉？今爲郡守，當宣朝廷美意，倘喋喋追言前時闕政，與誹謗何異？神宗時，貶監黎陽縣倉草場。郡掾行縣，堯俞從衆出迎盡禮。守爲遣他吏代主出納，堯俞不可曰：居其官安得曠其職？元祐、拜中書侍郎。（見：《宋史》、卷三百四十一、列傳第一百）

**【編者私語】**：傅堯俞原是堂堂朝廷御史，行事清直勇三德兼備。只因直言招禍，累受貶調，接連降職到小縣裡來管糧草。郡是縣的頂頭上司，郡府的吏員下縣，儼然是上級視察大官。他恭迎恭送，還親自作了草料收支的簡報，這就是官場現形記。對傅堯俞而言，扮甚麼角色，就該唸甚麼台詞，不說「想當年如何如何」？這是他盡其本分，可佩。對我等而言，只惋惜好人太受委屈了，這一位連司馬光都贊他爲清直勇三者兼備的賢者，竟罰他去管草場，好比讓方勵之（國際天體學家）去掃廁所，糟蹋人才，可歎。

# 二一九　役天下以奉天子嗎　（爲政）

有位漢陰父老（漢陰在陝西），不知道他的來歷。東漢桓帝（一三二—一六七，他信任太監，朝政腐敗）延熹年中，桓帝出京巡幸，先到竟陵（在今湖北天門縣）遊觀，又在雲夢（多湖勝地，在湖北省）娛玩，再臨沔水（由陝入鄂，下游叫漢水）賞景。所過之處，百姓莫不夾道瞻仰，都不願錯過機會，要看一看皇帝的排場和風采。

獨有這位漢陰父老，仍在田裡耕作，沒有丟下農具，去湊熱鬧。尙書郎（朝中掌章奏之官）南陽郡人張溫（一九三—二三〇，字伯慎）駕車隨御輦隊伍經過，覺得這是位異人（奇特之高士），心中好奇，便停車道旁，著人去探問他說：「大家都來看皇帝，獨有你不看，爲甚麼呢？」漢陰父老笑笑，沒有回答。

張溫更覺得他很特殊，便自己下車，轉入小徑，走了百多步，才接近他，當面請教。

這位父老才說道：「我只是個草野村夫，不懂得你們問話的意義。請容我反問一下：究竟是要天下紛亂才立天子呢（《禮》：「君天下曰天子」。就是皇帝）？還是要治好天下而立天子呢？或者、究竟是立了天子來做愛百姓的父母呢？還是要勞役百姓來供奉天子一人呢？

「我覺得往昔的聖帝賢君，雖然做了天下之主，但他們僅用茅草蓋屋，而且屋簷不加修剪（茅茨不剪），樑上的椽木還帶著樹皮，也不必刮掉（采椽不刮）。他們安於儉約，不肯勞費人民，使萬千百姓，能夠享受安寧幸福的生活。

「如今你們的天子，苛擾百姓，縱慾巡遊，貪圖逸樂，毫無顧忌。我都替你們感到羞慚，你還忍心叫我去看，他值得我去瞻仰嗎？」

張溫聽了這番高論，大爲慚愧，請問他的大名，漢陰父老不肯告訴他，也不願繼續多談，逕自離開了。

【原文附參】：漢陰父老者，不知何許人也。桓帝延熹中，幸竟陵，過雲夢，臨沔水，百姓莫不觀者。有老父獨耕不輟。尚書郎南陽人張溫異之，使問曰：人皆來觀，老父獨不輟。何耶？老父笑而不對。溫下道百步自與言。老父曰：我野人耳，不達斯語。請問天下亂而立天子耶？理而立天子耶？立天子以父天下耶？役天下以奉天子耶？昔聖王宰世，茅茨采椽，而萬人以寧。今子之君，勞人自縱，逸遊無忌，吾爲子羞之。子何忍欲人觀之乎？溫大慚，問其姓名，不告而去。（見：《後漢書》、卷一百十三、逸民、列傳第七十三）

【編者私語】：本書很多摘自我國古籍，記述屢與君臣有關。現在已沒有君了，但人民對國家，僚屬對長官，工人對老闆，仍然適用這層關係。因此我們不要局囿於皇帝與臣僚的稱謂。凡是一個團體，只要建立了組織，便會有領導者和被領導者的職能分工，這就構成以前所稱的君（首長）和臣（部屬）的關係。大至國家，小至企業，古今中外，都離不開這種結構。而且更須了解：領導人是服務的，是公僕。國父曾說：「聰明才智大的，當爲千萬人服務；聰明才智小的，也可爲百十人服務。」旨哉斯言。以前那種朕即法律，唯我獨尊，民之父母，悉天下以奉己的落後思想，都要剷除。如仍堅持不改，群衆也不會容忍的。獨裁者逆道而行，國會亡，企業會敗。道理很淺，可不愼歟？

## 二二〇　廷尉管獄內史管粟（分職）

西漢孝文帝（前二〇二—前一五七，名劉恆）在位時，任命周勃（封絳侯，沛人）爲右丞相，位居第一。又任陳平（字孺子，陽武人）爲左丞相，位居第二，在周勃之下。

有一天在朝中，漢文帝問周勃：「普天之下，一年中判決的獄案有多少？」

周勃惶然，只得說：「我不知道」。

文帝又問：「天下一年中，錢穀出入有多少？」

周勃又惶然，仍只得說：「我不知道。」

接連兩次答不上來，周勃出了冷汗，背上衣服都被汗水沾住了，心中十分愧疚。

於是文帝轉頭再問陳平。陳平回答說：「這些事都有專任的主管，他們全會知道。」

文帝問道：「主管是誰？」

陳平說：「皇上若問獄案多少，有廷尉（掌刑獄之官）負責。若問錢穀多少，有治粟內史（掌穀貨之官，後來改稱大司農）負責。」

文帝追問道：「如果都有人負責，那你們做左右宰相的，管甚麼事呢？」

陳平欠身告罪說：「宰相管理百官。承蒙皇上錯愛，不嫌我的才識不夠，讓我權理宰相一職（左丞）。宰相的任務，乃是對上要輔佐天子，對下要調理百官；對外要鎮服四夷，對內要親和百姓；同時要使諸卿大夫，都各適其任，各稱其職。一年終了，由我考核他們的成果。」

文帝聽到很滿意，這段交談便結束了。

右丞相周勃大感慚愧，下得殿來，就責怪陳平說：「你以前爲甚麼不早告訴我怎樣去對答皇上呢？」

陳平笑道：「你領受了右丞相的高位，不知道丞相是幹甚麼的嗎？假若皇上問起你：長安城中（西漢的京都）有多少小偷強盜，你難道會胡亂湊些數字去搪塞嗎？」

從這次以後，周勃便知道自己的才識，比陳平差遠了。

**【原文附參】**：漢孝文帝以周勃爲右丞相，位第一。以陳平爲左丞相，位第二。朝而問勃曰：天下一歲決獄幾何？勃謝曰：不知。問：天下一歲錢穀出入幾何？勃又謝：不知。汗出沾背，愧不能對。於是上問平。平曰：有主者。上曰：主者誰？平曰：陛下問決獄，責廷尉。問錢穀，責治粟內史。上曰：苟各有主者，而君所主者何事也？平謝曰：主臣。陛下不知其駑下，使待罪宰相。宰相者，上佐天子，外鎮四夷，內親百姓，使卿大夫得任其職焉。孝文稱善。右丞相大慚，出而讓陳平曰：君獨不素教我對。平笑曰：君居其位，不知其任耶？倘陛下問長安中盜賊數，君欲強對耶？因是勃自知其能不如平遠矣。（見、明：《御製賢臣錄》、相鑑、卷之二）

**【編者私語】**：國家政務繁多，不可能一人包攬。因此要設官分職，各理所司。而且專長各異，懂法律的不同於管農糧的。宰相只要決定政策，不必也不可能過問細節。房玄齡論隋文帝：「每臨朝，或至日昃（太陽已西，還不散朝），衛士傳飧而食（吃飯盒加班）。」唐太宗也批評隋文帝：「喜察，多疑於物。事皆自決，不任群臣。日理萬機，豈能一一中理？」（均見《資治通鑑》卷一九三）唐太宗又誡杜如晦說：「公等讀牒不暇（公文都看不完），安能求賢？」（見《貞觀政要》卷三）這都是不懂管理之道的例證。漢相丙吉問牛，曰：「宰相不親小事。」（見《前漢書》卷七四）遼國蕭孝穆說：「選賢而用，何事不濟？若親自煩碎（親理瑣細事），則大事凝滯矣。」（見《遼史》卷八七）這都是深諳管理妙諦的例證。尤其居高位的人，要騰出時間來考慮大問題，要注意未來發展的榮枯方向。這就是現代管理。不僅是施於國政，舉凡私營企業，製造工廠，連鎖商店，都能適應，請勿忽之。

# 二三二 刻舟求劍（固陋）

有個楚國人在江上坐船，他的佩劍從船邊掉到水裡去了。他趕緊在船舷上刻個記號，說：「我的劍是從這裡掉下水去的。」

等到船停了，他便從刻了記號的地方下水去尋劍。

船已走了好久了，而劍不會走。用這種方法去尋劍，不也很困惑嗎？

**【原文附參】**：楚人有涉江者，其劍自舟中墜於水。遽契其舟，曰：是吾劍之所從墜。舟止，從其所契者入水求之。舟已行矣，而劍不行，求劍若此，不亦惑乎？

（見：《呂氏春秋》、察今）

**【編者私語】**：我們譏笑刻舟求劍是固陋不通，因爲他忽略了時間空間的變動因素。這好像是荒謬可笑的寓言，在今天或許也有這類實例：拿民初沒有修正的法律來治理現代，照搬歐美的制度欲移植於中國。時已移矣，地已易矣，還想從船舷上所刻的記號去尋現代化的寶劍，豈不也是不通的笑話？

## 一三一　刻船稱象（幼慧）

後漢三國時代，曹操（一五五—二二〇）追諡爲魏太祖武皇帝。他有二十五個兒子，環夫人生的叫曹沖，封爲鄧哀王。曹沖字倉舒，年幼之時，聰明而有識見，到五六歲，他的智慧，就像成人一樣。

曹操爲魏王時，吳國的孫權，送給他一頭大象。曹操想要知道大象的體重，問遍了手下群臣，都想不出適當的方法。

這時曹沖說：「把象牽到大船上，將船穩住後，在船舷外面四周接水處，刻畫水痕線。然後牽象離船，再將空船裝以石塊，使船沉下與水線齊平。此時石塊的總重，便等於大象的體重。只須分次稱量石塊，將總和相加，就得結果了。」

曹操聽了大喜，稱贊曹沖幼慧，就照他所說的去做了。

**【原文附參】**：魏太祖武皇帝，有二十五男。環夫人生鄧哀王沖。沖字倉舒，少聰察岐嶷，生五六歲，智意所及，有若成人。時孫權曾致巨象，太祖欲知其斤重，訪之群下，咸莫能出其理。沖曰：置象大船之上，而刻其水痕所至，稱物以載之，則校可知矣。太祖大悅，即施行焉。（見：《三國志》、魏志、卷二十）

【編者私語】：大象體重過巨，如何量得，是個實作難題。與希臘物理學家阿基米得（公元前二八七—二一二）要測定皇冠的重量是否全爲純金所製之難題，有異曲同工、東西輝映之妙。阿氏苦思冥索，最後因入浴而澡盆溢水才想出。曹沖不是科學家，年齡幼小，卻能輕鬆地道來。惜乎只見此一鱗一爪而已。

## 一三三　叔敖埋蛇（仁德）

孫叔敖是春秋時代楚國人。當他兒時，獨自到郊外遊玩，突然遇到一條兩頭蛇，那是不祥之物，見者必死。他拿起石頭，把蛇打死埋了。回到家裡，憂心地哭了起來。

母親問他爲甚麼哭，孫叔敖道：「我聽說遇見兩頭蛇的人會死。今天我遇到了，要離開母親去死了。」

他母親問道：「這蛇如今在哪裡呢？」

孫叔敖說：「我恐怕別人再看到它，又會死掉，我就打死了它埋掉了。」

母親安慰他道：「我聽說：修了陰德的人，上天會賜福與他。你埋了蛇，就是積了陰德，你不會死了。」

後來孫叔敖長大，做了楚國的令尹（令尹只楚國有此官稱，就是國相）。上任三個月，楚國大治，楚莊王憑以稱霸。當他出仕之時，楚國人早就信任他是個仁人君子。

**【原文附參】**：孫叔敖爲嬰兒時，出遊，見兩頭蛇，殺而埋之，歸而泣。母問其故，叔敖對曰：聞見兩頭蛇者死，嚮者吾見之，恐去母而死也。其母曰：蛇今安在？曰：恐他人又見，殺而埋之矣。其母曰：吾聞有陰德者，天報之以福。汝不死

也。及長、爲楚令尹，未治而國人信其仁也。（見：《新序》、雜事一。又：王充《論衡》有語云：埋一蛇，獲二祐）

**【編者私語】**：殺蛇是勇，埋蛇是仁。兒時行徑，便自不同。以後稱賢，宜乎共信。

## 二二四　取不嫁者　（擇賢）

西漢曹參（沛人，卒諡懿），接替蕭何為漢朝宰相。他禮賢下士，政尚清簡，一遵蕭何約束，世稱蕭規曹隨。百姓歌詠他道：「蕭何為法，較若畫一，曹參代之，守而勿失，載其清靖，民以寧一。」他聘請蒯通（本名蒯徹，因漢武帝叫劉徹，避諱改蒯通）為上賓客卿，協助政務，賓主相處融洽。

有人向蒯通進言道：「先生佐曹相國，整頓遺規，糾舉錯失，彰顯賢才，推薦能士，深得相國的禮敬，旁人都及不上你。而你素知梁石君（齊人，田榮叛項羽，不附，入深山隱居）和東郭先生（齊人，田榮曾拘禁他，後亦入山隱居），都是高士，超乎世俗諸人之上，你何不找機會引薦呢？」

蒯通說：「好呀！」於是去見曹參，問道：「有的女人，丈夫剛死三天，就變心要改嫁的。有的一直在家守寡，不出大門的。如果想要續絃娶妻，哪一種女人合意？」

曹參道：「自然要娶那守寡不嫁的。」

蒯通因說：「娶妻既然如此，求賢也當一樣。那東郭先生和梁石君，可算是齊國的俊彥之士，而為你所夙知（曹參以前為齊相九年）。他兩人隱居不嫁，不肯卑躬屈節，去求人賞他做官，這是天下人的榜樣。甚願相國能夠禮聘他們，以汲引賢士。」

於是曹參敦請他們進入相府，都以上賓禮待。

**【原文附參】**：曹參爲相，禮下賢人，請通爲客。或謂通曰：先生之於曹相國，拾遺舉過，顯賢進能，莫若先生者，先生知梁石君東郭先生，世俗所不及，何不進之？通曰：諾。迺見相國曰：婦人有夫死三日而嫁者，有幽居守寡不出門者，足下既欲求婦，何取？曰：取不嫁者。通曰：然則求臣亦猶是也。彼東郭先生梁石君，齊之俊士也，隱居不嫁，未嘗卑節下意以求仕也。願足下禮之。相國皆以爲上賓。

（見：《前漢書》、卷四十五、蒯伍江息傳第十五）

**【編者私語】**：本篇隱藏著一個「節」字。婦人幽居不嫁，守的是貞節；俊士隱居不仕，守的是氣節。北海牧羊十九年，守的是蘇武節；不爲五斗米折腰，守的是陶潛節。飲馬投錢，項仲山守的是廉節；浩然正氣，文天祥守的是死節。人要有節，則不論活著或死了，都受到尊敬。人要無節，活時別人瞧不起，死後別人唾棄你。本書第三三七篇「惜公遲四年」，便是失節的劣例，節操不謹，遺臭萬年，可不警惕鑑戒乎？

## 一二五　庖丁解牛（入化）

梁惠王的廚子庖丁，爲梁惠王殺牛。只見他宰牛的每一個動作，莫不中規中矩，有理有則。手所摸的，肩所靠的，腳所踏的，膝所抵的，都是牛身上最適當的部位。那皮肉相離的聲音噓噓然（砉然嚮然），快刀切割的聲音嘶嘶然（奏刀騞然），無不合乎音律（莫不中音），那節奏與湯代的桑林之舞曲和堯時的經首之樂章都能配合（合於桑林之舞，乃中經首之會）。

梁惠王看了，贊道：「啊，眞妙呀！你手藝的精熟竟到達這樣高超的境界了嗎？」

庖丁放下牛刀，站起來答道：「我所喜好和追求的乃是『道』，早已超過普通的屠夫，而進入『技藝』這個層次了。

「當我初學殺牛時，所看到的牛，感覺上總認爲是一條渾然完整的全牛，不知如何下手。三年之後，我摸熟了它肌理的間隙和骨節的接縫，不再認爲它是整條牛，而只注意它的筋骨結構了（未嘗見全牛也）。到了今天，我只要用神悟來理解它（臣以神遇），而不必再用眼睛來觀察它（不以目視）。耳目器官都不必操勞，我的心靈已經知道如何運刀了。照著它天然的腠理（依乎天理），剖開它關節的連結處（批大郤），順著它骨骼的空隙處（導大窾），循自然之道而操刀（因其固然）。它的肌筋也好、脈絡也好、粘在骨頭上的肉也好，連在骨節上的腱也好，都不再妨礙我刀鋒的運作。何況切開那些顯而易見的大盤骨呢（而況大軱乎）？那更容易了。

「一個優良的廚司（良庖），一年要換一把刀。因爲他的刀常常要去割開筋絡，刀鈍了。多數那次一等的廚司（族庖），一個月要換一把刀，因爲他的刀常常會切到骨頭，刀斷了。至於我的刀，已經用了十九年了，宰殺的牛也有幾千頭了，而刀鋒仍舊像新從磨刀石上磨過一般的鋒利（若新發於硎）。況且由於牛身上每個骨節都有空隙（彼節者有間），而我的刀口又薄得幾乎沒有厚度（刀刃者無厚），用我的薄刀切入骨節的空隙之間，眞是寬寬鬆鬆，任憑我的刀鋒游動，空餘的地方還多得很呢（游刃有餘）。所以一把刀用了十九年，還是和新刀一樣。」

梁惠王贊道：「這眞是妙呀！我聽了你這番議論，已知你宰牛雖多，卻從未損傷你的刀刃；則萬物雖然繁雜，只要懂得順應事物自然之理，也不會累壞我們的身心呀。這就使我領悟出那養生的妙道了。」

**【原文附參】**：庖丁爲文惠君解牛，手之所觸、肩之所倚、足之所履、膝之所踦，砉然嚮然，奏刀騞然，莫不中音，合於桑林之舞，乃中經首之會。文惠君曰：譆、善哉！技蓋至此乎？庖丁釋刀對曰：臣之所好者、道也，進乎技矣。始臣之解牛之時，所見無非牛者。三年之後，未嘗見全牛也。方今之時，臣以神遇，而不以目視，官知止而神欲行，依乎天理，批大郤、導大窾，因其固然，技經肯綮之未嘗，而況大軱乎？良庖歲更刀，割也。族庖月更刀、折也。今臣之刀十九年矣，所解數千牛矣，而刀刃若新發於硎。彼節者有間，而刀刃者無厚，以無厚入有間，恢恢乎其於游刃，必有餘地矣。是以十九年而刀刃若新發於硎。文惠君曰：善哉！吾聞庖丁之言，得養生焉。（見：《莊子》、養生主）

**【編者私語】**：凡事可分三個階層：一是「技」：技能精熟，經驗豐富，這是「匠」的階層。二是「藝」：獨開門户，闢創新局，是成「家」的階層。三是「化」：超凡入聖，出類拔萃，是「大師」的階層。無論琴棋書畫詩文，我們都要由「技」進而入「藝」，由「藝」進而入「化」。既入「化」境，還當進入「神」境。

# 一二六　知彼知己（用兵）

孫武說：用兵的法則：「全國爲上，破國次之」，要以聲威懾敵，令敵方舉國來降，是爲上計。若靠強大兵力擊破敵國，雖戰而能勝，必多殺傷，那是次計。

至於進入戰鬥，則「全軍爲上，破軍次之」，要避免死傷，使我軍獲得保全，是爲上計。若本軍殘破，雖然勝敵，那是次計。是故百戰百勝，還不是善中之善，若能以計謀克敵，不戰而屈人之兵，這才叫善中之善。

所以「上兵伐謀」，乃是以智屈人，勝於無形，爲最上等。「其次伐交」，乃是以外交策略制敵，爲次等。「其次伐兵」，乃是以精兵懾服敵人，使他確知沒有勝算，爲再次等。至於「下政攻城」，乃是兩軍相接，敵守我攻，彼逸吾勞，勝負尙難預料，這是最下之策。

如何測知勝不勝的條件有五：第一是「知可以戰與不可以戰者勝」，這要判斷敵人的虛實，可戰則戰，不可戰則待時，避免急躁盲動。第二是「識衆寡之用者勝」，這要審時度勢，或能以少勝多，或逕以衆擊寡，作靈活運用。第三是「上下同欲者勝」，這要自統帥至士兵，同心合力，有爲何而戰、爲誰而戰的共識，目標一致，乃可衆志成城。第四是

「以虞待不虞者勝」，這要我方有遠慮，有準備，有儲積，謀定而動。第五是「將能而君不御者勝」，這要前線指揮官深諳兵法，而且充分獲得授權，臨場當機立斷，以求速勝確勝。蓋軍情瞬息萬變，稍縱即逝，不宜由後方或朝廷遙控。若每事請示，必致錯失良機。所以說：「知彼知己（知彼難，在先），百戰不殆（殆是危險）；不知彼而知己，一勝一負（勝負各半）；不知彼不知己，每戰必殆（每戰必危）」。

**【原文附參】**：孫子曰：凡用兵之法：全國爲上，破國次之；全軍爲上，破軍次之。是故百戰百勝，非善之善者也；不戰而屈人之兵，善之善者也。故上兵伐謀，其次伐交，其次伐兵，下政攻城。故知勝有五：知可以戰與不可以戰者勝；識衆寡之用者勝；上下同欲者勝；以虞待不虞者勝，將能而君不御者勝。故曰：知彼知己，百戰不殆；不知彼而知己，一勝一負；不知彼不知己，每戰必殆。（見：春秋、齊、孫武：《孫子兵法》、謀攻篇）

**【編者私語】**：知彼知己，可攻可守。未能知彼，盲目亂鬥。僅是知己，靠天保佑。己都不知，必死無救。

## 二二七　知魚之樂（辨理）

莊子與惠子，一同在濠水（淮南鍾離郡）的橋梁上遨遊。莊子說：「你看那白魚在水裡游來游去，何等從容，我知道那些魚兒眞是快樂呀。」

惠子問道：「你不是魚，怎麼會知道魚的快樂？」

莊子回答說：「你又不是我，怎麼會曉得我不知道魚的快樂呢？」

惠子說：「就算你說得不錯：我承認我不是你，當然不會曉得你知道魚的快樂好了。但是，你總不是魚吧！因此我剛才說的『你怎麼會知道魚的快樂』這句話，理由明顯而且充分，這是沒有疑問的呀。」

莊子回道：「且慢。現在我們不妨從頭來推究一下：你剛才說過：『你怎麼會、知道魚的快樂』，這句話的含義，就是說你已經曉得我『知道魚的快樂』才來問我。而你再問的用意，不過是追問我『怎麼會知道的』而已。我就是在這濠水橋上知道的啊。因爲我遊濠上，感到很快樂，自然會知道魚游濠下，也會很快樂呀！」

【原文附參】：莊子與惠子遊於濠梁之上。莊子曰：儵魚出游從容，是魚之樂也。惠子曰：子非魚，安知魚之樂？莊子曰：子非我，安知我不知魚之樂？惠子曰：我非子、固不知子矣。子固非魚矣，子之不知魚之樂全矣。莊子曰：請循其本，子曰汝安知魚樂云者，既已知吾知之而問我，我知之濠上也。（見：《莊子》、秋水）

**【編者私語】**：從文詞而論，可以說通。從實理而言，似乎牽強。但邵雍（宋人，字堯夫）說：莊子善通於物，能盡己之性，又能盡物之性。不但對魚是如此觀，對萬物都如此觀。

## 二三八　知微必危（陰私）

隰斯彌（隰音習，戰國齊人）到田成子（田常，同爲齊之大臣）府中拜訪，叙談之餘，田成子邀他同登家中樓臺，憑欄眺望風景。只見東西北三面都可望遠，只是南面爲高樹所遮。那正是隰斯彌家園中的大樹，擋住了視線。隰斯彌雖然默察到了，但田成子始終沒有提到這事。

隰斯彌回家後，便叫人來砍樹。已經砍下了幾斧頭，隰斯彌又叫不必砍了。隰府有位佐事的官員，感到奇怪，便問道：「剛才你下令砍樹，不一會又下令停止，爲何改變得這樣快呢？」

隰子答道：「我想起古人有句老話說：『察看清楚水裡魚兒的人，會招來不吉的禍殃（意謂體察太精明了，將會惹禍上身）。』我覺得田成子似乎暗地裡懷著陰謀，只是還沒有發動罷了。

「這回我到他家拜訪，無意中察覺到我家的高樹妨礙了他的視線。如果我主動砍了大樹，便顯得我太精明，已經猜到了他的心事了。他如果發現我竟能察微知著，他疑心一起，那我的性命就危險了。今者，我不砍倒大樹，這沒有甚麼罪過。如果我料中了別人還沒顯出來的陰謀，那個危險就惹得太大了。」於是停止砍樹。

**【原文附參】**：隰斯彌見田成子，田成子與登臺四望。三面皆暢，南望、隰子家之樹蔽之。田成子亦不言。隰子歸，使人伐之。斧已數創，隰子止之。其相曰：何變之數也？隰子曰：古者有諺曰：知淵中之魚者不祥。夫田子將有大事，而我示之知微，我必危矣。不伐樹未有罪也；知人之所不言，其罪大矣。乃不伐也。（見：《韓非子》、說林上）

**【另文錄參之一】**：周文襄（周忱，字恂如，明永樂進士，諡文襄）巡撫江南日，巨璫（指太監）王振當權，慮其撓己也。時王振初作居第，公預令人度其齋閣，使松江作剪絨毯遺之，不失尺寸。振益喜。凡公上利便事，振悉從中贊之。江南至今賴焉。（見：明、馮夢龍：《增廣智囊》、卷上、察智）

**【另文錄參之二】**：秦檜構格天閣，有某官，任江南，思出奇媚之。乃重賂工人，得閣樓之尺寸，作絨毯以進，鋪之恰合。檜謂其伺己內事，大怒，因尋事斥之。（見：《增廣智囊》、卷下、術智）

**【另文錄參之三】**：《九州春秋》曰：（曹操兵抵漢中，攻劉備，數月無功）。時王欲還，出令曰：雞肋。官屬不知所謂，主簿楊修便自嚴裝（整裝回去）。人驚問修何以知之？修曰：夫雞肋，棄之似可惜，食之無所得。以比漢中，知王欲還也（操忌楊修，後藉故殺之）。（見：《三國志》、魏志、武帝紀注）

**【編者私語】**：猜出對方內心的隱秘，等於是識破了別人的陰謀，這是很危險的，還是裝傻爲妙。若因此而惹來殺身之禍，豈不是咎由自取？智高慮遠者要了解這一點，故隰斯彌停止砍樹，蓋弭禍也。至於另文錄參一二兩段故事，同是暗地裏打探到房子的尺寸，同是獻上新的絨地毯，本來是想討好，結局卻一喜一怒，何也？這可能因爲王振是太監，心機比較淺，而且他想招致大臣以沽名（可參第二〇一爲儒生師表篇），所以高興，還贊助周文襄推展政務，送禮獲益，送對了。至若秦檜，官居宰相，城府比較深，他要嚴防別人以慮患，所以大怒，送禮者獲罪，官也丟了，送錯了。另文錄參之三：楊修猜中了「雞肋」食之無味棄之可惜的喻意，揭破了曹操的心事。此人不可留，殺掉才安心，楊修死了。由這四事合觀：「知微」固顯高明，卻不宜表現出來，尤其當對手是田成子、秦檜、曹操這類富於心計的人，很難耍得過他們，就變成災禍臨頭了。可不愼歟？

## 一三九　和氏之璧（獻璞）

楚人卞和，在楚山（楚山即荆山，在湖北省。《寰宇記》：「卞和得玉於楚之荆山」）裡挖到一塊璞玉，呈獻給楚厲王。厲王叫玉匠來鑑定，玉匠說：「這是一塊石頭。」厲王認爲卞和欺騙國君，砍掉了他的左腳。

後來厲王死了，武王就位。卞和又捧著那塊璞玉，獻給武王。武王再交玉匠鑑定，玉匠仍說：「是塊石頭。」武王也認爲卞和欺騙他，砍斷了他的右腳。

等到武王死後，文王就位。卞和抱著那塊璞玉，坐在楚山山坡下哭泣，哭了三天三夜，眼淚流盡了，繼續哭出血來。文王聽了，派人去問他說：「天下砍掉腳的人不知有多少，你爲甚麼哭得這樣悲傷呢？」

卞和說：「我不是傷心雙腳砍掉了，而是傷心眞正的寶玉卻錯認它是頑石，眞正的忠貞人士卻硬說他是騙子。這才是我深深傷心的原因啦。」

文王叫玉匠把這塊璞玉剖切開來，果然琢出一塊珍貴的寶玉，就命名爲「和氏之璧」。

**【原文附參】**：楚人和氏，得玉璞楚山中，奉而獻之厲王。厲王使玉人相之。玉人曰：石也。王以和爲誑，而刖其左足。及厲王薨，武王即位，和又奉其璞而獻之武王。武王使玉人相之，又曰：石也。王又以和爲誑，而刖其右足。及武王薨，文王即位，和乃抱其璞而哭於楚山之下，三日三夜，淚盡而繼之以血。王聞之，使人問其故，曰：天下之刖也多矣，子奚哭之悲也？和曰：吾非悲刖也，悲夫寶玉而題之以石，貞士而名之以誑，此吾所以悲也。王乃使玉人理其璞而得寶焉。遂命曰和氏之璧。（見：《韓非子》、孤憤。又見：《新序》、卷五、雜事第五）

**【編者私語】**：誤認珍珠是魚眼（《韓詩外傳》：「白骨類象，魚目似珠」），誤以璧玉爲頑石（卞和刖足）；誤認周公要篡位，誤以王莽最謙恭；（《書・金縢》：「武王既喪，管叔及弟，乃流言於國」。後人詩歎曰：「周公恐懼流言日，王莽謙恭下士時，倘使當時身便死，一生忠僞有誰知？」）誤認孔子是陽虎（孔子貌似陽虎，匡人圍之，在陳絕糧七天），誤以子貢勝孔子（《論語・子張》：叔孫武叔曰：「子貢賢於仲尼。」又：叔孫武叔毀仲尼），都是判斷錯了。古例正不少，今世似仍多。

## 一三〇　拒開城門（忠謹）

郅惲（音窒運），東漢人，字君章。漢光武帝劉秀（公元前六—公元五七）在位時，舉孝廉，任爲上東城門侯（洛陽城東面北頭門），管理城門開閉之事。

漢光武帝常出城打獵，有一次，車駕獵罷返回京城時，天已黑了，城門已閉。皇帝命人叫門，郅惲不肯開城。光武帝命人舉火，讓郅惲看見自己的臉。郅惲說：「火光雖亮，但距離太遠，分不清皇帝的眞假，不能開城。」

光武帝不得已，只好再繞道到東中門（皇城東面中門）才進入皇城。

第二天，郅惲上書諫奏道：「皇帝出城太遠，到山林裡去打獵也太久。白天不盡興，還要拖延到晚上。夜裡叫關，萬一有人假冒入城作亂怎麼辦？放棄國政，京城裡出了事怎麼辦？萬一騎馬有閃失，摔下來了怎麼辦？這都是小臣所擔憂的。」

光武帝看過後，覺得十分有理，賞賜他絹布一百匹。還將隨便開門的東中門侯降職爲參封尉。

【原文附參】：郅惲、字君章。舉孝廉，爲上東城門侯。帝常出獵，車駕夜還，惲拒關不開。帝令燃火見面於門，惲曰：火光遼遠，不予受詔。帝乃從東中門入。明日，惲上書諫曰：陛下遠獵山林，夜以繼晝，其於社稷宗廟何？誠小臣所竊憂也。書奏，賜布百匹，貶東中門侯爲參封尉。（見：魏徵：《群書治要》、卷二十三。又見：《後漢書》、列傳第十九）

**【編者私語】**：京城森嚴，夜拒開門，忠也。視線不清，難分眞假，愼也。上書諫帝，不畏皇威，勇也。社稷爲重，不宜遊獵，誠也。慮之至遠，防於未萌，智也。本書都是摘錄一些古人的小故事，文雖短而意卻長，盼望讀者察微知著，由小見大，或亦稍有助補焉。

## 一三一　拖延九錫（智阻）

桓溫（三一二—三七三）跋扈專橫。晉元帝時，為駙馬都尉。晉明帝時，進征西大將軍，後來作大司馬，封南郡公。威勢煊赫，權力比皇帝還大。他曾歎息說過：「男子不能流芳百世，亦當遺臭萬年。」漸有不臣之心，暗中要想篡位，事未成就死了。

他晚年臥病在床，病情嚴重，便傳出話來，暗示要朝廷以「九錫」加賜於己。那九錫是天子賞賜有不世大功之臣的九項榮耀，是非常崇高的禮遇：一是車馬（賜以代步）、二是禮服（表彰盛德）、三是樂則（憑以化民）、四是朱戶（紅漆門牆以示尊崇）、五是納陛（堂階不露與天子同）、六是虎賁（武士保衛）、七是弓矢（用以征伐）、八是鈇鉞（可以專殺）、九是秬鬯（以供祭祀）。從前王莽篡位之前，皇帝對他也加過九錫。

桓溫勢大，朝廷不得不照辦。太傅謝安（三二〇—三八五，淝水之戰，便是他指揮的），指定由作賦高手袁宏（字彥伯，才思俊逸，文章絕美）草擬詔書，書成後就可擇期頒賜。

詔書草稿擬好了，謝安一看，覺得文句還未盡善，退回袁宏重寫（「九錫文」是特有體例，要謏功頌德）。如此一再推敲退改，經過十多天還沒有完成，桓溫就已死了，這加九錫的事自然就不必進行了。

**【原文附參】**：桓溫疾篤，諷朝廷加己九錫。太傅謝安使袁宏具草。草成，安見之，輒使宏改，由是歷旬不就。溫薨，錫命遂寢。（見：《晉書》、卷七十九、列傳第四十九）

**【編者私語】**：像桓溫這種強人，要得到任何名位，無人敢拒。遇到此類專橫跋扈的對象，即使需索過分，也只好順愛，只可設法在程序上拖延。如果正面抗阻，便會鬧僵，無法圓轉了。謝安表面上宣稱加九錫是何等莊嚴的事，詔書（九錫文）尤要妥切，不能隨便應付，一再斟酌，反復修改，以求至當。骨子裡則是實行「拖」字訣。他擺出一副愼重將事的認眞態度，桓溫也不好意思責難他。謝安只希望延長時間，等待變化（存心一直要拖到桓溫病死）。竟然誰也沒有得罪，溫順的達到不給的目的了。拖延本非正道，但遇到不得已之際，也只好用它權作擋箭牌，主要原則是做來不露痕跡，也一勁兒在關心，在求好，對方不便急催，徐圖化解難題。至若凡事一概拖延，便不可取了。

## 一三二 奇貨可居（遠謀）

秦昭襄王（名稷）的太子叫安國君（名柱），安國君有子二十多人，其中一個叫子楚的（就是秦始皇之父），爲質於趙國（將本國親人派往別國長住以示信叫質）。但由於秦國多次侵侮趙國，故趙國對子楚禮敬很疏。子楚連馬車也沒有，生活窮困，很不得志。有個大商人呂不韋（秦國陽翟人）到了趙國首都邯鄲，發現子楚潦倒困迫，他以做生意的眼光說道：「這正是奇貨可居呀（奇物可以居積以待善價贏利）！」

於是往見子楚，說：「我呂不韋有辦法能使你的門戶光大起來！」

子楚笑著回答：「你且先自光大你的門戶吧，還想要光大我的門戶嗎？」

呂不韋說：「你可能還不明白。我的門戶，要等你的光大之後，我的才會大呀。」

子楚發覺他話中有話，便引入內室深談。呂不韋說：「秦昭襄王老了，你父安國君是太子。安國君愛的是華陽夫人，而華陽夫人沒有兒子。現在你兄弟有二十多人（同父異母），可惜你的排行居中（子楚母親是夏姬，無寵），你又長久質住在趙國。即使昭襄王去世了，安國君即位，你也沒有機會與長子和早晚都在安國君身邊的其他兄弟們去爭太子的名位呀。」

子楚也知前途茫然，問道：「這又如何辦呢？」

呂不韋建議說：「你沒有錢，住在趙國又是作質的外客，哪有能力備辦厚禮去孝敬尊親，結交賓客？我雖不算富有，願意無條件拿出黃金千斤，替你去結歡心於安國君和華陽夫人，幫助你立爲嫡嗣（立爲正妻的兒子）。」

子楚聽罷，叩頭道：「如果照你的策劃，他日事成，我願將秦國分一半給你來統治。」

呂不韋便拿出黃金五百斤，供他廣交賓客。再用黃金五百斤，盡買珍奇寶玩，西往秦國送禮，說動華陽夫人向安國君枕邊進言，盛道子楚賢良，國際間都享譽讚，終於同意將子楚立爲嫡嗣。

昭襄王五十年，秦兵包圍了趙國首國邯鄲，趙王恨秦，要殺掉子楚。呂不韋又用黃金六百斤，賄賂看守官，讓子楚逃往秦軍，竟得回歸秦國。

秦昭襄王五十六年死了（西元前二五〇年壬子），安國君繼位爲秦孝文王，華陽夫人爲皇后，子楚爲太子。孝文王當年又死了，子楚即位爲秦莊襄王（公元前二四九年），於是進呂不韋爲丞相，封文信侯。果然一切都照原計劃實現了。

**【原文附參】**：秦子楚爲質於趙。趙不甚禮子楚，居處困，不得意。呂不韋賈邯鄲，見之，曰：此奇貨可居也。乃往見子楚，曰：吾能大子之門。子楚笑曰：且自大君之門，而乃大吾門？呂曰：子不知也，吾門待子門而大。子楚心知所謂，乃引與深語。呂不韋曰：秦王老矣，安國君得爲太子，愛幸華陽夫人。華陽夫人無子。今子兄弟二十餘人，子又居中，久質諸侯，無得爭爲太子矣。子楚曰：爲之奈何？呂不韋曰：子貧，客於此，非有以獻於親。不韋雖貧，請以千金爲子立爲嫡嗣。子楚曰：必如君策，請分秦國與君共之。不韋乃以五百金與子楚結賓客，復以五百金買珍奇好玩，西遊秦，說動華陽夫人，立子楚爲嫡嗣。昭王十五年，秦圍邯鄲，趙欲殺子楚，不韋行金六百斤與守者吏，得脫，歸秦。秦昭王薨，安國君立爲王，子楚爲太子。秦王立一年薨，太子子楚立，是爲莊襄王，以呂不韋爲丞相，封文信侯。（見：《史記》、卷八十五、呂不韋列傳第二十五）

**【編者私語】**：這是一樁絕大買賣，也是一場豪賭。賭本大（賭資投入一千六百斤黃金），時間長（幾乎三十年），還須有密切的步驟配合，才可成爲贏家：一須子楚願意聽命而思報答。二須珍奇實物有門路送給華陽夫人而能照收。三是華陽夫人中意子楚作爲嗣子。四須安國君准刻玉符，立子楚爲嫡嗣。五須送出黃金六百斤賄賂趙國的守者吏，私自放子楚脫身，免於被殺。六須等秦昭王死了，安國君繼位，子楚乃得升爲太子。七須盼望安國君早亡，子楚接登帝位，這時呂不韋才能夠爲相，封文信侯。以上環環相連，斷掉一個小節就血本無歸了。大凡舉大事者不惜待時，成大業者不惜破財，這是我們要了解的。再來看子楚：爲質於趙，自然是選自秦國的蹩腳貨。趙王不予禮敬，自然是身價跌到最低。生活困頓，自然是個窮措大。「遠適異國，昔人所悲。」他有何翻身機會？作夢也當不上皇帝。回頭再看呂不韋：子楚只是個末路困徒，竟然呂不韋卻發現他「奇貨可居」，這豈是一般市井商儈所能料見的？呂不韋身爲國際大貿易商，頭腦卻是個大政客。唯大政客甘冒大險，唯大投機者敢釣大魚，終使美夢成眞，可謂一本萬利，這眞是國史上的一樁奇事。

## 一三三　我也忘了（高智）

北宋孔守正（歷任指揮使、刺史、團練使、觀察使），開封人。有一天，和王榮（歷任巡檢使、團練使、防禦使）一同陪侍宋太宗（九三九—九九七，名趙匡義，宋太祖趙匡胤之弟）在宮廷舉行宴會。席間，兩人都喝得大醉了，竟當著皇上的面前，大聲爭辯討伐外國在邊疆誰立的功勞大？他倆愈爭愈氣忿，一直互不相讓，連朝廷的禮儀和大臣的風度都忘記了。

這種嚴重失態的事，是十分不當、非常犯忌的。宴會散後，太宗身旁的侍臣，便建議將兩人爭執失儀的罪過，交付法正（大理院）去裁斷處罰。太宗沒有同意。

孔守正與王榮回到家中，酒醒了，都知道犯了大錯，十分不安。第二天上朝時，一同向宋太宗自動請罪，願意受罰。宋太宗卻輕鬆地說：「昨天我也喝得大醉了，究竟發生了甚麼事，連我也記不起來了。」這樁尷尬的事，就不再追究了。

【原文附參】：孔守正，開封人。一日，侍宋太宗宴。守正大醉，與王榮論功於駕前，忿爭失儀。侍臣請以屬吏，上弗許。翌日，孔王俱詣殿請罪。上曰：朕亦大醉，漫不復省。遂不問。（見：《宋史》、列傳卷三十四）

【編者私語】：做高層首長的，有時會遇到若干棘手的難題，必須運用智慧，輕鬆巧妙的化解，讓犯錯者、裁決者、及執法者都無傷。本篇敘述孔王兩人失態，起因是皇上邀請的酒宴。而醉中犯禮，勢所難免。若逕予追究刑責，似對大臣有欠關愛；若不予追究，又對體制有所虧欠。如此一來，辦既不妥，不辦也不好。只有裝成沒有這回事，推說我也醉了，當時的情況我不知道。你不知，我不知，不知者不罪。而孔王心中未嘗不知罪。況且他倆已經請罪，自是已然知罪。這樣一方面顧全了大臣的面子（不要變成罪人受審），二方面維護了天子的尊嚴（皇帝在酒宴上無能，場面失控），三方面免掉了法官的爲難（罪過的大小不易擇定）。舉重若輕的達到目的了。試看唐代宗對郭子儀笑謂：「不癡不聾，不作阿翁。」小兒女閨房裏的話大人何必過問，把頂撞皇帝的重罪一語帶過（請參閱本書第五十一篇），便是相同的好例證。

## 一三四　狗吠楊布（難認）

楊朱（字子居，主張爲我）的弟弟楊布，有一天穿了白色的衣服外出，遇到下雨，楊布便脫下了白色外衣，穿着裡面的黑色衣服回來。

家裡的狗，不認識穿黑衣的楊布，對他吠叫。楊布很生氣，要拿棍子打狗。

楊朱說：「你不要打它嘛，你也可能有這種錯誤的。假如有一天，你這隻白狗出去，變成黑狗回來，你難道不也會覺得奇怪嗎？」

**【原文附參】**：楊朱之弟楊布，衣素衣而出，天雨，解素衣，衣緇衣而返。其狗不知。迎而吠之。楊布怒，將扑之。楊朱曰：子無扑矣。子亦猶是也。嚮者，使汝狗白而往，黑而來，豈能無怪哉？（見：《列子》、說符篇）

**【編者私語】**：外貌常披僞彩，內含卻難變改；莫爲表象欺迷，謹守吾心主宰。

## 一三五　床上布被

（節儉）

漢代公孫弘（公元前二〇〇—前一二一），字季。家貧，四十多歲纔讀《春秋》，學乃大進。漢武帝時（公元前一五七—前八七），下詔徵文學之士，天子親拔公孫弘爲第一，拜爲博士。後來又任他爲御史大夫。

同朝的汲黯（元前？—前一一二，字長孺，做了主爵都尉）啓奏漢武帝說：「公孫弘位在三公（御史大夫稱大司空，掌糾察；丞相稱大司徒，掌國政；太尉稱大司馬，掌軍事。號曰三公），國家給他的俸祿夠多的了，他蓋的卻是粗布被子，這一定是裝假來沽名釣譽的。」

漢武帝轉問公孫弘。他回答道：「這粗布被子的事確是有的。現今朝廷裡的九卿大臣，與我要好的莫過於汲黯，他今天在朝中指責我，確然說中了我的不是。由於我位列三公，還蓋粗布被子，這一定是裝窮弄假，想釣虛名。不過我聽聞春秋時管仲做齊國宰相，他家裡築造了三歸之臺（《論語八佾》也說管仲有三歸），闊綽有如帝君。至如齊桓公以霸主之尊，他的排場，也僭比如同天子，這是奢侈的例子。此外晏嬰是齊景公的宰相，吃飯時卻不准有兩盤肉，家中婦女不准穿絲綢衣，齊國也治理好了，他的生活平淡如老百姓一樣，這是節儉的例子。我今身居御史大夫之職，床上蓋的卻是粗布被，正如汲黯所說，確是事實，我不過是不想浪費罷了。而且，如若沒有汲黯的忠誠，你哪有機會聽到這些直話呢？」

漢武帝聽了，認爲公孫弘胸懷謙沖坦蕩，對他更爲倚重，到了元朔五年（元前一二四年），竟封他爲丞相。

**【原文附參】**：汲黯曰：弘位在三公，奉祿甚多，然爲布被，此詐也。上問弘。弘謝曰：有之。夫九卿與臣善者無過黯，然今日庭詰弘，誠中弘之病。夫以三公爲布被，誠飾詐以釣名。且臣聞管仲相齊，有三歸，侈擬於君。桓公以霸，亦上僭於君。晏嬰相景公，食不重肉，妾不衣絲，齊國亦治，此下比於民。今臣弘位爲御史大夫，而爲布被，誠如黯所言。且無汲黯忠，陛下安得聞此言？天子以爲謙讓，愈益厚之。卒以弘爲丞相。（見：《史記》、卷一百一十二、平津侯主父列傳第五十二）。

**【編者私語】**：太史公說：「弘爲人恢奇多聞，常以爲人主病不廣大，人臣病不儉節。弘爲布被，食不重肉。母死，服喪三年。每朝會議，開陳其端，令人主自擇，不肯面折廷爭，上大悅之。」他的俸祿所入，盡給賓客，自己吃的只是脫粟的糙米而已。粗布作被、宜也。又後漢有位姜肱，字伯淮，與兩個弟弟仲海、季江十分友愛，雖各娶，不忍別寢。他做了一床特大被子，兄弟三人，同被共睡，稱爲姜被，《後漢書》有傳。這兩則同是被子的故事，都可師其意以作榜樣。

# 一三六　狐假虎威（倚勢）

戰國時代，楚國位居南方，國勢強盛，其他六國，都在北方。有一次，楚宣王（楚國本號荆國，見《左傳》莊十。楚宣王原叫荆宣王）問臣子們說：「我聽聞北方各國，都害怕我國的昭奚恤，究竟眞相如何呢？」

臣子們都不便說話，獨有江一（有的書上作江乙）講了一個寓言來作說明。他說：

「老虎要找尋野獸充饑，正好捉到一隻狐狸。

「狐狸說：『你不敢吃我呀！天上帝君要我做百獸的領袖，今天你如吃掉我，你就違抗了天帝的命令。假如你不相信，我可以走在你的前面，你跟在我的後面，看那些野獸，哪一個敢不見了我就逃走？』

「老虎覺得這個證明方法頗爲有理，便跟著狐狸同走。百獸看見了，果然都逃避了。老虎不知道百獸逃走是懼怕自己，還當眞以爲是害怕狐狸呢。

「今天楚君你有五千里的疆域，國土很大。有一百萬帶盔披甲的戰士，兵力很強，而專一交給昭奚恤來統治。那北方各國，說是害怕昭奚恤，其實是害怕楚君你的地廣兵多。昭奚恤不過是倚仗你的力量作後台而使人害怕而已，正猶如百獸害怕那狐狸身後的老虎一樣的呀！」

【原文附參】：荊宣王問群臣曰：吾聞北方之畏昭奚恤也，果誠何如？群臣莫對。江一對曰：虎求百獸而食之，得狐。狐曰：子無敢食我也，天帝使我長百獸，今子食我，是逆天帝命也。子以我爲不信，吾爲子先行，子隨我後，觀百獸之見我，而敢不走乎？虎以爲然，故遂與之行，獸見之皆走。虎不知獸畏己而走也，以爲畏狐也。今王之地方五千里，帶甲百萬，而專屬之昭奚恤，故北方之畏昭奚恤，其實畏王之甲兵也，猶百獸之畏虎也。（見：《戰國策》、楚策一）

【編者私語】：倚仗強硬的後台老闆，作威作福，古今皆同，實例太多了。但冰山一消，自身難保，哀哉！亦不值得哀也。

# 一三七　空籠獻鵠（善說）

從前在戰國時候，齊王派淳于髡帶著一隻鵠（似雁而大，全身白色，俗名天鵝）去獻給楚王。他出了都門，在半途中那鵠飛走了，只剩下空的鳥籠，眞不知如何是好。他猶豫一會，決定只有虛造一段假話，去見楚王。淳于髡訴說道：「齊王派臣來獻鵠，我經過河上時，不忍心看到鵠鳥太口渴了，便放它出籠飲水，豈知它竟飛走了。沒有鵠，辜負我齊王，愧對你楚王。我本打算切腹自殺，或弔頸而亡，但只怕別人議論，說大王因一隻鳥而使我自盡，豈不有傷聖譽嗎？我又想：一隻鳥，不過是有羽毛的飛禽罷了，有許多同類的鳥，我也可以買一隻來代替，但這卻是不守信義的行爲，我怎麼可以欺騙大王呢？我再想，不如逃到別國去躲藏起來算了，但這將令齊楚兩國的信使不通，豈不更是罪大了嗎？因此硬著頭皮，將實情稟告，向大王叩頭領罪。」

楚王聽了，不但不怪他，反而贊他說：「眞好呀，齊王屬下，竟有像你這樣的守信之士，眞難得呀。」賞賜他許多財物，數值比那鵠在時的酬勞還多了一倍。

【原文附參】：昔者，齊王使淳于髡獻鵠於楚。出邑門，道飛其鵠，徒揭空籠。造詐成辭，往見楚王曰：齊王使臣來獻鵠，過於水上，不忍鵠之渴，出而飲之，去我飛亡。吾欲刺腹絞頸而死，恐人之議吾王以鳥獸之故，令士自傷殺也。鵠、毛物，多相類者，吾欲買而代之，是不信而欺吾王也。欲赴他國奔亡，痛吾兩主使不通。故來服過，叩頭受罪大王。楚王曰：善、齊王有信士若此哉！厚賜之，財倍鵠在也。（見：《史記》、卷一百二十六、滑稽列傳第六十六）

**【另文錄參之一】**：魏文侯使舍人毋擇獻鵠於齊侯，毋擇行道失之，徒獻空籠，見齊侯曰：寡君使臣毋擇獻鵠，道饑渴，臣出而飲食之，而鵠飛沖天，遂不復反。念思非無錢以買鵠也，惡有爲其君使輕易其幣者乎？念思非不能拔劍刎頭，腐肉暴骨於中野也，爲吾君貴鵠而賤士也。念思非不敢走陳蔡之間也，惡絕兩君之使。故不敢愛身逃死，來獻空籠，唯主君斧鑕之誅。齊侯大悅曰：寡人今者得茲言，三賢於鵠遠矣。寡人有都郊地百里，願獻于大夫以爲湯沐邑。毋擇對曰：惡有爲其君使，而輕易其幣，而利諸侯之地乎？遂出不反。（見：《說苑》、卷十二、奉使）

**【另文錄參之二】**：齊使使獻鴻於楚。鴻渴，使者道飲鴻，攫笞潰失。使者遂之楚，曰：齊使臣獻鴻，鴻道飲，攫笞潰失。臣欲亡，爲失兩君之使不通。欲拔劍而死，人將以吾君賤士貴鴻也。攫笞在此，願以汙事楚。王賢其言，辯其詞，因留而賜之，終身以爲上客。（見：《韓詩外傳》、卷第十）

**【編者私語】**：《孟子》萬章篇說：「君子可欺以其方，難罔以非其道。」只要解釋得合情合理，就會相信（請參本書第三二六得其所哉篇）。辯士和騙士，都具備了這套頂尖功夫。我們自己不要說謊話，但也不可被別人花言巧語的謊話所矇騙。

# 一三八　風吹旛動（妙悟）

禪宗六祖惠能（請參閱第三七八「菩提本無樹」篇），到了廣州法性寺，正逢印宗法師講解《涅槃經》（佛經名。有小乘大乘二部），惠能便隨緣聽法。

這時一陣風起，把旛旗吹動了。一個和尚說：「風吹動了。」另一個和尚說：「旗吹動了。」多人說過不停，究不知應是風動還是旗動。

惠能上前說道：「這不是風動，也不是旛動，而是有道之人心動。」大家聞此高論，都驚服他的妙悟。印宗法師也敬佩不已。連忙恭請他坐在首位上。

**【原文附參】**：惠能至廣州法性寺，值印宗法師講涅槃經。時有風吹旛動。一僧曰：風動。一僧曰：旛動。議論不已。惠能進曰：不是風動，不是旛動，仁者心動。一衆駭然。印宗延至上席。（見：《六祖壇經》、行由品第一）

**【編者私語】**：禪宗是佛教的一派，又稱頓教，又稱心宗。傳說佛祖釋迦牟尼，在靈山會上拈花示衆，只有摩訶迦葉破顏微笑。釋尊說：「吾有正法眼藏，涅槃妙心，今付屬於汝。」自迦葉以下二十八傳而至達摩。達摩東來，是爲禪宗初祖，住少林寺，面壁九年。傳到慧能，爲禪宗六祖。禪宗主張言下悟入，法門無量，觸開正眼，就可見性成佛。確是十分玄妙。

## 一三九　來弔楚令尹（居危）

孫叔敖（見第二二三「叔敖埋蛇」篇）受命爲楚國的令尹（就是國相，只有楚國叫令尹，別國都稱相）。全國的官吏和人民，都深慶得人，到他府上道賀。最後，竟然來了一位年高的父老，穿了粗麻衣，戴著白帽子，這是凶服，說是特別來向孫叔敖弔喪。

孫叔敖整肅衣冠，正式出堂迎接，對這位父老說：「楚王不知道我能力不好，給我相位，恐怕要承受臣民的指責，別人都來道賀，我很惶恐。你今最後到來，說是弔喪，難道你有話要指教我嗎？」

老人答道：「的確有話奉告。我覺得：身已貴而對人驕傲的，人民會拋棄他。地位高而濫用權力的，君王會厭惡他。俸祿多而不知滿足的，禍害會降臨他。這三種危機，都可能發生在你身上，所以我來弔你。」

孫叔敖說：「多謝教導，我當引以爲戒。請問還有進一步的教誨嗎？」

老人道：「地位愈高的，意念要更加謙卑。官職愈大的，心思要更加仔細。俸祿愈多的，取捨要更加謹愼。你如謹守這三項條件，就足以治好楚國了。」

【原文附參】：孫叔敖爲楚令尹，一國吏民皆來賀。有一老父，衣麤衣，冠白冠，後來弔。孫叔敖正衣冠而出見之。謂老父曰：楚王不知臣不肖，使臣受吏民之垢。人盡來賀，子獨後來弔，豈有說乎？父曰：有說。身已貴而驕人者，民去之。位已高而擅權者，君惡之。祿已厚而不知足者，患處之。孫叔敖再拜曰：敬受命，願聞餘教。父曰：位已高而意益下，官益大而心益小，祿已厚而慎不敢取。君謹守此三者，足以治楚矣。（見：《說苑》、敬愼。又見：《列子》、說符篇。又見：《淮南子》、卷十二）

【編者私語】：身貴難免驕矜，位高難免濫權，祿厚難免揮霍。滿盈易招損，居高要思危，貪財將賈禍。若能謹守分寸，進則可兼善天下，退也可獨善其身。

## 二四〇　受賞又責禮（逾分）

戰國時代的魏文侯，有守有爲。他派樂羊攻中山，派西門豹守鄴，武將文臣，都很稱職。尊田子方、子夏爲師友，四方之士，都願歸附他。有位高士段干木，隱居在魏國，魏文侯很尊敬他。與他見面時，雖然自己是國君，還是站著講話，即使疲倦了，也不敢休息，把他當作老師對待。

另外有位翟黃，魏文侯與他見面時，就隨便蹲踞在廳堂上和他講話。翟黃覺得魏文侯沒有以禮貌相待，臉色顯得不愉快。

魏文侯察覺了，說道：「段干木是賢師，給他官做他不肯，送他錢財他不受，我非常尊仰他。我還只怕對他不夠尊重呢？

「至於你啦，要做官便升你爲宰相的高位，要俸祿便給你上卿的待遇。你呀，既已接受了我的封賞，如果還要我用師尊的禮貌來敬待你，那豈不太難了嗎？」

【原文附參】：魏文侯見段干木，立倦而不敢息。及見翟黃，踞堂而與之言，翟黃不悅。文侯曰：段干木官之則不肯，祿之則不受。今汝欲官則相至，欲祿則上卿。既受吾賞，又責吾禮，毋乃難乎？（見：《說苑》、尊賢。又見：《呂氏春秋》、愼

【編者私語】：客卿、是賓是師。賓客見主人，可平起平坐。學生見老師，則要立而受教。至於屬官，是幕僚，是部下。有尊卑之分，有聽命之義。兩者大有區別。若要獲得敬重，就要推掉富貴，學一學嚴子陵不受漢光武之聘，悠然樂釣富春江，去作個隱士。今翟黃受官領俸，應是臣僚，再求禮遇，自屬逾分；但魏文侯接見宰相，竟然踞堂而與之言，既失千乘王者之尊，也非善待重臣之道。諒係文人筆下描寫過甚之詞，我們體其大意可也。進而論之，我們要建立一種觀念：所謂禮，不但只是尊敬對方，也是看重自己。

## 二四一　刺秦第一幕（急智）

燕國太子丹（燕王喜之子）派上卿荊軻（魏人叫他慶卿，燕人叫他荊卿，好讀書、擊劍、任俠）爲使者，出使秦國，謀刺秦王（時在公元前二二七年，始皇二十年），挑選了秦舞陽（亦作武陽，燕國勇士，十三歲就殺過人，人不敢忤視）隨行。

秦始皇聽說荊軻（前？—前二二七）到了，十分歡喜，便穿上朝服，集合文武百官，在咸陽宮正殿裏接見荊軻。儀仗衛士，行列整齊，陛戟森森，皇威赫赫。

荊軻是正使，捧了盛裝樊於期首級（秦王懸賞索他的頭）的錦盒，秦舞陽爲副使，捧著燕國督亢（燕國膏腴之地，獻於秦）的地圖匣（捲成滾筒的大地圖，裝在匣裏，圖末暗藏匕首），循禮徐行而前。行到皇殿陛階之前，秦舞陽心虛，竟然臉色慘變，身體顫抖。滿朝君臣，都感到怪愕，懷疑他爲甚麼失常。

荊軻機警鎭定，處變不驚，發覺秦舞陽慌亂失態，仍然沉得住氣，他轉向秦舞陽望了一眼，帶著笑容，回頭對秦王輕鬆地解釋道：「我這位副使，乃是北方番人（燕國在中國之東北），生長在蠻夷邊鄙之區，沒有受過中原文化的洗禮，也從未見過天朝皇帝。今天隨我來拜謁大王，確實是被皇上的威儀震懾住了，以致手足無措，這是可以理解的。請求寬予原宥，使敝國誠心奉圖獻地的使命，能夠順利完成。」

秦始皇心在地圖上，聽他言之有理，倒也沒有追究這等小節，便對荊軻說：「好罷，呈上督亢地圖來！」荊軻遵命，自舞陽手中，取過圖匣，雙手奉上，送呈到秦王御案之前，請秦王審驗。

**【原文附參】**：秦王聞荊軻至，大喜。乃朝服，設九賓（九賓有多解：或曰九儀、或曰九服、或曰九牢、或曰九官），見燕使者於咸陽宮。荊軻奉樊於期頭函，而秦舞陽奉地圖匣，以次進。至陛，秦舞陽色變震恐，群臣怪之。荊軻顧笑舞陽，前謝曰：北番蠻夷之鄙人，未嘗見天子，故震懾。願大王少假借之，使得畢使於前。秦王謂軻曰：取舞陽所持地圖。軻取圖奏之。（見：《史記》、傳八十六、刺客列傳第二十六。又見：《燕丹子》、太子丹一）

**【編者私語】**：荊軻刺秦，如以成敗論英雄，便失之公允。他的目標很高，想要生劫秦王，脅迫他立下契約，應允歸還侵地，好回燕國復命，故不肯一刀先刺秦王畢命。試想想：宮殿森嚴，武士環衛，哪能脫身虎狼之穴？「風蕭蕭兮易水寒，壯士一去兮不復還」，他的好友高漸離在送別時早就料到了。然令吾人欽佩者，以秦舞陽之兇勇，遇到大場面，尚且變色發抖；荊軻卻從容微笑，一面穩住舞陽之恐，一面化去秦王之疑。輕鬆的一番說詞，合情順理，有急智，有定力，不是粗夫所能辦到的。這是刺秦的第一幕，錄此以見驚險之一斑。我們遇到大場面，也要鎮得住！

## 一四二　尚書當小兵　（肅己）

劉大夏，字時雍（卒謚忠宣公），明英宗天順八年（一四六四）進士。讀書有得，時號東山先生，又熟諳軍務。明朝憲宗孝宗武宗三代都器重他。孝宗弘治十五年（一五〇二），任爲兵部尚書，等於國防部長。

明武宗即位（一五〇六登基）之後，寵信宦官劉瑾（任爲司禮監），大小政務都由劉瑾專決。他殘害忠良，更厭惡劉大夏，藉故判他充軍到極遠荒寒之地的肅州（在甘肅酒泉郡）去戍邊（防衛邊疆），這時他已七十三歲了。

他到了戍守邊疆之所當差以後，各處官員因害怕劉瑾尋仇報復，都不敢餽送物品及探問他。每次逢到戍卒要舉行團操時，劉大夏也扛著槍入伍就列操練。那些隊職官知道他本是兵部尚書，如今貶爲小兵，實在冤屈，堅決不讓他進入行列裡。劉大夏說：「既然身爲列兵，就該服行兵役，參加操練，不能例外。」

他遠戍甘肅，只帶了一位僕人。有人問他爲何不找個子姪輩的人同來，劉大夏說：「我任高官時，不曾替子姪們討得半點皇恩帝澤。如今年老獲罪，忍心叫他們一同死在這邊塞之地嗎？」

明武宗正德五年夏天（一五一〇），劉大夏的罪名昭雪赦免了，回到家裡。一位往日的門生（考取功名的儒士，對主考官都自稱門生），現在已官任巡撫（明代由朝臣巡行地方，安撫軍民，謂之巡撫），從百里之外來拜謁老師。到了他家附近，看到一位犁田的農夫，巡撫請問他尙書家在哪裡？這位農夫領他到尙書家中，進入正堂就坐，農夫說他便是劉大夏。

劉大夏曾經說過：「居官當以正己爲先，不但要禁戒謀利，還要遠避虛名。」又說：「人生是邪是正，要蓋棺之後才得論定。一天活著，就該對行爲負責，不可懈怠。」都是至理名言。

**【原文附參】**：劉大夏，天順八年進士，習軍事，遇知明憲宗孝宗武宗。弘治十五年，拜兵部尚書。武宗即位，大夏爲宦官劉瑾所惡，坐戍極邊，時年已七十三。比至戍所，諸司憚瑾，絕餽問。遇團操，輒荷戈就伍。所司固辭，大夏曰：軍、固當役也。所攜止一僕，或問何不絜子姪？曰：吾宦時，不爲子孫乞恩澤，今垂老得罪，忍令同死戍所耶？正德五年夏，赦歸。有門下生爲巡撫者，枉百里謁之。道遇扶犁者，問孰爲尚書家，引之登堂，即大夏也。大夏嘗言：居官以正己爲先，不獨當戒利，亦當遠名。又言：人生蓋棺論定，一日未死，即一日憂責未已。（見：《明史》、卷一百八十二、列傳第二十）

**【編者私語】**：兵部尚書是軍事最高首長，一夕降爲列兵，卻自動「荷戈就伍」，絕口不說我當年如何如何，這是何等氣概？有苦自己忍受，不肯拖累家族，這又是何等氣概？及至赦免回家，竟然扶犁親耕，不擺出他的尚書身價，這更是何等氣概？總之，劉大夏有個眞我，不論作尚書也好，任小兵也好，當農夫也好，外在的表象雖不同，内蘊的眞我則如一。我們只要學到一椿，便難能可貴了。

# 二四三　抽乾太湖水　（妄語）

宋代臨安人王安石（公元一〇二一—一〇八六），字介甫。宋神宗時爲宰相，封荊國公，故又稱王荊公。個性很強，故又稱拗相公。他銳意變法，甚至說：「天變不足畏，祖宗不足法，人言不足恤。」

他大講水利能增產富民，還提議想把太湖的水抽乾，開田種稻。那太湖跨在江蘇浙江兩省之間，古名震澤。湖的周圍有四百公里，面積三萬六千頃，環湖土地肥沃。王安石說這樣做便可得良田數萬頃，利益太大了。但別人都暗笑這個構想是狂談。

王安石有一次便以這件事作話題，和賓客們談論。當時有位學士（官名，有侍讀、侍講、待制之分）劉貢父（一〇二三—一〇八九，名劉攽，曾同修《資治通鑑》）在座，插話說：「這事容易辦到呀！」

王安石大喜，問道：「怎樣可以辦到呢？」

劉貢父說：「只要在太湖旁邊，另挖一個同樣的湖，容納太湖原有的水，不就辦到了嗎？」

王安石一聽，也忍不住大笑了。

**【原文附參】**：王荊公爲相，大講天下水利。時至有願乾太湖，云可獲得良田數萬頃。人皆笑之。荊公因與客話及之，時劉貢父學士在座，對曰：此易爲也。荊公曰：何也?貢父曰：但在旁另開一大湖納水則可矣。公大笑。（見：《朱氏淘沙》卷二）

**【編者私語】**：笑話於幽默中隱藏趣味，妙處在調侃中含有諷刺，卻不會傷人。王安石意想天開，要塡平太湖，只想到可以增田數萬頃，卻沒考慮到灌溉、航行、納洪、魚產、水利這些功效，又如何處置這三萬六千頃的水量?這是天眞幻想，也必不可行。劉貢父毋須直接說破他，輕鬆的以談笑化解了，其淳于髡之流亞歟?

# 二四四 床頭捉刀人（奸雄）

匈奴是北方狄人，到漢代時，勢力很盛，佔居於現在蒙古一帶。漢獻帝時，曹操（一五五—二二〇）的權位甚大，爲魏王（到三國時，追尊爲魏武帝，故原文稱魏武）挾天子以令諸侯，匈奴乃派一使者來謁見曹操。

曹操因覺得自己的姿容不好，不足以用體型像貌來威服遠方的外國，便心生一計，要崔琰來假扮他。

那崔琰是淸河人，字季珪，眉目淸朗，鬚長四尺，裝扮成魏王，儀容極爲威重。曹操自己則捧握著一柄大刀，站在床邊（漢代的床，就是客廳的坐具，睡覺的叫榻），陪侍在旁，觀察動靜。

謁見禮完畢，匈奴使者告辭。曹操暗中派一個打聽消息的間諜，去探問那位使者的意見，問道：「你對那位魏王的觀感如何？」

匈奴使者回答說：「這位魏王的威嚴容貌，叫我十分欽敬。不過那位站立在床頭的捉刀人，雖然體型不怎麼樣，但在神情的表現上，隱然有一股懾人的英雄氣概，將來他一定會更了不起。」

間諜回報，曹操因暗懷梟雄野心，覺得這使者看透了他的內心，對日後行事不好，就派人追上，在半途殺了他。

**【原文附參】**：魏武將見匈奴使，自以形陋不足以雄遠國，使崔季珪代，帝自捉刀立床頭。既畢，令間諜問曰：魏王何如？匈奴使答曰：魏王雅望非常。然床頭捉刀人，此乃英雄也。魏武聞之，追殺此使。（見：《世說新語》、容止第十四）

**【編者私語】**：曹操少時見喬玄，玄曰：「君是亂世之奸雄，治世之能臣也。」果然他既是梟雄，又是權臣。三國人物，他算第一。派人假扮自己，來接待外使，只有他想得出，做得到。自己又不放心，還要陪在旁邊監視。監視之不足，還要去套問外使的觀感。套問之不足，還要殺人除患。想得深，做得絕，這便是曹操的行事原則。大凡梟雄，都心懷大志，當陰謀尚未實現之前，不能讓人識破，以免壞了大事。這等人，心狠手辣，毫不遲疑，便把匈奴使者殺了。

# 二四五　直道而事人　（守正）

魯國的賢大夫柳下惠（姓展名獲字禽，食邑柳下，諡惠，《荀子大略》集解說他坐懷不亂）任職爲治理獄政的官，叫士師。他三次作士師，卻遭三次免職又復職。一次是爲岑鼎不願僞證，一次是遭長官臧文仲之忌，一次是與夏父弗忌不和。可見當時政治不夠清明，而柳下惠的官運也屢遭坎坷打擊。

有人爲他抱屈，對他說：「你任治獄之官，又沒有甚麼過失，竟免職三次之多，還有甚麼値得留戀的呢？難道還不辭掉這個小官，離開這個魯國嗎？」

柳下惠答道：「我是秉持著正義處事的，不願被惡勢力所左右。我憑直道在官場中做事，到哪個國家不免職三次呢？如果我要違背正直的理想，曲阿當世，學那種枉道事人，揣摩上意，在官場中混日子，只求不要免職就好，我又何必離開我的父母之國呢？」

**【原文附參】**：柳下惠爲士師，三黜。人曰：子未可以去乎？曰：直道而事人，焉往而不三黜。枉道而事人，何必去父母之邦？（見：《論語》微子篇）

**【編者私語】**：《孟子》也有一段贊語曰：「聖人、百世之師也。聞柳下惠之風者，薄夫敦，鄙夫寬。奮乎百世之上，百世之下聞者莫不興起也（《孟子》盡心下）」。朱熹也贊曰：「柳下惠三黜不去，而其辭氣雍容，可謂和矣。又其不枉道之意，則有確乎其不可拔者矣。」兩賢都有佳贊，實不須再事續貂。

# 二四六　毒酒待丈夫（忠信）

戰國時代，地處東北的燕國，國力不算大。燕文侯死了，太子繼位，是爲燕易王。易王初登基，國勢不穩，強鄰齊國，趁燕國國君新喪，起兵侵燕，攻奪了十座城邑（《孟子》梁惠王下篇也說：齊人伐燕，勝之。）

燕易王問蘇秦（元前？—前三一七。字季子，師事鬼谷先生，後相六國）道：「蘇先生能夠替我討回齊國侵佔的土地嗎？」

蘇秦說：「讓我試試看吧。」

他前往齊國，說動齊宣王（威王之子，名辟疆），歸還了燕國的十座城邑，確是大功動一件。

蘇秦回到燕國，竟然原有的官職也沒有給他。於是他又去見燕易王，說：「這次我替大王索還十城，回來卻免除了任何官職，必然是有人拿不忠不信的罪名，在大王面前中傷於我。這眞是爲了履行忠信反而得罪君王，豈不是太遺憾了？」

燕王說：「你本來就是個不忠不信的人嘛。哪有眞正講忠信的人，反而招來罪過的道理呢？」

蘇秦道：「這卻不然。讓我講個故事來作比喻吧：

「有個人到遠地去作官，妻子在家與姦夫私通。後來，丈夫要回家了，姦夫憂心私情要斷絕了。妻子說：『不必著急，我已經配好了毒酒，等丈夫回來，就把他毒死。』

「隔了三天，丈夫果然回家了。妻子便叫小妾，端著毒酒，去敬丈夫。這位小妾一想：如果我說出這是毒酒，那末大妻就會被趕出家門；如果我不說，那末丈夫就會被毒死。她在兩難之際，只好假裝跌倒，把毒酒都潑了。丈夫不知眞相，大發脾氣，竟然把小妾打了五十鞭子，以示懲罰。

「由此看來，這小妾跌此一跤，保全了丈夫的不死，遮掩了大妻的不貞，但卻招來了自己的不是，領受了一場責打，豈不是爲了忠信反而受罪嗎？」

燕王聽後，說道：「蘇先生，請你復就原來的官職吧。」還優渥的厚待於他。

**【原文附參】**：燕文侯卒，太子立，是爲燕易王。易王初立，齊宣王因燕喪伐燕，取十城。易王謂蘇秦曰：先生能爲燕得侵地乎？蘇秦曰：請爲王取之。蘇秦見齊王，說齊王竟歸燕之十城。蘇秦歸，而燕王不復官。蘇秦見燕王曰：今臣爲王得十城，今來而王不官臣者，人必有以不信傷臣於王者，此所謂以忠信得罪於上者也。燕王曰：若不忠信耳，豈有以忠信而得罪者乎？蘇秦曰：不然。臣聞客有遠爲吏，而其妻私於人者。其夫將歸，其私者憂之。妻曰：勿憂，吾已作藥酒待之矣。居三日，其夫果至。妻使妾舉藥酒進之。妾欲言酒之有藥，則恐其逐主母也。欲勿言乎，則恐其殺主父也。於是乎佯僵而棄酒。主父大怒，笞之五十。故妾一僵而覆酒，上存主父，下存主母。然而不免於笞，惡在忠信之無罪也？燕王曰：先生復就官。厚遇之。（見：《史記》、卷六十九、蘇秦列傳第九）

**【編者私語】**：蘇秦的老師鬼谷子先生，是位高隱奇詭之士。住在鬼谷山中的鬼谷洞。相傳他寫了一本《鬼谷子》書籍，流傳至今（當係僞書，或是東漢人假冒的）。又教出了四個著名的學生：孫臏龐涓二人學兵法，蘇秦張儀二人學縱橫之術。四人在歷史上都留下了記載。孫龐非本篇範圍，玆不具論。蘇張乃是謀士，憑口舌以取富貴，是翻雲覆雨的政客，而非定國安邦的政治家。戰國時代，列強紛爭，我虞爾詐，遊士衆多。都是以「利」字去說服別人，至於是否守忠守信，他們並不重視。而「利」是浮動的，會隨局勢的變化而轉移，不能恆久。今日爲敵，明天是友，太平常了。故蘇張的功業，起得快，也落得快。但是，他們一時的說辭，倒是很能打動對方。例如本篇「毒酒待夫」的比喻，言之亦成理，聽來也滿通順的，無怪乎燕易王也接受了。

## 二四七　長安居不易（非難）

唐朝白居易，字樂天，太原人。元和（唐憲宗時代）進士。做過江州司馬、刑部侍郎。老來住在香山（在今河南省洛陽縣），故又號香山居士。他長於做詩，且平易近人。他的《長恨歌》和《琵琶行》，到今天還膾炙人口。

當他還未成名時，住在長安，捧著自己的詩集，去求見顧況，請他指教。那顧況是蘇州人，字道翁。至德年間（唐肅宗的年號）就是進士，唐德宗時就任著作郎。長於詩，又工書畫，很有名氣。

顧況開頭就對白居易說：「京都米價很貴，還在上漲，住在長安，眞不易呢。」

顧況慢慢地翻開白居易的詩集，見到第一篇詠《草》的五言律詩，白居易寫的是：

離離原上草，一歲一枯榮，
野火燒不盡，春風吹又生；
遠芳侵古道，晴翠接芳城，
又送王孫去，萋萋滿別情。

顧況讀了，十分佩服，馬上改口道：「能夠寫得出這樣意有所指的句子，在長安居就容易了。」還自動爲白居易宣揚、稱譽，白居易的詩名，由此大振。

**【原文附參】**：白居易以詩謁顧況。況曰：米價方貴，居亦不易。及見首篇離離原上草，一歲一枯榮，野火燒不盡，春風吹又生。乃曰：道得箇語，居即易矣。爲之稱譽，聲名大振。（見：宋、孔平仲：《續世說》、卷五、賞譽）

**【編者私語】**：詩不必多，有精句傳世便不朽了。白居易寫詩，淺近平易，不拗不澀。運用些普通字，作巧妙的組合，便成佳構。看似容易，實則很難。例如《問劉十九》詩：「綠醅新醅酒（我有一種新釀的還未漉過的名叫綠醅的原味美酒），紅泥小火爐（還燒熾了紅泥製成的小火爐），晚來天欲雪（晚上大概要下雪了），能飲一杯無（能夠同我來喝一杯嗎？無就是否）？簡潔的二十個字，就好似講話一般，讀起來卻音韻鏗鏘，摯情般厚，劉十九能拒絕不赴約嗎？

## 二四八　兩死存活一友（捨生）

其思革子、戶文子、和叔衍子三人，意氣相投，結爲死生之友。他們聽說楚成王很賢，便一同前往，欲以所學濟世。

那是春秋時代，交通不便，三人長途跋涉，經過一座高聳險峭的大山。忽然起了一場颶風暴雨，霎時天昏地暗。好不容易尋到山中一株巨大的柳樹，主幹中央空朽了，形成一個凹窟。三人趕忙縮在樹身裡拳曲躲避，單薄的衣服盡都濕了。尤其晚上，山中氣候酷寒，凍得發抖。而強風豪雨，幾天不停，乾糧也只剩一兩餐了。

三個人饑寒互對，都料到沒法存活下去，歎息著說：「與其又冷又餓，大家死掉，不如把衣服和餘糧集中給一人，也好延續一個人的性命。」

戶文子與叔衍子都認爲其思革子最賢能，便脫衣併糧要給他。

其思革子不肯受，說道：「我們三人，義結同心，生要同享歡樂，死要共赴患難。今天若要凍死，三人死在一起。不可你二人殉死，留我獨活，我不能接受。」

兩人說：「我們相交，本是至友，有如左右手一般，一隻手受傷了，另外一隻手就會兼做兩隻手的事。如今若是三人一齊凍斃在這山中，實在毫無價值，也死得太悲痛了。不如留你一人活命，讓我們的心願，還有實現的一天，不會完全白費。」

其思革子只好勉強答應，帶著衣服乾糧，尋路出山，戶文子和叔衍子終於凍死了。其思革子逕往楚國郢都，見了楚成王。成王得知其思革子是個賢者，便讓他主政，任爲宰相，並派人收葬那殉死的兩位友人。

**【原文附參】**：其思革子、戶文子、叔衍子三人爲友。聞楚成王賢，三人俱往見之。於嶔巖之間，卒逢飄風暴雨，俱伏於空柳之下，衣寒糧乏，度不俱活。三人相視歎曰：與其饑寒俱死，豈若並衣糧於一哉？二子以革子爲賢，推衣與之。革子曰：生則同樂，死則共之，固辭。二子曰：吾相與猶左右手也，左傷則右救，右傷則左勞。子不我受，俱死無名，可痛乎。於是革子受之，二子遂凍餓而死。其思革子揭糧而去，往見楚成王。王知其賢，乃以革子爲相，命左右收二子而葬之。（見：宋、李昉：《太平御覽》、交友四）

**【另文錄參】**：戰國時，左伯桃與羊角哀爲友。聞楚王賢，同入楚。道遇雨雪，衣薄糧少，二人計不俱全，伯桃謂角哀曰：吾所學不如子，子往矣！乃併衣糧與哀，自入空樹中而死。角哀至楚，爲上卿，顯名當世。乃啓樹發伯桃屍，備禮改葬之。伯桃墓近荊將軍陵，哀夢伯桃告云：我日夜被荊將軍所伐。哀云：我向地下看之。遂自刎死。（見：《列士傳》）

**【編者私語】**：志氣相投兮三義友，欲濟亂世兮楚荊走；風雨凍餓兮難活久，二子願死兮魂不朽。吁嗟乎，羊左徽烈兮同罕有。

## 二四九　兩賢豈相厄哉　（果斷）

丁公、薛人、名固。是季布的同母異父之弟。爲楚霸王項羽（公元前二三二—前二〇二）麾下的大將。楚漢爭奪天下，丁公在彭城（今江蘇銅山縣）之西郊追殺劉邦（公元前二四七—前一九五）。逼得劉邦走投無路，十分窘迫。

丁公追上，雙方部隊相接，眼看殺戮開始。劉邦自忖抵擋不過，性命難逃，便對丁公求道：「你我才幹都不錯嘛。難道兩個賢能的人，一定有必要互相逼到絕境嗎？」

丁公心腸一軟，就藉故引兵岔開。劉邦才得解除危機，免此一死，走了。

經過幾年後，項羽被消滅了，劉邦稱漢帝。這時丁公自認對劉邦有大恩，因來拜見。心想劉邦念及舊情，應可封個一官半職，沒有問題。

劉邦認爲丁公原是項羽手下的大將，卻對項羽不忠，私自縱放敵人逃走，罪惡重大。使項王丟失天下之過，就是丁公造成的。於是下令將丁公斬首示衆，宣告說：「要使後世爲臣僚部屬的人，不可學丁公的行徑。」

**【原文附參】**：丁公爲楚將、丁公爲項羽逐窘高祖於彭城西。短兵接，高祖急，顧丁公曰：兩賢豈相厄哉？於是丁公引兵而還，漢王遂解去。及項王滅，丁公謁見高祖。高祖以丁公為項王臣，不忠。使項王失天下者，迺丁公也。遂斬丁公，曰：使後世為人臣者，無效丁公。（見：《史記》、卷一百、季布欒布列傳第四十）

**【編者私語】**：故意私縱敵帥脫逃，軍法乃是死罪，其可誅一也。既能放我逃生，以後也可放其他仇敵脫走，其可誅二也。為免丁公隨時誇言有恩於我，殺之永除後患，其可誅三也。縱敵不可饒恕，按軍法處斬，藉以儆衆，毋效丁公，其可誅四也。丁公不得不死，劉邦伸法立威，這是絕招。有人說：「丁公放劉邦逃生，劉邦反而論斬，恩將仇報，不合道理。」我們要知道：成大事者，不會報答私恩私惠，也不會計較私怨私恨；而要就大形勢作考量（分我一杯羹便是）。不可效婦人之仁，不可學匹夫之見。他們的行事，在必要時會大放大收，自有異於常人者，不可不察也。孔明揮淚斬馬謖，元帥下令斷私情（見《三國志》），小斛發米殺糧官，參謀獻策反喪命（見第一〇九篇曹操的故事），都是例證。吾人作首長的，或作幕僚的，都必須有此認識。

## 二五〇　法律天下之平　（公正）

張釋之，字季。漢文帝（前二〇二—前一五七）時代，作過謁者僕射、公車令、中大夫，後來任爲廷尉，掌管刑罰。

漢文帝馬車輿駕出巡，經過長安（西漢的京都）的中渭橋時，忽然有一人從橋下走上橋來，驚嚇了御馬。隨從馬隊便捉住這人，交廷尉治罪。

釋之審問他，他說：「我是長安人，來到中渭橋，聽說天子經過，就避到橋下。等了好久，以爲皇帝走了，便上得橋來，不料驚恐了馬匹。」

釋之奏告文帝，說：「這人單身犯蹕，應處罰金四兩。」

漢文帝怒道：「這人親身驚擾了我的御馬，幸而馬性溫馴，假如是另一匹馬，我豈不被摔下跌傷了嗎?你是廷尉，卻只判他罰金，就想了案，那能這般輕率?」

釋之答道：「法律的訂定，是要從天子到庶人共同遵守的。如今法條規定只可科以罰金，如果額外加判重刑，那就使法律難以取信於民了。況且，當犯事之初，皇上若立刻將他殺了，也沒人說不對。但既已交付廷尉審判，我便須替天下人守住公平的原則。如果時輕時重，人民就連手足如何安頓都成了問題。還望你再賜俯察。」

漢文帝沉吟了許久，才說：「釋之廷尉，你是對的。」

**【原文附參】**：漢文帝行出中渭橋，有一人從橋下走出，乘輿馬驚，於是使騎捕，屬之廷尉。釋之治問。曰：縣人來，聞蹕，匿橋下。久之，以爲行已過，即出，見乘輿車騎，即走耳。廷尉奏當，一人犯蹕，當罰金。文帝怒曰：此人親驚吾馬，吾馬賴柔和，令他馬，固不敗傷我乎？而廷尉乃當之罰金。釋之曰：法者、天子所與天下公共也。今法如此，而更重之，是法不信於民也。且方其時，上使立誅之則已，今既下廷尉，廷尉、天下之平也。一傾而天下用法皆爲輕重，民安所措其手足？唯陛下察之。良久、上曰：廷尉當是也。（見：《史記》、卷一百二、張釋之馮唐列傳）

**【編者私語】**：《管子》說：「法者、所以興功懼暴也。律者、所以定分止爭也。法律政令者，吏民規矩準繩也。」法律定要公平，才可維護社會秩序。倘以人情好惡定輕重，豈不天下大亂？如今有個壞現象：犯小錯要治罪，犯大錯卻不問；一人犯錯要治罪，群衆犯錯卻不問；小民犯錯要治罪，特權犯錯卻不問。常拍蒼蠅，怕打老虎。法律的公平性受到懷疑，以致對治安都敢於挑戰了。

# 二五一　明主只可理奪　（舉才）

三國時的魏國（曹丕篡漢自立，國號魏），有位許允，字士宗，高陽人，任吏部郎，是全國官員派任升遷的主管。他派官時，多半選用同鄉同里的人。那時魏蜀吳還是三國鼎立，魏明帝（曹叡）在位。有人投訴許允濫用私人。明帝就派虎賁中郎將（武官）把他抓來，準備拷問。

許允被拘之際，他的妻子（阮伯彥女，聰慧有德，但貌醜）叮囑他說：「在聖明的帝王面前，你只可用『理』來說明原由，不宜用『情』來祈求寬恕，唯有如此，才有生路。」

拘到朝中，明帝親臨審問。許允申訴道：「《論語》說：仲弓（孔子學生）為季氏宰（將往費邑作一郡之長），請教孔子：『焉知賢才而舉之？』孔子說：『舉爾所知。爾所不知，人其捨諸（用你所知的人，你所不知的，別人會捨棄他而不推薦給你嗎）？』可見聖人也贊成推舉所知的人做幹部。我鄉我里的人，我最清楚，按才德派官任職，並未浮濫。陛下若不相信，不妨去訪察一下，看他們稱不稱職，如果不稱，判我任何罪名我都接受。」

魏明帝派人暗訪，果然都官得其人，便釋放了許允。這時，許允在拘留期間，受了不少折磨，衣裳都破損了，皇帝還下詔，賜給新衣。

當許允抓走之時，全家認爲大禍當頭，都在號哭。只有許允的妻子神態自若，說：「不要驚慌，過幾天便會平安回來的。」她算準了日子，熬了一鍋小米粥，等待許允回來壓驚，不一會兒，許允果然回家了。

**【原文附參】**：許允爲吏部郎，多用其鄉里，魏明帝遣虎賁收之。其婦出誡允曰：明主可以理奪，難以情求。既至，帝覈問之。允對曰：舉爾所知。臣之鄉人，臣所知也。陛下檢校爲稱職與不？若不稱職，臣受其罪。既檢校，皆官得其人。於是乃釋。允衣服敗壞，詔賜新衣。初允被收，舉家號哭，阮婦自若，云：勿憂，尋還。作粟粥待，頃之允至。（見：《世說新語》、賢媛第十九）

**【編者私語】**：內舉不避親，應非常規。魏晉時已有門第族閥，由薦舉得官。到唐代考試取士，布衣才可出頭。本篇主旨在贊賞許妻的卓識，卻不敢附和用人唯親也。

## 二五二　治國有如牧羊（爲政）

西漢時代，河南（漢置河南郡，今河南省北部）地方，有個牧羊人叫卜式，牧羊致富。那時漢武帝（前一五七—前八七）正在討伐匈奴（北方民族，殷周曰鬼方，春秋曰戎狄，戰國以後曰匈奴），卜式上書漢武帝，願意捐出一半家財，補助國家邊塞用兵的費用。

武帝派使臣去問他：「你是想要做官嗎？」

卜式說：「我從小就只知牧羊，不懂國家政務，不願做官。」

使臣又問：「是不是家裡受了冤屈，想要伸雪嗎？」

卜式說：「我與人無爭。在本鄉本邑裡，窮人我借錢給他謀生，壞人我勸勉要他上進。一鄉的人都和我處得很好，哪會受冤呢？」

使臣再問道：「那你有甚麼願望？」

卜式說：「天子討伐匈奴，我認爲有賢德的人該爲國效死，有資財的人該輸財報國，這便是我的願望！」

使臣回朝，轉報武帝。起初，想叫卜式做個中郎（漢代中郎職務很廣，守護宮門也是中郎），卜式不願就任。

武帝說：「我有一群御羊，養在上林苑（在長安西郊，司馬相如寫過《上林賦》），你替我去管理好了。」

卜式受命，身著布衣，腳穿草鞋牧羊。一年多下來，羊群養得又肥又壯，還生了許多小羊。武帝對他很爲贊許。

卜式說：「這不獨牧羊如此，治理百姓（牧民）也是一樣。羊群白天放出曠地吃草，晚上回棚安睡；百姓也宜白天都有正當工作，晚上要充分休息，才會興旺。壞的羊要隔離宰掉，壞的百姓也要懲罰治罪，不讓他們害及群衆，不就好了嗎？」

漢武帝聽了，覺得言雖卑而理卻正，便派他作縣令，後來做到御史大夫。

**【原文附參】**：卜式，河南人也。時漢方事匈奴，式上書，願輸家財之半助邊。上使使問式：欲爲官乎？式曰：自小牧羊，不習仕宦，不願也。使者曰：家豈有冤，欲言事乎？式曰：臣與人無所爭。邑人貧者貸之，不善者教之，所居人皆從式，式何故見冤？使者曰：子何欲？式曰：天子誅匈奴，愚以爲賢者宜死節，有財者宜輸之。使者以聞。初、式不願爲郎，上曰：吾有羊，在上林，欲令子牧之。式布衣草蹻而牧羊，歲餘，羊肥息，上善之。式曰：非獨羊也，治民亦猶是矣。以時起居，惡者輒去，毋令敗群。上奇其言，拜式令。（見：《前漢書》、卷五十八，傳第二十八。又見：魏徵：《群書治要》、卷十八）

**【編者私語】**：牧羊人卜式，本是草野粗人，幹嘛要為國家捐出一半財產？且無所求。今人觀之，眞是傻蛋一個。昔日還有個傻蛋牛販弦高，獻出十二頭活牛犒秦師，保存了鄭國（見本書第四八七犒師篇）。兩人都具有強烈的國家觀念，自動為大我而犧牲小我。現代人正好相反，只想損國家以肥己。卜式所説「非獨羊也，治民亦猶是也」之語，寓意良深，可以和儒家法家平起平坐。《六祖壇經》説：「下下人有上上智。」芻蕘之言，亦多可採。

## 二五三　長於偷盜至富　（殖產）

齊國有位姓國的，是大富翁。宋國有位姓向的，是大貧戶。姓向的專程到齊國，走訪姓國的，請求指導致富的秘訣。

姓國的說：「我長於偷盜。自我開始偷盜以來，一年就可以餬口，兩年就食用飽足，三年就豐饒大富了。」

姓向的聽了大喜，以爲得到致富的捷徑，但他只聽到表面上的偷盜之說詞，沒有深切探問偷盜的眞義。回國之後，眞正做了小偷強盜，又翻越園牆，又挖穿屋壁，潛進別人家裡，能拿到的，能看到的，都偷回來。沒有多時，贓物查到了，不但判了罪，還將他原有的一點財產也沒收了。

姓向的認爲姓國的害慘了自己，等到刑期滿了，又去齊國，當面向他抱怨。

姓國的問道：「你是如何去偷盜的呢？」姓向的原原本本都說了。

姓國的說：「啊喲，你怎麼誤會那偷盜的喻意呢？我們都知道：天有春秋四時的循環，地有稻麥樹木的生長。我偷盜天地的時利、雲雨的滋潤、山間水裡的產育，培養禾苗，栽種稻麥，興建籬牆，起造房屋。陸地上，我獵取飛禽走獸；江河裡，我撈捕魚蝦鱉鰻，這些誰都可以去取得的。因爲禾稼果木魚蝦禽獸，都是天地所生，哪裡是我所有的？即使我年年偸盜，也沒有罪過呀。至於金銀財寶，珠玉谷糧，這是別人辛勤努力賺來的，不是天地白白的送給他的。你去偸盜這些原都有主的私人財物，妄想攫爲己有，因此犯罪，你怨誰呢？」

**【原文附參】**：齊之國氏大富，宋之向氏大貧，自宋之齊請其術。國氏告之曰：吾善爲盜。始吾爲盜也，一年而給，二年而足，三年大穰。向氏大喜，喻其爲盜之言，而未喻其爲盜之道。遂踰垣鑿屋，手目所及，無不探也。未及多時，以贓獲罪，沒其先居之財。向氏以國氏之謬己也，往而怨之。國氏曰：若爲盜若何？向氏言其狀。國氏曰：嘻，若失爲盜之道至此乎？吾聞天有時，地有利。吾盜天地之時利、雲雨之滂潤、山澤之產育，以生吾禾，殖吾稼，築吾垣，建吾舍。陸盜禽獸，水盜魚鱉，無非盜也。夫禾稼土木魚鱉禽獸，皆天之所生，豈吾之所有？然吾盜天而無殃。若夫金玉珍寶穀貝財貨，人之所聚，豈天之所與？若盜之而獲罪，孰怨哉？（見：《列子》、卷一、天瑞）

**【編者私語】**：天地資源，取之不盡。若將海水分解爲氫氧，將可取代汽油。若將太陽能吸收聚存，將可取代電力。變無用爲有用，化腐朽爲神奇，此亦合於國氏善盜之原意也。

# 二五四　非復吳下阿蒙（勵學）

三國時代，吳國據長江流域，由孫權（吳大帝）開國，人才衆多，呂蒙（字子明，取荊州，擒關羽）是其中之一。孫權關愛他，勸勉他說：「你現在當路掌權，前途無量，不可不充實學問。」

呂蒙推託道：「軍中事務太忙，沒有時間進修。」

孫權說：「你說這話，恐是推諉。我難道要你熟讀經書做五經博士嗎？非也。只要你抽暇涉獵諸史及論集，從古事裡去察求經驗和教訓，作爲今後處事的鑑戒而已。你推說軍務太繁，哪能與我相比？我雖身居帝位，日理萬機，但仍常常讀書，自認讀書對我幫助極大！」

呂蒙聽了，才開始讀書。《三國志》中說他「其所覽見，舊儒不勝」。學問開益，竟有長足的進步了。

後來，魯肅（公元一七二—二一七，曾在赤壁破曹，此時代周瑜爲相）要去建業（吳都，即今南京）接任，路過呂蒙的駐地潯陽（即今九江），稍作停留。他和呂蒙談話，論及國政軍情，有時竟受到呂蒙的指正而幾乎詞屈，不覺大爲驚異，贊歎道：「我原認爲呂賢弟僅懂武略，疏於文事。今日交談之下，才知道你現在學識英博，已經不是當年吳中鄉下的那個阿蒙了。」

呂蒙笑道：「讀書的人，每天都會有長進，只要三天不見，就和往日不同，必須抹掉眼睛的塵霧才對他看得清楚。魯大哥你怎麼見事竟這樣的疏遲呢？」

魯肅心中佩服，便請求拜見呂蒙的老母，進而與呂蒙結爲好友才告別。

**【原文附參】**：孫權謂呂蒙曰：卿今當塗掌事，不可不學。蒙辭以：軍中多務。權曰：孤豈欲卿治經爲博士耶？但當涉獵見往事耳。卿言多務，孰若孤。孤常讀書，自以爲大有所益。蒙乃始就學。及魯肅過潯陽，與蒙議論，大驚曰：卿今者才略，非復吳下阿蒙。蒙曰：士別三日，即更刮目相待，大兄何見事之晚乎？肅遂拜蒙母，結友而別。（見：《資治通鑑》、卷六十六、漢紀五十八。又見：《三國志》、吳志、呂蒙傳注）

**【編者私語】**：從書本中求知，是最方便、最快、最有用、最划得來的事。尤其是中國典籍，汗牛充棟，經史文哲，應有盡有。觀古以鑑今，受用不盡。虧得前輩高人，有的埋頭多年（左思寫《三都賦》，十年乃成），有的窮一生精力（司馬光撰《資治通鑑》，費十九年，自謂一生精力，盡瘁於此），把滿腔經驗和智慧，毫不保留的傳下來。他們殫精竭慮、嘔心瀝血的「知識」和「學問」，我們用幾天時間就全部接收了，直可說是不勞而穫，世上哪還有比這便宜的事？再說，爲甚麼許多人去炒股票？由於那是最划得來的事，卻不知讀書才是最划得來的。股票賺到的橫財，會花掉的；讀書賺到的知識，卻是終生受用的，高下全不能比。但是現代人沒有認清此點，打從入學讀書，就以爲是爲了考試，爲了文憑。目的既不打算求知，便愈讀愈苦。一出校門，就把書本全丟了。進入社會廝混，憑小聰明也能夠左右逢源，讀書何用？從此不論做官也好，從事工商企業也好，有上司要逢迎，有稅官要巴結，有狄斯可要狂跳，有XO要乾杯，有清一色要自摸，有高而富要揮桿，忙得不得了，哪有時間重拾書本？不過，如此一來，德之不修，學之不講，雖然國民平均所得每人每年已達一萬美金，卻只是個無品無學的侏儒民族。

## 二五五　兒送官魚增我憂（教子）

晉朝陶侃，鄱陽人，字士行，早年孤貧。「大禹尙惜寸陰，吾輩當惜分陰」，便是他的名言。「陶侃運甓」，也是他身體力行的美事。

他年輕出外在潯陽縣作官時，當了一名魚梁監，這是監督漁夫在江裡捕魚的官職。有一天，他用瓦罈子封裝了一罈醃魚，命差人帶給老家的母親，略盡人子之孝。

那陶母是有名的模範母親，姓湛氏。陶侃尙未出仕前，有一天，孝廉范逵來訪。陶家很窮，陶母就拆開床上作睡墊的草薦，剉斷作草料來餵飼范逵的馬匹，又剪下長髮，賣了錢來辦酒菜饗客。范逵知道了，對別人說：「非此母不能生此子」。終使陶侃成名。

陶母收到這罈醃魚，很覺不妥，便原封不動，交付原差人帶回，還寫了一頁便箋，訓責陶侃說：「你作魚官，用官職有關的魚孝敬我，不但未能使我增加安慰，反而增加我對你可能挪用公物的疑慮。」

陶侃不負母望，後來做到太尉、長沙郡公、拜大將軍。

**【原文附參】**：陶侃少時，嘗監魚梁，以一坩鮓遺母。湛氏封鮓及書，責侃曰：爾爲吏，以官物遺我，非惟不能益吾，乃以增吾憂矣。（見：《晉書》、列傳第六十

六）

**【編者私語】**：孟母三遷，陶母截髮，歐母畫荻，岳母刺字，王渾母未允與婚，范滂母子死不哭，王經母諭子全忠，陳嬰母囑讓兵柄。賢者背後，都有一位良母。這顆看不見的慈心，培養出多少端人傑士。

## 二五六　命之長短由卿定　（嚴正）

南北朝時代，北魏（晉末拓跋氏稱帝，叫北魏，又稱後魏、元魏）有位源懷（初名思禮），樂都人（今青海樂都縣）。北魏宣武帝在位時（名恪，繼承魏孝文帝，自四七一—五一五），詔命他爲欽差專使，巡察北方六鎭，即沃野、懷朔、武川、撫冥、柔玄、懷荒（都在今寧夏綏遠之境）。

那時于勁（字鍾葵）是先皇帝的岳父（孝文帝納其女爲后），權傾內外，朝野都害怕他。他大哥的兒子于祚，與源懷原先就是親家（兩家通婚），這時于祚已是沃野（在綏遠省）鎭將，在任上收受賄賂，官聲極壞。

源懷前往沃野巡察，于祚遠到郊外大道邊親自迎接。源懷避開不與他接觸，單方面查到了不法的實據，參劾他罷了官職。

源懷續往懷朔，懷朔鎭將元尼須，年輕時與源懷是朋友，交情不錯。但也貪贓枉法，惡名狼籍，不堪聞問。源懷到了，由於是舊時好友，元尼須備了筵席，請源懷宴飲。舉杯敬酒之餘，乘間請道：「我在懷朔任上，自知辦事有些毛病。生命是長是短，就憑你一句話決定。看在我倆往日交情的份上，難道不能稍加寬恕嗎？」

源懷說：「今天集會，乃是我源懷與當年老朋友的私人交誼。這個廳堂，是飲酒敘舊之所，不是審案問訊的公衙。其他的話，留待改日再說罷！」元尼須流下了眼淚，當場不好接話。不幾天，源懷竟然奏劾元尼須，未因友情而姑息。他的行事，奉公不撓，都是如此。

**【原文附參】**：源懷，樂都人。宣武在位，詔爲使，巡行北邊六鎮。時后父于勁勢傾朝野，勁兄子祚與懷宿昔通婚，時爲沃野鎮將，頗有受納。懷將入鎮，祚郊迎道左，懷不與相聞，即劾祚免官。懷朔鎮將元尼須與懷少舊，亦貪穢狼籍。置酒請懷，曰：命之長短，由卿之口，豈可不相寬貸。懷曰：今日之集，乃是源懷與故人飲酒之座，非鞫獄之所也。尼須揮淚不已，無以對之，既而懷表劾尼須。其奉公不撓，皆此類也。（見：《北史》、卷二十八、列傳第十六）

**【編者私語】**：《聖經》馬太福音第二十二章二十一節說：「凱撒的歸凱撒，上帝的歸上帝。」私交歸於私交，公事歸於公事。不能因私而廢公，也不能徇情以毀法也。大凡貪污之初，都明明知道是犯法的勾當，卻因撒旦的誘惑力太大，多會不肯放棄，以致上癮。夜路走多必遇鬼，一旦東窗事發，又害怕丟官，又害怕殺頭；痛哭流涕，請求寬恕。早知今日，何必當初呢？源懷所面對的，都是統帶兵衆，威鎮邊方的悍將。一位是姻親，一位是舊友。他卻按法懲辦，毫不徇私。邪惡終於無法遁逃，正義總會有人伸張。參古以鑑今，足爲吾人之警惕。

## 一五七　官位少而求者多　（用人）

齊桓公問管仲說：「我齊國的官職位置很少，而求官的人卻太多，難以使人人滿意，我常爲這事操心，不知道怎樣才可對付？」

管仲答道：「你不要過於聽從身邊人的請託便好了。今後封官賞祿的原則，只可依據能力的優劣而決定俸祿的多寡，記載其立功的大小而賜給官職的高低。照這個標準來實行升降獎懲，一切做到公平公開公正，那就沒有人敢於隨便作格外的要求了。如此還憂懼甚麼呢？」

【原文附參】：桓公謂管仲曰：官少而索者衆，寡人憂之。管仲曰：君無聽左右之謂。請因能而受祿，錄功而與官，則莫敢索官，君何患焉。（見：《韓非子》、卷十二、外儲說左第三十三）

【編者私語】：無論政府機關也好，私人企業也好，最難的是用人。本來用人唯才，只要把適當的人，在適當的時候，放在適當的地方，任以適當的職位，就理想了。但在實際上，有時要安插親信，有時要報答私惠，有時是屈從外來的壓力，有時是接受長官的交辦，以致因人設事，不但增加了閒員，而且閒員多了，更會製造事端。我國宋代，便被冗兵冗官充塞。宋太宗時，兵員只三十七萬，到仁宗時，竟達一百二十五萬，約增四倍。眞宗時，官員不到一萬人，英宗時竟達二萬四千人，約增兩倍半。財政透支，國家就此吃垮了。這種浮濫之弊，到今天仍然難改，例如，「抵職」這種主意，便是不管你需要與否，硬性塞進門來。釀成了許多人無事可做（人多事少），許多事無人來做（能力不夠），大家混日子，還有甚麼效率可談？申言之：很多首長，只知防制對金錢的貪污，殊不知超額用人，這乃是對人力的貪污；錢的貪污是一時受損，人的貪污乃是長期受損，其弊更甚。明達如你，敬請三思。

## 二五八　季子位尊而多金　（權謀）

戰國時代，遊士紛起。蘇秦（元前？—前三一七。字季子，洛陽人）是縱橫家（鬼谷先生的門生）。學成後，起初欲以連橫之策（聯合六國與秦修好）遊說秦惠王（即秦惠文王，殺商鞅是他，以後重用張儀也是他）。

蘇秦上書說：「大王統治秦國，西面有巴蜀的膏腴和漢中的富庶（都屬益州）作國基，北面有狄胡的貉裘和代郡的良馬作大用，南面有巫山（屬夔州）的險峻和黔中（秦楚邊界）的阻隔作屏障，中部有殽山的雄峙和函谷關的堅固作衛護，這乃是天賜的物阜民康之邦、天下第一的強國了。請大王稍加關注，讓我來拓展它的功效。」

蘇秦前後呈上了十次長篇偉論的建議書，秦王都沒有採納。他的黑色貂皮毛氅穿壞了，黃金一百鎰（二十四兩爲鎰）也花光了。旅費用完了，只好離開秦國，黯然回家。從秦都咸陽（陝西省）到他家洛陽（河南省），路途遙遠。蘇秦腿上裹著綁腿，腳下穿雙草鞋，背上背了書囊，肩頭挑著行李。身形容貌，枯瘦乾焦，臉色眼神，黃中帶黑，羞慚地回家了。

進入家門，只感到滿屋冷漠，妻子沒有停下布機相迎，嫂嫂不肯爲他作飯，父母也不願和他講話。蘇秦長歎道：「妻子不認我作丈夫，大嫂不認我爲小叔，父母也不認我是兒子，這全是秦國給我的罪孽，我受不了！」

於是連夜攤開所有的書冊，挑出了一部《陰符》寶典（姜太公作），伏身細讀起來。如此夜以繼日，直到疲倦已極，要打瞌睡了，就拿著尖銳的錐子，刺進大腿的皮肉裡，藉痛楚來驅走睡魔。腿上的血，任它流到腳上，也不顧了。下了一年苦功，乃自奮道：「這套謀略，已經詳熟。運用它再去遊說君主，哪還有不能叫他們拿出黃金美玉、錦綾繡帛，給我公卿宰相之尊的道理的嗎？」

於是往見趙王（趙肅侯），倡言合縱之利。在擊掌暢論之餘，趙王很是歡喜，即時封他爲武安君，授以宰相之印。給他兵車一百輛，錦繡一千綑，白玉一百對，黃金二十四萬兩，隨同裝載在車隊後面，到其他五國（趙之外的韓魏齊楚燕）去商定合縱新約，解散連橫舊盟，共同抵抗強秦。

回頭補叙他去遊說楚王時，路過故鄉洛陽。他父母知道了，連忙清理了宮室，掃潔了道路，安排了樂隊，擺設了酒宴，遠到城外三十里的郊區去迎接他。妻子側著耳朵聽他講話，不敢正面逼視。尤其他的嫂嫂，低頭伏在地上，不敢逕直趨前，接連行了四次大拜之禮，才自動跪在路邊請罪。

蘇秦大聲問道：「嫂！爲甚麼以前那麼傲慢，現在卻這樣卑恭呢？」

嫂嫂說：「因爲你這位季子（蘇秦字季子）小叔大人，今天權勢尊榮，身配六國的相印，而且錢多多嘛！」

蘇秦歎口氣道：「哎呀！貧窮時，父母都不把我當兒子；富貴了，親族都敬畏我了。人生在世，對那權勢、名位、財富、厚祿，怎麼可以小看而忽略它呢？」

**【原文附參】**：蘇秦始將連橫說秦惠王曰：大王之國，西有巴蜀漢中之利，北有胡貉代馬之用，南有巫山黔中之限，中有殽函之固。此所謂天府、天下之雄國也。願大王少留意，臣請奏其效。書十上，而說不行。黑貂之裘敝，黃金百斤盡。資用乏絕，去秦而歸。羸縢履蹻，負書擔囊。形容枯槁，面目黧黑。歸至家，妻不下紝，嫂不爲炊，父母不與言。蘇秦喟然歎曰：妻不以我爲夫，嫂不以我爲叔，父母不以我爲子，是皆秦之罪也。乃夜發書，得太公陰符之謀，伏而誦之。讀書欲睡，引錐自刺其股，血流至足。曰：安有說人主不能出其金玉錦繡，取卿相之尊者乎？於是見說趙王，趙王大悅。封爲武安君，受相印。革車百乘，錦繡千純，白璧百雙，黃金萬鎰，以隨其後，約縱散橫，以抑強秦。將說楚王，路過洛陽。父母聞之，清宮除道，張樂設飲，郊迎三十里。妻側耳而聽，嫂蛇行匍伏，四拜自跪而謝。蘇秦曰：嫂！何前倨而後卑也？嫂曰：以季子位尊而多金。蘇秦曰：嗟呼！貧窮則父母不子，富貴則親戚畏懼。人生世上，勢位富厚，蓋可以忽乎哉？（見：《戰國策》、秦卷第三、惠文君）

**【編者私語】**：蘇秦乃是縱橫家，所學的是「謀略」，擅長的是「權術」，不是個濟世匡時的政治家，只是個縱橫捭闔的政客而已。這是我們首先要確定的出發點。他原初本是要對秦王推銷連橫之策，假若秦王接受了，必會搞連橫終其身。卻因連橫之術不售，便轉而對趙王推銷合縱之計，竟被欣然接受，他就佩了六國合縱的相印。可見他只看市場上需要甚麼貨色，他就售賣甚麼貨色。他用椎刺股，下苦功研讀的《陰符》，内容是謀略，不是治國安邦的經典。他只強調去「說人主」，要各國君王，「出其金玉錦繡」，供他「取卿相之尊」，這是求做大官。他又有感而發：「人生世上，勢位富厚，蓋可以忽乎哉？」認爲個人的利祿權位最緊要。他的心態，由這兩次表露，都不是爲了民生疾苦，只是爲了自己而已。由此看來，蘇秦在歷史上雖然佔了一席，我們還不可作爲倣效的榜樣。不過，本篇有兩事值得一提：其一，「引椎刺股」的讀書功夫，無人能及。這不是要我們跟著刺股，但這種不熟不停、不眠不休的鑽研精神，蘇秦是千古第一人。其二，對蘇秦的描繪很精彩。當他失意之時，潦倒的慘狀跌到了谷底。後來得意之際，闊綽的排場又升到了天堂。不得不佩服《戰國策》著輯人漢代劉向對文字的運用，眞已臻於極致。

## 二五九　東郭墦間乞祭餘（無恥）

齊國有一人，和他的一妻一妾，同住一起（多妻曰「齊人之福」，即出此典）。那丈夫每次外出，總是吃飽了酒肉才回家。問及他和甚麼人飲宴，回答的都是大富大貴有名有勢的人，面子十分光彩。

妻子私下對小妾說：「丈夫出外，每次都吃飽喝足才回來，問他交遊宴飲的人，又都是達官貴宦的顯者，但沒有一個客人到家裡來造訪，這不是很怪異嗎？我倒要偷偷地窺探一下丈夫究竟到甚麼地方去應酬交際。」

隔天早上起來，妻子便暗中遠遠地尾隨丈夫出去。只見全城之內，沒有一個人和他招手，或停下來與他寒暄談話的。最後，他丈夫竟然走到東門城外的墳山上，等候那些上墳的人祭拜完畢之後，向他們乞討祭墳剩下的酒肉。吃了還不夠，又左張右望，尋找另一批祭墳的人。這就是他每次酒醉肉飽的方法。

妻子回到家裡，把看到的一切告訴小妾，又說：「丈夫是我們仰望終身、靠他養家的人，如今竟然是這樣的無恥。」

兩人正在庭院裡，一面怨懟他們的丈夫，一面傷心的哭泣，而那丈夫還不知道，仍舊得意洋洋地從大門外進來，和往常一樣的想對妻妾誇耀。

**【原文附參】**：齊人有一妻一妾而處室者，其良人出，則必饜酒肉而後返。其妻問所與飲食者，則盡富貴也。其妻告其妾曰：良人出，則必饜酒肉而後返。問其與飲食者，盡富貴也。而未嘗有顯者來，吾將瞯良人之所之也。蚤起，施從良人之所之，遍國中無與立談者。卒之東郭墦間之祭者，乞其餘，不足，又顧而之他。此其爲饜足之道也。其妻歸，告其妾，曰：良人者，所仰望而終身者也。今若此。與其妾訕其良人，而相泣於中庭。而良人未之知也，施施從外來，驕其妻妾。（見：《孟子》、離婁下）

**【編者私語】**：卑鄙下流，豈獨齊人而已。自己貧賤，卻要假裝富貴，眞象一旦拆穿，人格也就掃地了。世人求官求祿者，在未得之前，卑顏屈節，乞憐於昏夜；當已得之後，昂頭傲視，驕人於白日。本篇諷刺無恥者的嘴臉，勾畫入神，視爲警惕寓言可也。按孟子多處引述齊人的故事，《孟子．梁惠王下》又說：「齊之臣，有託其妻子於其友，而之楚遊者。比其反也，則凍餒其妻子」。似乎獨鍾齊國。因有好事者譏諷孟子說：「乞人哪有許多妻？鄰家哪有許多雞（見日偷一雞篇）？當時尚有周天子，何必喁喁獨向齊？」

## 二六〇　狀元躲避歡迎會（謙遜）

王沂公應科舉考試，通過縣試取了秀才、鄉試取了舉人這兩關，最後赴京，參加殿試。終於以一甲第一名欽點狀元。這是全國第一的殊榮，譽重士林，名揚天下，好不光耀。

錄取狀元後，他要返回故鄉青州（略當現在山東北部）。州政府太守聽說王狀元凱旋回里，這是郡邑的無上光榮，準備舉行盛大的歡迎會。要同郡有德望的士紳父老，領著樂隊和演戲歌舞的人，到城外郊區的大道上，列隊迎接，以示隆重。

王沂公知道了，他改穿便服，騎著小毛驢，扮成一個普通人，走過迎迓的隊伍，沒有被人識破。他從另一座城門進入郡裡，單獨一人去謁見太守。

太守見他一人先到了，大吃一驚，問他道：「聽說你狀元榮歸，我已經派了大批人士，到郊外專誠奉迎，你是如何通過他們的呢？你進入我這個衙門裡，門房也沒有向我通報，你又是如何進來的呢？」

王沂公說：「我是個淺學的人，僥倖上了御榜，哪敢有勞郡守的你和驚動許多長輩來迎接，那豈不是增加我的罪過嗎？所以我才改變姓名，騙過迎接我的人和你的門房，在禮儀上要先來拜見你的呀。」

太守看著他，贊歎道：「像你這樣的作為，才不愧是位眞正的狀元郎呀！」

**【原文附參】**：王沂公狀元及第，還青州故郡。府帥聞其歸，乃命父老倡樂迎於近郊。公易服，乘小衛，由他門入，遽謁守。守驚曰：聞君來，已遣人奉迎。門司未報，君何為抵此？王曰：不才幸忝科第，豈敢煩郡守父老致迓？是重吾過也。故變姓名，詭迎者與門司而上謁。守歎曰：君所謂眞狀元矣。（見：宋、吳曾：《能改齋漫錄》、卷十二、記事）

**【編者私語】**：欽點狀元，固是不易；不矜不伐，尤見難能。因為狀元郎並不見得都博古通今，試看歷代著作等身的宏儒、與定國安邦的弼士，有幾人是狀元及第的？可貴者：在光耀之餘，不涉虛驕；在喜悅之中，未忘謙遜。此種修養，非關造作，這才不愧鰲頭。

# 二六一　取而代之大丈夫（宏志）

## 【一】

項籍，字羽（前二三二—前二〇二）。下相人（今江蘇宿遷縣）。他身長八尺，力能扛鼎。叔父名叫項梁。項羽少時，要他讀書習文，他沒有興趣，不肯學；轉而學劍習武，也心不在焉，學不成。叔父項梁見他這也不學那也不愛，發怒了，責備他。項羽說：「讀書嘛，只是學來記姓名罷了；學劍嘛，那也只能敵一個人而已，都不值得學。我想要的，乃是學萬人敵。」

於是項梁教他兵法（戰陣之學，用兵之法），項羽大喜，認為這才合他心意。

秦始皇（嬴政）統一六國，做了皇帝（自謂功蓋三皇，德邁五帝，故合稱皇帝），在位三十七年（前二四六—前二一〇）。有一次，始皇出巡，遊經會稽（今浙江紹興縣），橫渡浙江（又叫之江、錢塘江）。項梁和項羽一同在輦道（天子御車所經之路）旁看熱鬧。只見儀仗生威，旌旗耀目，鑾鈴傳警，輿衛森嚴，排場豪偉極了。

項羽當時忍不住嚷道：「他這樣風光神氣，哪一天我要取而代之！」

項梁急忙用手摀住項羽的嘴，警告他說：「不可亂講。萬一他們聽到了，會要砍頭滅族的！」

經過這次事件，項梁更特別看重項羽了。

【三】

漢高祖（前二四七—前一九五），姓劉，名邦，字季，沛地人（今江蘇銅山縣西北）。他性喜施捨助人，心胸豁達，度量宏闊。但不注重理家生財，父母認爲他比那照顧家庭的二兒子（劉邦是第三子）差遠了。（請參閱第三八七「創業我比老二多」篇）。

有一次，劉邦在咸陽（秦代首都）當差，遇到秦始皇（嬴政）乘坐御車出巡，大隊人馬簇擁著鑾駕經過。他站在御車走過的大道之旁，恣意觀看了許久，直到儀隊通過完了，不禁興起一陣感慨，歎息道：「唉喲！大丈夫就要像這樣才是呀！」

**【原文附參之一】**：項籍者，下相人也，字羽。其季父項梁。項籍少時，學書，不成，去學劍，又不成。項梁怒之。籍曰：書、足以記姓名而已；劍、一人敵，不足學。請學萬人敵。於是項梁乃敎籍兵法，籍大喜。秦始皇帝遊會稽，渡浙江。梁與籍俱觀。籍曰：彼可取而代也。梁掩其口曰：毋妄言，族矣。梁以此奇籍。（見：《史記》、卷七、項羽本紀第七。又見：《資治通鑑》、卷七、秦紀二）

**【原文附參之二】**：高祖、沛人。姓劉，字季。仁而愛人，喜施，意豁如也。常有大度，不事家人生產。嘗繇咸陽，縱觀秦皇帝，喟然太息曰：嗟乎！大丈夫當如是也。（見：《史記》、卷八、高祖本紀第八）

【編者私語】：項羽和劉邦爭天下，都是一世之雄，不宜以成敗論之。研究他兩人的個性和事蹟，足可作爲博士論文的題目。項羽分封六國的後裔各立爲王（他並未專制稱帝）；鴻門宴上不忍殺劉邦（是否婦人之仁，難斷）；烏江自刎前，贈馬贈頭（死前豪情萬丈）。至於劉邦，不理會父親要下油鍋（反說要分一碗肉湯來喝）；劉項約和，以鴻溝爲界，劉邦卻違約進擊（垓下一戰，定了勝負）；即位後翦除諸王（韓信、彭越、英布、臧荼、盧綰、張耳等）。這些史事，顯示兩位人傑的處事方式都不一樣，大可留給有史識的學者來論斷。他們兩人都看過了秦始皇出巡的場面，都發出了感慨。項羽直率坦爽，逞口就說：「彼可取而代也。」劉邦則含蓄歆羨，只是委婉歎道：「大丈夫當如是也。」兩人心志雖同，口吻表現卻異，各自顯其性格，如聞其聲（此外陳勝起兵時，也說過「王侯將相，寧有種乎」的豪語，可謂英雄所見略同）。將本篇兩段對照參閱，讀來甚饒興味。

# 二六二 洗心向善（改過）

東漢時代，有位賈淑，字子厚，與郭林宗（一二八——一六九，名郭泰，又叫郭太）同是界休人。賈淑性情凶險，陰刻害人，鄰里間都討厭他，大家敬鬼神而遠之。郭林宗則名重洛陽，大家都願意和他交往。范滂（見本書第二七七「急捕必爲我」篇）曾稱贊他說：「隱不違親，貞不絕俗；天子不得臣，諸侯不得友。」後來他死了，蔡邕（字伯喈，能文善書）親撰碑文，《世說新語》裡也收錄了他的逸趣，這是題外的話，可見他很負時望。

郭林宗的母親去世時，賈淑以同鄉的情誼，竟然前來弔唁。恰巧鉅鹿（今河北平鄉縣境）孫威直也來弔喪，孫威直素性剛介，一見賈淑在場，就覺得郭林宗既有賢名，卻容許惡客賈淑弔拜，心中不悅，不願進門，就轉身回去。

郭林宗趕忙追上，一面賠不是，一面解釋道：「賈淑這個人，以往確然凶險，惡名遠播。但他已知悔改，洗心向善了，爲何要峻拒呢？從前孔子接見了互鄉的人（見《論語》述而篇：互鄉之人，難與言善），因此我也放寬懷抱，接納了賈淑呀！」

不久之後，賈淑聞知了這段曲折，更加改過自勵，終於成爲善士。鄉里間有困危災禍一類的事，賈淑竟然拼命去營救。一州的人，轉過來都稱道他了。

**【原文附參】**：賈淑、字子厚，林宗鄉人也。而性險害，邑里患之。林宗遭母憂，淑來修弔。既而鉅鹿孫威直亦至。威直以林宗賢而受惡人弔，心怪之，不進而去。林宗追而謝之曰：賈子厚誠然凶德，然洗心向善。仲尼不逆互鄉，故吾許其進也。淑聞之，改過自勵，終成善士。鄉里有憂患者，淑輒傾身營救，爲州閭所稱。

（見：《後漢書》、卷九十八、列傳第五十八）

**【編者私語】**：壞人悔改向善，可能會勝過濫好人。如果大家不肯接納，一直排斥這類人，那他只好重回壞蛋群中，繼續作惡，這不是仁人的行徑。有時候，娼女若決心從良，或可變爲節婦，因爲她在污濁中打滾過來，已具有抗拒邪惡的免疫能力。倒是一些在溫室裡長大的鮮花嬌樹，從來未經風雨的磨鍊，每會禁不住誘惑，到後來可能墮落了。俗語說：「浪子回頭金不換」，就是此意。要言之：君子須助壞人改邪歸正，壞人也不可執迷不悟，要回頭是岸。晉代周處，原是流氓，陸雲接納他，勉之曰：「只怕志向不立，毋憂令名不彰。」最後做了平西將軍，這都是史實佳例。

# 二六三　急封雍齒（弭怨）

漢高祖劉邦（公元前二四七—前一九五）得了天下，已經將立下大功的二十多位部屬封了官爵，其餘的人，卻還未進行封官，大家不免日夜爭功不決。劉邦在洛陽的南宮裡，從複道（上下都可行走的雙層天橋，又叫閣道）窗口望見這群人，相與聚坐在水池邊沙地上，互相談辯，情緒顯得很激動。

劉邦不明白，問道：「這群人在談甚麼？」

張良回答說：「皇上你還不知嗎？這群人是在謀反呀！」

劉邦追問道：「天下已經安定了，爲甚麼還要造反？」

張良回答說：「皇上你由平民起義，靠著這群部將的力量取得天下。今天你做了皇帝，已賜封的盡是與蕭何曹參所親所愛的自己人，已賜斬的盡是你所怨所恨的仇人。如今由吏部計算功勳的結果，覺得普天之下，不可能每人都有封賞。這群人唯恐皇上對他們不予封官，又疑心以前犯的過失，有問斬的可能，所以相聚在一起，想要集體造反了。」

劉邦憂心問道：「這可怎麼辦呢？」

張良反問道：「皇上平生最討厭的、又爲大衆所共知的，是誰？」

劉邦道：「是雍齒這個渾球。他和我在尚未起兵之前，就結了怨恨，而且好多次窘迫羞辱於我。我本想要殺掉他，卻因他立了不少功勞，所以下不了手。」

張良說：「那就趕急先將雍齒封官好了。其餘的人見到雍齒都已封官，每個人的心就穩住了。」

於是劉邦大擺酒宴，當場封雍齒爲什（音十）方侯。且又催促丞相與御史趕速對餘人論功敘賞。這些部將在宴會結束後，都歡天喜地的說：「皇上最厭恨的雍齒都封了侯爵，我們更不用擔心多慮了。」

**【原文附參】**：漢高已封大功臣二十餘人，其餘日夜爭功不決，未得行封。上在洛陽南宮，從複道望見諸將，相與坐在沙中語。上曰：此何語？留侯曰：陛下不知乎？此謀反耳。上曰：天下已定，何故反乎？留侯曰：陛下起布衣，以此屬取天下。今陛下爲天子，而所封皆蕭曹故人所親愛，而所誅者，皆生平所仇怨。今軍吏計功，以天下不足遍封，此屬畏陛下不能盡封，恐又見疑生平過失及誅，故相聚謀反耳。上乃憂曰：爲之奈何？留侯曰：上生平所憎，群臣所共知者爲誰？上曰：雍齒與我故，數嘗窘辱我。我欲殺之，爲其功多，故不忍。留侯曰：今急封雍齒，以示群臣。群臣見雍齒封，則人人自堅矣。於是上乃置酒，封雍齒爲什方侯，而急促丞相御史定功行封。群臣罷酒，皆喜曰：雍齒尚爲侯，我屬無患矣。（見：《史記》、傳五十五、留侯世家第二十五）

【編者私語】：天下逐鹿，大家爭雄，都想要裂土封王，榮宗蔭子。今漢室已定，則這塊中原大餅，參與者都應有份，每人分享一臠。而卻遲遲不見動靜，未免心生惶恐。猜測原因，不外兩端：一是不再加封官爵了，二是翻出以前犯的過錯會被殺掉了。疑怨既萌，聚談必生叛意。張良直指爲謀反，非虛言也。蓋江山未得之初，人人可共患難；迨江山既定之後，個個就要爭富貴。富貴遲遲未頒，或許還受誅戮，只好被逼謀反了。今劉邦釜底抽薪，當機立斷，急封最憎厭之雍齒爲侯，則其餘功勝者，心已寬慰矣。滿天疑雲，頓時消散。這有賴張良懂得群衆心理，點出化解之方；劉邦也能從善如流，迅作果決之賞。大漢肇建，得以奠基。只是雍齒身價最輕，祇可列名榜尾，今匆忙中竟拔頭籌，厚封出其意外，便宜了他而已。

## 二六四　桐葉封弟（遂過）

西周唐叔虞，是周武王（文王之子，名姬發，滅紂而有天下）的兒子，也是周成王（武王之子，名姬誦）的弟弟。成王即位時（公元前一一一五年登位，由周公輔政）年幼，叔虞更小。兩個兒童玩遊戲時，成王把一片桐葉，剪成圭形（圭是帝王封賜諸侯的玉版，呈長條形的片狀，上圓下方），賜與叔虞說：「用這片桐葉，封你爲侯。」

周朝的史官叫史佚（尹氏，又叫史逸）的聽到了，就請成王選擇吉日替叔虞正位爲侯。成王說：「這是我跟弟弟玩遊戲，不算眞的呀！」

史佚道：「天子無戲言。天子一開口，史官就作成記載，禮官就安排儀節，樂官就譜了歌曲，不能悔改了。」

於是封叔虞於唐（地名）。唐地在黃河與汾水之東（在今山西翼城縣南），有一百平方里，因此稱他爲唐叔虞。

**【原文附參】**：唐叔虞者，周武王子而成王弟。成王與叔虞戲，削桐葉爲圭，以與叔虞曰：以此封若。史佚因請擇日立叔虞。成王曰：吾與之戲爾。史佚曰：天子無戲言。言則史書之，禮成之，樂歌之。於是遂封叔虞於唐。唐在河汾之東，方百

里。故曰唐叔虞。（見：《史記》、卷三十九、晉世家第九）

**【編者私語】**：「天子無戲言」，自是怪誕不經。但我們不宜拿今天的標尺，去度量三千餘年前的情狀。那時人際單純，政務清簡，姑妄聽之好了，不要苛責，不必輕信。《孟子》也說過：「盡信書、不如無書。」幸而唐代柳宗元，寫了一篇《桐葉封弟辨》，替我們說了話。柳文說：「成王以桐葉封弟，吾意不然。王之弟當封耶？周公宜以時言於王，不待其戲而賀以成之也。不當封耶？不可從而成之。凡王者之德，在行之何若。設未得其當，雖十易之不爲病。若戲而必行之，是教王遂過也。故不可信。或曰：史佚成之。」這番議論，十分精當。

## 二六五　洛陽紙貴（作文）

西晉時代的左思（後來任秘書郎），字太沖，臨淄人（屬山東省，瀕臨淄河，故名），作過一篇《齊都賦》（臨淄原是齊國首都），一年才寫成。他又想作《三都賦》，以詠贊三國的魏之洛陽、蜀之成都、吳之建業三處首都的壯麗。

他爲寫《三都賦》，構思了十年，在大門後、庭院中、籬笆下、廁所內，都放置了紙和筆，每逢想到一句好文，就隨時條錄備忘。如此認眞，字斟句酌，文辭自臻妙境。十年苦作，終於完卷了。可是並未受到當時一般文士的重視。

左思用了這樣深的功夫，花了這樣久的時日，自己認爲不比班固（寫過《兩都賦》）張衡（寫過《二京賦》）遜色。大概是自己名氣不高，難獲別人欣賞吧。

他拿去求見皇甫謐（字子安，號玄晏先生），請他指教。皇甫謐誇贊文賦很美，還替他作了序言。又有張載（晉代人，字孟陽，爲中書侍郎）替《魏都賦》作了注解，劉逵爲《吳都賦》及《蜀都賦》作了注解。這樣一來，名氣就傳開了，大家都推重他。

司空（三公之一，清代叫工部尚書）張華（字茂先，時人比爲子產）見了此賦，贊歎道：「這是和班固張衡同一流的好賦呀！即使讀過了，仍覺得餘韻猶存，還想再讀。即使讀久了，仍覺得新意又發，還可覆讀。」於是大家都爭著傳抄謄寫（那時還無印刷術，只用手抄，叫抄本，或寫本）。洛陽（西晉的京都）城裡的紙張，都因爲大家競買而漲價了。

初時，大文豪陸機（二六一—三〇三，字士衡，世稱陸平原）來到洛陽，也想寫《三都賦》，風聞左思在寫，陸機拍著手譏笑他，並且寫信告訴弟弟陸雲（字士龍，世稱陸清河）說：「這裡有個粗野的俗夫，竟然膽敢撰寫《三都賦》，即令他寫了出來，那篇文稿也只可拿來覆蓋酒罈子的罈口而已。」

等到左思的《三都賦》傳開來，陸機竟極爲歎服，認爲無法再增其美，自己也不寫了。

**【原文附參】**：左思，臨淄人也。作齊都賦，一年乃成，復欲賦三都，遂構思十年，門庭藩溷，皆著筆紙，遇得一句，即便疏之。及賦成，時人未之重。思自以其作不謝班張，恐以人廢言，造皇甫謐而示之。謐稱善，爲其賦序。張載爲注魏都，劉逵注吳蜀。自是之後，盛重於時。司空張華見而歎曰：班張之流也，使讀者盡而有餘，久而更新。於是競相傳寫，洛陽爲之紙貴。初，陸機入洛，欲爲此賦，聞思作之，撫掌而笑，與弟雲書曰：此間有傖父，欲作三都賦，須其成，當以覆酒甕耳。及思賦出，機絕歎伏，以爲不能加也，遂輟筆焉。（見：《晉書》、卷九十二、列傳第六十二）

**【編者私語】**：寫文章有兩種人我們趕不上。一種是倚馬可待的人：例如晉代王勃寫《滕王閣序》，原是臨時參加盛宴，主人閻都督假意請衆賓客當場揮毫。紙筆傳到王勃座前，他年輕不讓，即席一氣呵成。賦美詩工，連主人也轉怒稱贊（見《舊唐書》文苑傳）。又例如南朝梁武帝要裴子野寫詔書，他以為可以等到明天再寫。他不料五更時皇帝急著要看，他才慢慢起床提筆，天沒亮時交卷了，文情並茂。他說：「人皆成於手，我獨成於心。」（見《南史》列傳第二十三）另一種是構思推敲甚久的人：例如東漢張衡寫《二京賦》，也是「精思傅會，十年乃成。」（見《後漢書》張衡傳）。至於本篇左思作《三都賦》，必是朝夕縈思，字斟句酌，捶鍊到一字不可增損，一字不能改易，費時十載，乃使皇甫謐張華陸機這輩文豪佩服。另外有一趣談：歐陽修為宰相韓琦寫《相州晝錦堂記》，首兩句原是「仕宦至將相，富貴歸故鄉」，文章早已送出去了。隔了兩天，又派專人再送一文，說舊文不妥，請以新文取代。韓琦將兩文比對，僅只首兩句改為「仕宦而至將相，富貴而歸故鄉」，多了兩個而字，其餘全同，這氣勢便舒暢而有力多了。由此可見昔賢嚴謹的風範，是我們值得學習之處。

# 二六六　美者自美（潛德）

陽子（司馬彪云：陽子即楊朱）帶著學生，到了宋國，住進一家旅社。旅社主人有兩位妻子，一位貌美，一位貌醜。陽子仔細觀察，發現那醜妻的地位顯得尊貴，而美妻的地位反顯低賤，似乎有些不合常情。

陽子請問這是甚麼原因。旅社主人回答說：「我那位貌美的妻子，自以為賽過西施，處處顯得驕縱，我還不知道她美在哪裡呢。至於那位貌醜的妻子，自認為其貌不揚，處處顯得恭順，我也不知道她醜在哪裡呀！」

陽子回頭對學生說：「你們要記住了：行為良好的人，又不自滿，虛心忘記自己優點的人，到任何地方哪不受到別人的愛重呢。」

**【原文附參】**：陽子之宋，宿於逆旅。逆旅有妾二人，其一人美，其一人惡，惡者貴而美者賤。陽子問其故。逆旅小子對曰：其美者自美，吾不知其美也。其惡者自惡，吾不知其惡也。陽子曰：弟子記之：行賢而去自賢之行，安往而不愛哉？

（見：《莊子》、山木）

**【編者私語】**：貌美者恃美而驕，反無可取。貌醜者因謙而遜，倒是可嘉。容貌是外表，品德是內含。如僅以外在的「貌美」來衡量，卻疏忽了內在的風度、氣質、涵養、談吐，那太淺薄了。須知：婦「貌」漸老漸謝，婦「德」愈久愈芳。

## 二六七　負薪誦書（勵學）

漢代朱買臣（元前？—前一一五），字翁子，吳地人（今江蘇一帶，古稱吳）。家境貧寒，他偏愛讀書，不會經營生產，只好每天去砍柴，背到市集賣掉來維持生活。

他因讀書成癖，手不釋卷，砍柴時也帶著書本。背著柴從山中步行到市集的途中，就一面走路，一面打開書本，大聲讀出來。別人看他不過是個鄉下樵夫，背上扛著一梱柴，在路上且行且讀，天天如此，這種怪異的行爲和習慣，大家都引爲笑談，他妻子也感到羞恥。窮困的日子過得也夠久了，便要求離婚改嫁。

朱買臣勸她說：「我到五十歲時，必定會富貴。如今已四十多了。你跟著我這末多年，受了好多苦，等我富貴時，我一定會報答你的。」

妻子一聽，這簡直是神話，罵他道：「像你這樣無用的人，最後只會餓死，哪裡還會富貴？」朱買臣無法留住她，只好讓她走了。

朱買臣讀書求知若渴，確是下了苦功，學問本已大進，只是際遇時運未到而已。隔不幾年，中大夫嚴助保薦他，皇帝派他作會稽太守（會稽郡，轄今江蘇東南及浙江東南，首府在吳）。而且命他整軍經武，要去討伐東越。

皇上對他說：「一個人富貴了，如果不回故鄉去光耀一下，那就等於穿了錦緞新衣，卻在沒有光亮的夜晚行走一樣，誰會知道呢？現在你有了官爵，又可回到故鄉去上任，你的感覺怎樣？」朱買臣唯有叩頭，以謝宏恩。

辭別京都，進入故鄉吳地，在街道旁見前妻雜在歡迎的人群裡，她丈夫則在打掃街道。朱買臣命令車隊停下來，請她夫妻兩人坐進後面的一輛車裡，一同載入太守官府，安頓她兩人住在後園中，每天供應飲食。念及以前總是夫妻一場，盡一番還報的心意。

這位前妻，以往瞧不起朱買臣，認爲他沒有出息，主動要求離異。如今雖受款待，心中十分羞愧，住了一個月，便上吊自盡了。

**【原文附參】**：朱買臣，字翁子，吳人也。家貧，好讀書，不治產業，常刈薪樵，賣以給食。擔束薪，行且誦書，妻羞之，求去。買臣曰：我年五十當富貴，今已四十餘矣。女苦日久，待我富貴報女功。妻恚怒曰：如公，終餓死耳，何能富貴？買臣不能留，即聽去。後數歲，上拜買臣會稽太守。上謂買臣曰：富貴不歸故鄉，如衣錦夜行。今子何如？買臣頓首辭謝。入吳界，見其故妻，妻夫治道。買臣駐車，呼令後車載其夫妻，到太守舍，置園中，給食之。居一月，妻自經死。（見：《漢書》、卷六十四上、列傳第三十四上）

**【編者私語】**：古人苦讀的例證很多：「頭懸樑」是漢代孫敬。「椎刺股」是戰國蘇秦。「如囊螢」是晉代車胤。「如映雪」是晉代孫康。「如負薪，如掛角」。負薪讀書，即是漢朝朱買臣故事。牛角掛書，則是隋代李密故事（參本書第五十八篇）。還有「鑿壁偷光」的漢代匡衡。「映月讀書」的南齊江泌。今人固不必負薪掛角矣，但勤學精神，仍宜效之。至覆水難收一事，世俗謂係朱買臣，然歷史書中未見，應係姜子牙呂尚之事也。

## 二六八　馬齒加長（智慮）

春秋時代，晉獻公（晉文公之父）要討伐虢國（小國，在今河南陝縣）。繞道進兵，很是費事。

大夫荀息建議道：「大王何不將屈產（晉國地名，出良駒）的駿馬，和垂棘（也是地名，產美玉）的璧玉，送給虞君（小國，在今山西平陸縣，與虢相鄰），借用虞國的道路去攻虢，豈不就方便多了？」

晉獻公說：「這兩件珍物，都是國寶。倘若虞君收了禮物，卻不肯借道，那不是損失太大了嗎？」

荀息道：「這就是小國對大國的外交規矩了。他如不願借道，必然不敢收禮；如果受了厚禮而借道，那末我國的璧玉，只是從皇庫暫時寄存在外庫，而駿馬也僅是從宮舍暫時移到外廄而已。將來都要收回，不會有損的。」

荀息又解釋道：「進一步說：駿馬美璧的誘惑，就擺在眼前；而國破家亡的禍災，卻遠在虢君被消滅之後。這種高超的識慮，要中等智慧以上的人，才可事先預料得到。我猜那位虞君，只屬於中智以下罷了。」

於是晉獻公派特使護送美璧駿馬，賫致虞君，只求借道征伐虢國。

虞國大夫宮之奇諫道：「晉國使者，說辭十分謙卑，而禮物又太厚重。此中必有不利於我國的陰謀存在，不可答應。」

虞君沒有理會，收下禮物，允許晉國借道。

宮之奇又諫道：「諺語說：『唇亡則齒寒』（嘴唇缺了，牙齒受寒，謂休戚相依也）。說的就是這類的事，大王請再三思。」他見虞君不聽，就帶了妻子兒女，轉到曹國（在今河南滑縣）去了。

晉獻公借道滅了虢國。過了五年，將虞國也併吞了。這時荀息牽回駿馬，捧回寶璧，呈向獻公面前說：「璧玉仍然光潤如昔，只有馬的牙齒，隨著年歲而增加了。」

**【原文附參】**：晉獻公欲伐虢。荀息曰：君何不以屈產之乘，垂棘之璧，而借道乎虞也？公曰：此晉國之寶也，如受吾幣而不借吾道，則如之何？荀息曰：此小國之所以事大國也。彼不借吾道，必不敢受吾幣。如受吾幣而借吾道，則是我取之中府，而藏之外府；取之中廄，而置之外廄也。且夫玩好在耳目之前，而患在一國之後；此中智之上，乃能慮之。臣料虞君，中智以下也。公遂借道而伐虢。宮之奇諫曰：晉之使者，其辭卑、而幣重，必不便於虞。虞公弗聽，遂受其幣而借之道。宮中奇諫曰：語云：唇亡則齒寒，其斯之謂歟？絜其妻子以奔曹。獻公亡虢五年，而後舉虞。荀息牽馬操璧而前，曰：璧則猶是也，而馬齒加長矣。（見：魯、穀梁

赤：《穀梁傳》、僖公二年）

**【編者私語】**：整個事件，都是大夫荀息全程導演。他提出借道計畫。他料到馬與璧事後可以收回。他料到晉獻公會照計而行。他料到宮之奇不可能堅決諫阻。他料到虞君只是中智之下的人。果然知彼知己，分毫不爽，一一應驗，眞人傑也。這種用香餌釣大魚的方法，近代也有一例：當一九四九年中共搶渡長江時，也是用金磚一車，權當誘餌，買通江陰要塞司令戴戎光，要他允諾不開砲。先將一車金磚，送入司令府，請戴目驗後，因爲太多太重，只能暫存金庫。渡江成功之後，立即拘押戴戎光，治以叛逆貪贓之罪，追回全數金磚。與荀息用馬和璧暫行作餌，事畢收回，發揮同一效果。

## 二六九　要造中天臺（諷諫）

戰國時代，魏襄王要起造一座中天臺，有人不表贊同。他執意要建，便下令說：「敢諫的處死。」禁阻任何人反對。

那魏襄王就是梁襄王，即梁惠王之子。魏國將首都從安邑（今山西夏縣）遷到大梁（今河南開封），故又稱梁。《四書》裡有「孟子見梁襄王」之句，可供參證。

有位許綰，肩上扛著鋤鍬，進入宮殿，向魏王道：「聽說大王要造中天臺，我願意參加，也好增添一份人力。」

魏王說：「你一個人能夠增添多少力量呢？」

許綰答道：「雖然增添不了多少力量，但另外我也能策劃如何建臺的大計。貢獻給大王聽聽。」

魏王說：「你的意見如何呢？」

許綰答道：「我聽說：天和地相隔有一萬五千里。大王要建的既稱爲中天之臺，至少要建到天地間的一半，那就應有七千五百里的高度才是。爲了承受這樣的高度，那臺址的基地必須要八千平方里，才會穩固。大王將全國土地都用上，還不夠作爲臺址。從前堯帝舜帝分封諸侯，普天之下的國土不過五千里。大王如想築臺，首先應當起兵攻打諸侯，將他們的土地全部奪來。還不足。第二步就應當征服四夷，得到八千里，臺址纔夠了。

「再者，建臺工程開始之前，還須計算要多少木料，要多少民伕，要多少糧食。每一項都須以萬億作單位來儲備。此外，這些林木的堆存，民伕的集合，米倉的設置，也要佔掉不少地方；因此除掉臺址八千里之外，還要估算額外需用多少農田土地，以便養活這批築臺的人。等到以上這些條件都做到了，就可以開始起造中天臺了！」

魏王聽後，沉默了半天，沒有說話，終於打銷了築臺之念。

**【原文附參】**：魏王將起中天臺，令曰：敢諫者死。許綰負操鍤入曰：聞大王將起中天臺，臣願加一力。王曰：子何力有加？綰曰：雖無力，能商臺。王曰：若何？曰：臣聞天與地相去萬五千里。今王因而半之，當起七千五百里之臺。高既如是，其址須方八千里。盡王之地，不足以爲臺址。古者堯舜建諸侯，地方五千里。王必起此臺，先以兵伐諸侯，盡有其地。猶不足，又伐四夷，得方八千里，乃足以爲臺址。林木之積，人徒之衆，倉廩之儲，數以萬億。度八千里之外，當定農畝之地，足以奉給王之臺者。臺具以備，乃可以作。魏王默然無以應，乃罷起臺。（見：劉向：《新序》、卷第六、刺奢第六）

**【編者私語】**：某些當國者好大喜功。有的要放射太空衛星，但政治不寧，社會不安，連國名這塊招牌都有人想要砸爛，許多人要移民出走，即使衛星升空了，有何幫助?有的要建造世界最高大水壩,但經費要千億,工期要廿年,此外,卻有八億人口還是文盲,似乎有點像「不要褲子,只要核子」的翻版。這都是大手筆,小民無資格置喙。然而緩急後先次序如何?利弊功過得失如何?有多少不可控的未知因素?都應想一想。自己有多大的能耐,才可以做多大的事。冒險去做,危機就大了。許綰之說,他不從正面諫阻,卻從側面開出一大堆根本做不到的條件。語雖詼諧,也有道理。此例容或誇張,但也有參商的價值。

## 二七〇　苛政猛於虎（虐民）

孔子坐著馬車，從泰山旁邊經過，望見有位婦人，正在墳前哭泣。孔子用手扶著車前橫木，俯身聽那哭聲，覺得十分悲慘，便叫學生子貢去探問。

子貢問那婦人道：「你哭得這樣傷心，一定有很重的憂戚，是爲了甚麼呢？」

婦人回答說：「我確是傷心極了。我住在這泰山之旁，日子向來很好。但山中多虎，常會傷人。前些時候，我的阿公被虎咬死了，不多久，我丈夫也被虎咬死了。今天，兒子又被老虎咬死了，我能不痛心嗎？」

孔子忍不住問她：「既然這裡有虎傷人，你爲何不搬到城市裡去住呢？」

婦人答道：「只因爲這裡沒有暴虐的苛政來侵擾百姓，所以我才不願搬到城市裡去。」

孔子深有所感，回頭對子貢說：「你要記住了：苛政比老虎還要厲害呀。」

**【原文附參】**：孔子過泰山側，有婦人哭於墓者而哀。夫子式而聽之，使子貢問之曰：子之哭也，壹似重有憂者。而曰：然。昔者，吾舅死於虎，吾夫又死焉，今吾子又死焉。夫子曰，何爲不去也？曰：無苛政。夫子曰：小子識之，苛政猛於虎

也。（見：《禮記》、檀弓下。又見：《新序》、卷五、雜事第五）

**【編者私語】**：虎豹僅咬死三五人性命，盜賊只奪取少數人金錢，苛政卻使得十億人生靈塗炭。

## 二七一　風送滕王閣（神助）

唐朝王勃（公元六五〇——六七六）字子安，龍門人。六歲就能寫文章，與盧照鄰、駱賓王、楊炯齊名，號爲初唐四傑。所到之處，別人都請他爲文，積存的潤筆之資很多，有人說他是「心織筆耕」。他每次寫作之先，都磨墨數升，然後把被子蒙著頭臉睡覺，待會兒一躍而起，振筆疾書，一氣呵成，不加塗改，別人稱之爲「打腹稿」。

王勃的父親叫王福畤，那時任交趾令（唐朝交趾是五嶺以南一帶，在今廣東）。王勃從水路去探望父親（有人說是隨父上任），本就要經馬當、過南昌，再南行前往交趾。這一夜，他坐船到了馬當。那馬當在江西彭澤縣，居長江之濱，離南昌還有七百里。夜裡夢見水神告訴他說：「助你順風一帆。」隔天天亮時，船就吹到南昌了。

南昌是江西首府。南昌府的都督閻伯嶼，正重修滕王閣落成。那滕王閣是唐高祖的兒子元嬰作洪州（就是南昌）刺史時建造的，後來元嬰封爲滕王，因叫滕王閣，譽爲江西第一樓，畫棟雕梁，極爲壯麗。

這年九月初九日重陽佳節，舉行竣工酒會，閻伯嶼在滕王閣上大宴賓客。閻都督意欲誇耀他女婿吳子章的才華，叫他前幾個晚上預先擬好文稿背熟。在宴會上，嚴都督假意請賓客們當場撰寫《滕王閣序》。賓客們都謙辭，打算輪到吳子章時，就可以寫出來搶個風頭。

恰巧王勃先晚由神風吹送，到了南昌，也參加了這場盛會（憑四傑的身分），因他年齡最小，只是叨陪末座。當作賦的紙筆自首席往下傳遞到他面前時，他竟不予辭讓，提起筆來就寫。

閻都督想不到這個少年如此自信又自大，而且破壞了他原定的計謀，心中很不高興。但他巍坐在首長席，不好當衆阻止，又因距離下席很遠，便叫服侍的官員，到王勃座前，看著他寫好一句，就向嚴督傳報一句。嚴督聽了前面幾個小段，只說：「這也不過如此呀。」及至中段，傳來「落霞與孤鶩齊飛，秋水共長天一色」的美句，才十分驚服，贊譽道：「這眞是天才。」

傳說王勃寫序時，錦詞繡句，層見疊出。文末且以七言律詩作結，後兩句爲「閣中帝子今何在？檻外長江空自流。」他把那『空』字故意空著不寫，就交卷了。大家都在猜空白處究該是何字，有說是獨，有說是水，最後仍要請王勃定奪。王勃說：「既然是個空著的字，當然就是『空』字了。」頗增情趣。

又傳說王勃自認這篇文章寫得出色，他不幸在二十七歲（有說二十八歲）渡海溺死後，鄱陽湖（滕王閣面對此湖）每夜都有鬼魂出現，反復長吟「落霞與孤鶩齊飛，秋水共長天一色」兩佳句。時日一久，大家受不了，便有好事者對鬼魂喊道：「這兩句並非絕佳，若是省爲『落霞孤鶩齊飛，秋水長天一色』，豈不更好？」此話一出，鬼魂便寂然無聲了。

**【原文附參】**：唐王勃，六歲能文。與盧照鄰駱賓王楊炯齊名，號四傑。所至請託爲文，金帛豐積，或人謂心織筆耕。每爲文，先磨墨數升，引被掩面而臥，忽起，一筆書之，初不點竄，時人謂之腹稿。馬當在彭澤，去南昌七百里。王勃省父，舟次馬當。夢水神告曰：助汝順風一帆。既旦，即抵南昌。値都督閻伯嶼重修滕王閣。九日，宴賓僚於上，欲誇其婿吳子章才華，令宿構序。又故豫請客作，莫敢當者。勃年最少，受而不辭。嚴恚甚，遣使伺句即報。至落霞與孤鶩齊飛，秋水共長天一色，乃歎曰：天才也。（見：明、蕭良有：《龍文鞭影》、初集卷下。又見：五代、王定保：《唐摭言》、卷五。《新唐書》文藝有傳，《舊唐書》文苑亦有傳）

**【編者私語】**：俗諺說：時來風送滕王閣，運去雷轟薦福碑（顏眞卿寫刻了「薦福寺碑文」，一張拓本價一千文。范沖淹做鄱陽令時，想拓打一千本。不料先夜，碑爲天雷擊碎）。王勃乘船，自馬當一夜吹到南昌，非預知有盛會也。即席爲文，非事先有腹稿也。賦美詩工，佳作流傳千古。落霞秋水，都督贊譽天才。所憾者：天不假年，未克長壽，乃是文壇上的一大損失。

# 二七二　保全大國體統（拒賄）

元明善，字復初，清河人，讀書過目不忘。在元仁宗朝爲翰林直學士。元朝國勢強，常派大使與外國交往，元明善被派爲副大使，去訪問交趾國（越南北部地區，爲交趾國）。至於正大使，則是一位出生於北夷在元朝作官的蒙古人。

訪問圓滿結束了，返程臨行前，交趾國王選了成色最好的黃金（好金叫兼金，價值兼倍於常金者。《孟子》公孫丑：「王餽兼金一百而不受」），作爲餽贐禮物，分送正副大使。正大使收受了，副大使元明善卻沒接受。

交趾國王向元明善說道：「這是敝小國一份薄禮，獻給上國欽使，以表敬意。如今貴國正使已經笑納了，你元公以副使之尊，小國不敢怠慢，禮物分量相同，尙請不要堅辭。」

元明善答道：「這是有解釋的：我們的正大使，接受了贈禮，那是不想峻拒你的美意，好安小國的心，他的收受是有理由的。至於我嘛，我可不能接受，因爲我身爲副使，代表元朝上國，自當彰顯泱泱大國的風度和保全中原上國的體統，我不接受的理由不也是蠻充足的嗎？」

**【原文附參】**：元、元明善嘗副一蒙古出使交趾。及還，國王贐以兼金。蒙古受之，明善不受。國王曰：彼使臣已受矣，公何固辭？明善曰：彼所以受者，安小國之心。我所以不受者，全大國之體。（見：明、《龍文鞭影》、初集、卷下）

**【編者私語】**：《論語》子路篇孔子說：「行己有恥（品端知恥），使於四方，不辱君命（達成國家使命），可謂士矣。」元明善很會講話：他的長官收了饋禮（也是賄贈），他解釋是為使對方小國心安。自己不收，解釋是為保全大國體統。正反都有理由，而且堂皇正大。衛護了正使，安慰了交趾，潔愛了己身，三面俱到，應對令人敬服。

# 二七三　南蠻不復反了（遠見）

諸葛亮（字孔明，蜀丞相，封武鄉侯，死時五十四歲。公元一八〇—二三四）平定了南蠻，就委派當地蠻區各部落的渠帥酋長，分任地方官，用夷人管理夷人，倒也省事。

有人勸告他說：「這次憑著蜀漢的天威，使南方的蠻夷都順服了。但蠻人的民性難測，今天服從了，明天又會叛亂。最好趁這次歸降的時機，派遣漢人官吏，分別統治他們，使各歸漢官管束，讓他們漸漸沾染文明教化。如此不出十年，這些頭結辮髮的蠻人，就慢慢的同化為我蜀漢的老百姓了。這才是最好的政策。」

諸葛亮解釋道：「如果設立漢官來統治，就必須派部隊留守，兵卒既多，食糧難於補給，這是第一件不容易解決的事。現今蠻夷家破人傷，父死兄亡，如只設漢官而不留兵，漢官必會糟殺，這是第二件不容易解決的事。又蠻人多次犯了廢官殺人的過錯，自覺有罪，如立了漢官，用漢人法律來制夷，他們終久不會誠心信服，這是第三件不容易解決的事。現在我作成的決定，既不必留兵，也不要運糧，只把政務綱目和治事紀律的大要粗略的規定出來，讓他們自行去管理，損益斟酌，留有彈性，使夷漢兩相安穩，不就滿足了我們的目的了嗎？」

果然一直到南蠻的下幾代，都沒有再起反叛。

**【原文附參】**：諸葛亮平南中（南中泛指南方之地），即其渠帥而用之。或諫之曰：天威所加，南人率服。然夷情叵測，今日服，明日復叛。宜乘其來降，立漢官分統其衆，使歸約束，漸染政教。十年之內，辮首（指蠻夷）化爲編氓。此上計也。亮曰：若立漢官，則當留兵，兵留則無所食，一不易也。彼新傷破，父兄死喪，立漢官而無兵，必成禍患，二不易也。又夷累有廢殺之罪，自嫌釁重，若立漢官，終不相信，三不易也。今吾不留兵，不運糧，而綱紀粗定，使漢夷相安足矣。自是終夷之世，夷不復反。（見：《資治通鑑》、卷七十、魏紀二）

**【編者私語】**：此諸葛孔明七擒孟獲、平定南中時之舉措也。南蠻習俗，異於漢人。若派漢官制夷，必將扞格不入。與其勞心費力，益少而弊多，何不全權委任夷人，使我不派一官一兵之爲得計乎？抑有進者，諸葛先生心中，尚有宏願待償也：今南疆已靖，乃可悉心規劃北伐。觀《前後出師表》，都提到「五月渡瀘，深入不毛」，這正是「當獎帥三軍，北定中原」大業的前奏。

# 二七四 受之於王先生 （高招）

漢武帝時，傳旨召見北海太守（《漢書》說是渤海太守龔遂）。有位王先生，自動請求和太守同往京城，說：「我會對你有幫助的。」太守應允了，同到京都，等候宣見。可是那王先生每天只顧買酒喝，和那些衛士卒伍們痛飲，每天喝得大醉，根本沒有時間和太守見面。

太守只好去找到他，王先生才問他說：「假若天子問你如何治理北海，使盜賊都沒有了，你怎樣對答呢？」

太守道：「那是我選賢任能，獎賞立大功的，處罰那不盡力的之故呀。」

王先生說：「你這樣回答皇上，是自我贊美，自我炫耀，不可以。希望你改口說：不是臣的微力所能致，全是聖上神靈威武所感化而致的。」

太守道：「高見甚是，領教了。」

漢武帝召見，果然問他：「你治理北海郡，何以能使盜賊不起呢？」

太守叩頭答道：「不是臣的微力所能致，全是聖上神靈威武所感化而致的。」

武帝大笑說：「啊呀，你是不是聽了高人的指點，教你這樣說的？你從哪裡學到這種說辭呢？」

太守答道：「不敢欺瞞，實是從王先生處學來的。」

武帝說：「王先生現今人在哪裡？」

太守答道：「就在京師的驛舍裡。」

於是皇帝下詔，拜王先生爲水衡丞，北海太守爲水衡都尉（漢武帝元鼎二年始置水衡都尉，掌上林苑，兼管稅收）。

**【原文附參】**：武帝時，徵北海太守。有王先生者，自請與太守俱：「吾有益於君。」許之。行至宮下，待詔。王先生徒懷錢沽酒，與衛卒飲，日醉，不視其太守。太守入跪拜，王先生曰：天子即問君何以治北海，令無盜賊，君對曰何哉？對曰：選擇賢材，各任之以其能，賞異等，罰不肖。王先生曰：對如是，是自譽自伐功，不可也。願君對言：非臣之力，盡陛下神靈威武所變化也。太守曰：諾。召入，至於殿下，有詔問之曰：何以治北海，令盜賊不起？叩頭對曰：非臣之力，盡陛下神靈威武之所變化也。武帝大笑曰：於呼，安得長者之語而稱之，安所受之？對曰：受之王先生。帝曰：今安在？對曰：在宮府門外。詔拜王先生爲水衡丞，以北海太守爲水衡都尉。（見：《史記》、卷一百二十六、滑稽列傳）

**【編者私語】**：將榮耀歸於對方，聽的人一定十分高興，自己實也沒有甚麼損失。這是對答時的高招。只傳一招，立時見效。王先生眞是智者。

## 二七五　恨不見我死友（篤交）

東漢范式，字巨卿，山陽人（舊郡名，在今山東省），作過刺史、太守。他年少時，在太學讀書，和汝南（在今河南省）張劭（字元伯）同窗，結爲好友。學業結束，兩人離校回家，范式對張劭說：「兩年之後，我會再回來，那時當過訪你家，拜見長輩，看看你的兒子。」於是定好日期，互相道別。

到了約定的那一天，范式果然如期到了，進入廳堂，拜見張劭的母親。張劭留他吃飯，極盡歡娛。然後辭別。

後來張劭卧病，病情很重。同郡的郅君章（即郅惲，後爲太守）與商子徵自早到晚照顧他。張劭臨終時，念念不忘地說：「恨不能見到死友范式。」不久就嚥氣了。

范式在家，得了一夢，夢見張劭來了，告訴他說：「我於某日死了，會在某日下葬，你能趕上我的葬禮嗎？」范式醒來，非常悲慟，連忙由山東趕去河南張劭家中，而送葬行列，早已離家上路，快到墓穴。這時棺柩忽然變得沉重異常，抬不起來了。他母親撫棺說道：「元伯，你是不是還在等待甚麼未了的願望嗎？」於是停了下來。

不多時，只見遠處來了一輛白馬拉著的素車，有人哭著奔來。他母親說：「這必是范式來了。」

范式到了柩前，叩拜行禮，哀聲訴道：「千里託夢，急來送君。元伯元伯，你請前行。死生異路，泣血椎心。傷哉別矣，靈尚相通。」一同送葬的近千人，莫不齊聲掉淚。范式親自執拂牽引，靈柩才得前進。

范式留住在墓地，直待修好了墓園，種植了墓樹才回去。

**【原文附參】**：范式、字巨卿，山陽人。少遊太學，與張劭爲友。劭字元伯。二人並告歸鄉里，式謂元伯曰：後二年，當還，將過拜尊親，見孺子焉。乃共剋期。至日，巨卿果到，升堂拜母，飲盡歡而別。後元伯寢疾篤，同郡郅君章商子徵晨夜省視。元伯臨終曰：恨不見死友。尋卒。式夢元伯曰：吾死，當以某日葬，子豈能相及？式覺而悲，赴之，而喪已發，引至壙，將窆，而柩不肯進。其母撫之曰：元伯、豈有望耶？停柩移時，見有素車白馬，號哭而來。母曰：必巨卿也。既至、叩喪，言曰：行矣元伯，死生異路，永從此辭。會葬者千人，皆揮涕。式執拂引，柩乃前進。式留止塚次，修墳樹而退。（見：《太平御覽》、交友。又見：《後漢書》、范式傳。又見：《搜神記》、卷十一）

**【編者私語】**：本篇述及兩段友情：首段「信友」，雖可貴而不奇。次段「死友」，則哀慟而情篤。千年後之今日，行矣元伯之語，猶聞其聲。

# 二七六　怨恨誰來承當　（睿識）

宋朝王曾（字孝先），在宋仁宗（公元一〇二三年即位）時代，輔佐國政，前後長達十年。那些升官的和革職的官員，表面上都是奉到皇帝的諭旨，卻不知道自己的進退，其實全是王曾在主理的。

同朝大臣范仲淹（九八九—一〇五二），爲這件事詢問王曾。王曾回答說：「假如一個主理國政、身爲長官的人，施了恩惠，就歸自己，那末結了怨恨，要誰去承當呢？」

范仲淹很佩服這番卓論。

**【原文附參】**：王曾前後輔政十年，其所進退士人莫有知者。范仲淹嘗以問曾。曾曰：夫執政者恩欲歸己，怨使誰當？仲淹服其言。（見：淸、畢沅：《續通鑑》、宋紀、仁宗）

**【編者私語】**：升官降職之決策者，若隱居幕後，自會客觀公正。若處在明處，難免事前大家送賄，群相奔競；事後則得官者欲報私恩，失官者永懷怨懟。王曾這幾句話，正抓到要害之處，說起來輕鬆容易，做起來卻甚難。

## 二七七　急捕必是抓我　（氣節）

東漢末，宦官（皇宮裡的太監們）用事，權傾內外。朝野的正直人士，聯合起來抗拒，被稱爲朋黨。由於宦官接近皇帝，容易歪曲進讒，終致大抓朋黨，禁錮起來，叫做黨錮。漢靈帝建寧二年（公元一六九），又掀起了黨錮之禍，冤殺了一百多位讀書人。范滂（元前一三七—前一六九，孝廉出身，少厲清節），不在京城，卻是要抓的要犯。皇帝下令，急於捕他處死。

有個督郵（在郡裡職司監督考核的官）吳導，奉命到范滂縣裡抓他。由於范滂本是好人，但皇命又難以違誤，吳導不知如何是好，他住在縣城驛館裡，把門閂起來，捧著緝捕詔書，伏在床上哭泣。

范滂聽到這個訊息，慨然說道：「督郵急急趕來我縣，必是奉命抓我，我豈可使他爲難？」就自動到縣衙去投案。

縣令郭揖，見范滂竟然親身來自投羅網，大吃一驚，他縣長也不幹了，封起大印，要和范滂一同逃走。對范滂說：「天下這末大，何處不可容身？你爲甚麼要到這裡來？又爲甚麼要自尋死路？」

范滂道：「我范滂一旦死了，這場黨錮大禍就了結了，哪敢為這樁大罪連累你呢？又何敢忍心牽連我的高堂老母也出逃流離呢？」不答應一同逃走。

范滂的寡母來與兒子作死前最後一次見面。范滂稟告媽媽說：「我的弟弟范仲博（范滂字孟博，滂弟仲博）對您十分孝敬，必會奉養母親終老。請讓我效法先父范顯大人的英烈，追隨他老人家赴黃泉陰府，好使生者死者各得其所，成全我這不肖兒的志願吧。只是懇求您要忍心割捨養育我的深恩，不要過於悲痛！」

他母親說：「你有這樣堅貞的志向，能夠與李膺（一一〇—一六九，官司隸校尉，黨禍被殺）杜密（？—一六九，官太僕，黨禍被殺，都是名儒）這輩正直的大人物同享高名，犧牲應無遺憾，我會極力忍住傷痛的。如果要獲得令譽，又想享有長壽，哪能兩樣俱全呢？」

范滂跪著領受了這番訓誨，再三叩拜，才辭別老母，逕赴死難。遇害時年才三十三歲。

**【原文附參】**：漢靈帝建寧二年，黨錮之禍復起，遂大誅黨人，詔下急捕范滂。督郵吳導至縣，抱詔書，閉傳舍，伏床而泣。滂聞之曰：必為我也。即自詣獄。縣令郭揖大驚，出解印綬，引與俱亡，曰：天下大矣，子何為在此？滂曰：滂死則禍塞。何敢以罪累君，又令老母流離乎？其母就與之訣，滂謂母曰：仲博孝敬，足以供養，滂從龍舒君歸黃泉，存亡各得其所。唯大人割不可忍之恩，勿增感戚。母曰：汝今得與李杜齊名，死亦何恨？既有令名，復求壽考，可兼得乎？滂跪受教，再拜而辭，死時年三十三。（見：《後漢書》、卷九十七、黨錮列傳第五十七）

**【編者私語】**：《後漢書》説：「范滂少勵清節，爲州里所欽服，慨然有澄清天下之志。」抱負便自不凡。東漢末，讀書人都激勵氣節，一心想報效國事，只要義之所在，就毫不迴避，連性命都置之度外，眞是「時窮節乃見」了。他以前只做過郡的功曹，職位並不高，用現代話來説，僅是個省政府的專員秘書而已，通緝時功曹也辭掉了。唯其職位低而品節高，更加令人欽敬。觀其自赴死難，以三十三歲壯年而勇敢犧牲，何其壯烈？以往英年殉難、慷慨捐軀的志士還眞不少：汪琦抗齊殉國十多歲，岳飛死時卅九，鄭成功亦卅九，鄒容廿一，徐錫麟卅四，陸皓東廿七，秋瑾卅二，朱執信卅五，宋教仁卅，蔡松坡卅五（王勃廿八，但非爲國捐軀），這些忠烈楷模。永遠活在國人心底。我們看范謗的一番讜言，在悲憤中求仁取義，眞是鏗鏘有力。而有其子必有其母，慈母的一場豪語，大義凜然，同樣是擲地有聲。錄此一篇，期相勉奮。

# 二七八　施恩不可不忘（大度）

戰國時，秦國大兵包圍了趙國首都邯鄲，眼看城破國亡，十分危急。趙王求救於魏國的信陵君（魏昭王少子，名魏無忌。元前？——前二四三）。信陵君殺了大將晉鄙，領五國聯軍，解救了趙國首都之圍，打敗了強秦，保全了趙國。趙王衷心感激他的恩德，親自步出都城，遠到郊外迎接信陵君，以示隆重。

魏人唐雎向信陵君進言道：「別人告訴我：『天下之事，有不能知道的，有不能不知道的；還有、有不可忘記的，和不可不忘記的。』你聽說過嗎？」

信陵君說：「我倒還沒聽過，這些話定有道理，你能給我解釋嗎？」

唐雎答道：「有人不喜歡我，這是不能不知道的。我不喜歡某人，這憎惡只藏在我心中，旁人是不能知道的。別人有恩於我，這是不可忘記的。我對他人有恩，這卻是不可不忘記的。這次大戰，你殺了晉鄙，拯救了邯鄲，打敗了秦軍，保存了趙國，這是莫大的恩德。趙王感激得不得了，出郊親迎。當你見到趙王時，但願你把這樁大恩大德忘卻吧！」

信陵君謝道：「我魏無忌（信陵君是封號，無忌是名）敬謹領受你的這番教導。」

**【原文附參】**：信陵君殺晉鄙，救邯鄲，破秦人，存趙國。趙王自郊迎。唐雎謂信陵君曰：臣聞之曰：事有不可知者，有不可不知者；有不可忘者，有不可不忘者。信陵君曰：何謂也？對曰：人之憎我也，不可不知也。我憎人也，不可得而知也。人之有德於我也，不可忘也。吾有德於人也，不可不忘也。今君殺晉鄙，救邯鄲，破秦人，存趙國，此大德也。今趙王自郊迎。卒然見趙王，願君之忘之也。信陵君曰：無忌謹受教。（見：《戰國策》、魏策）

**【編者私語】**：崔瑷撰《座右銘》，有句曰：「施人愼勿念，受施愼勿忘。」理論人人都知，實行卻不容易。小恩小惠，忘記不難；大功大德，忘記很不容易，這要有莫大的度量。尤其現在這種功利主義盛行的社會裡，有功求賞，有恩望報，似乎是天經地義的事，要「忘記」的人太稀罕了。

## 二七九　為小辱而死乎

（志大）

秦始皇滅了魏國，聽說張耳（元前？——前二〇二，魏之大梁人，有賢名）陳餘（元前？——前二〇四，同是大梁人，好儒學，與張耳爲刎頸交）是魏國的有名之士，便懸出賞格，通令天下搜求。捉到張耳的賜千金，捉到陳餘的賞五百。

張陳兩人，爲求自保，只好改變姓名，一同躲往陳國（小國，都宛丘，即今河南淮陽縣，後滅於楚），隱身做閭里間的看門人，勉強維持衣食。

閭里的那個小吏，是管他倆的上司，因事對陳餘不滿，罰他仆在地上，用竹鞭責打。陳餘不能忍受，想要起身反抗。張耳暗地裡用腳踩著他，示意不要抗拒，強忍接受鞭打。

責罰完後，張耳帶領陳餘，來到郊外桑田無人之處，責怪他說：「當初我與你約好逃難的話是怎麼講定的？秦王出了重賞，要抓我倆。你我隱姓埋名，屈身暫作看門人，爲了甚麼？乃是要等待時機，將來做一番事業。今天受了點小侮辱，你不能忍，難道値得爲這個小吏而拚將一死嗎？」

陳餘覺得有理，心裡也坦然了。後來，張耳被封爲趙王，陳餘也做了代王。

【原文附參】：秦滅魏，聞張耳陳餘爲魏之名士，購求有得張耳千金，陳餘五百金。張耳陳餘乃變姓名，俱之陳，爲里監門以自食。里吏嘗有過笞陳餘，陳餘欲起，張耳躡之，使受笞。張耳乃引陳餘之桑下而數之曰：始耳與公言何如？今見小辱，而欲死一吏乎？陳餘然之。（見：《史記》、卷八十九、列傳第二十九）

**【編者私語】**：欲圖大業者，必須忍小忿。韓信若不忍淮陰胯下之辱，則不會受大將之拜。張良若沒有圯上進履之卑，則不會得兵法之賜。那些睚眥必報的人，並非眞正的豪雄，也不算眞正的勇武，只是淺薄的匹夫而已。蘇軾說：「天下有大勇者，猝然臨之而不驚，無故加之而不怒，此其所挾持者甚大，而其志甚遠也。」張耳陳餘，爲逃捕而變姓名，隱身做個社區守衛員，蓋有所圖也。若一時不忍小辱，殺此小吏，固可逞一時之快，卻將暴露眞實身分，那末以往的茹苦自屈，又所爲何來？

# 二八〇　為師不敢自辱（納諫）

明代陳選，字子賢，又號克菴，卒諡恩。他自幼端莊誠篤，不苟言笑，以希賢自許。明代英宗天順四年（一四六〇），在京參加會試，考得第一（狀元），成爲進士。他做了御史，巡按江西（巡按御史，司察吏安民），將貪官惡吏盡都罷免。當時世人贊道：「以前有個韓雍（字永熙，諡襄毅，也是御史），現在有個陳選。」一直聲名滿天下。

明憲宗成化六年（一四七〇），調任河南副史，不久改爲提督學政（官名提學）。朝廷有個宦官汪直，管理西廠（專刺探不法，誣殺忠良），權傾滿朝。他奉派出巡外郡，來到河南。由於他威勢懾人，從都御史以下諸大臣，都向他下跪叩見。唯獨陳選，對他一揖便了。

汪直問他：「你是何官？」

陳選答：「提學副使（督掌全省學政）。」

汪直又問：「比都御史還要大嗎？」

陳選昂然答道：「提學哪能比得上都御史？但我身爲全省學士們的人師，平日屢以氣節互勉，我尤當以身作範，不敢屈辱自己的品格，以免有虧儒道。」

陳選詞嚴氣正，而一大群儒士，正聚立在署門外，都是陳選的學生。汪直被這場面震住了，知不可侮。改以溫順語氣交談，然後客氣的把陳選送走了。

**【原文附參】**：陳選，字士賢，自幼端實，寡言笑，以聖賢自期。天順四年會試第一，成進士。授御史，巡按江西，盡黜貪殘吏。時人語曰：前有韓雍，後有陳選。成化六年，遷河南副使，尋改督學政。汪直出巡，都御史以下皆拜謁，陳選獨長揖。直問何官？選曰：提學副使。直曰：大於都御史耶？選曰：提學何可比都御史？但忝為人師，不敢自詘辱？選詞氣嚴正，而諸生亦群集署外，直氣懾，好語遣之。（見：《明史》、卷一百六十一、列傳第四十九）

**【編者私語】**：師道有兩種：其一是經師，專通一經之謂也。只要熟研一部經書即可，不難做到。其二是人師，人品足為表率之謂也。這卻要節操良正，甚為難求。袁宏《後漢紀》說：「經師易遇，人師難遭。」經師所傳，僅是言教。人師所範，乃是身教。由此可知，身教重於言教也。《論語》雍也篇說：「子見南子，子路不悅。」孔子接見了行為不好的南子夫人，子路便不高興。《論語》述而篇又說：「互鄉難與言，童子見，門人惑。」孔子見了不善的人，學生尚表懷疑。可見為師的不可自貶身價。陳選為提督學政，算是師中之師，不肯學其他大臣，向宦官下跪，大不了這個學政的官職不幹就是了。既無戀棧之心，因敢說「身為人師，不能自辱。」詞嚴理壯，反使汪直氣懾，大快人心。尚有另一例：元朝崇信喇嘛，尊爲帝師（皇帝的老師）。京裏朝臣一品以下，都俯伏敬酒，獨有孛朮魯翀站直舉杯，說：「帝師是釋迦的門徒，天下僧人之師也。我則是孔聖之徒，天下儒人之師也。應各不爲禮。」滿殿群臣，替他捏把冷汗，帝師竟然笑受了。這就是不降品辱節的佳例。請參第五十五天下儒人師之篇。

## 二八一　保此三鏡免犯錯（納諫）

唐代魏徵（五八〇—六四三），字玄成，輔佐唐太宗（五九八—六四九，李世民），遇事敢於直諫。一生前後上了兩百多道奏疏，說得十分剴切，太宗都接納了他的意見（不須問內容，要找到兩百多個題目也難）。

魏徵的房子很侷促，沒有廳堂。他生病了，賓客探訪坐息都覺不便。唐太宗這時正準備起造一座小宮殿，便停工將建築材料改替魏徵蓋了正堂。料足工人多，都是現成的，又是皇上交辦，五天就完成了。太宗又命中使（天子左右的侍臣）送去大布被子，素色褥子，以配合魏徵儉樸的作風，可見對他眷顧的深厚了。

過了若干天，魏徵去世了。太宗親到他家悼唁，臨祭時痛哭失聲，非常悲戚。還親自撰了碑文，又自己寫好，交付刻成石碑，對他十分懷念。

諍臣不在，唐太宗傷逝不已。有一天他對臣子們說：「我們以銅作鏡子（照臉之具，古時沒有玻璃，將平圓銅盤表面磨光反亮作鏡），可以整飾衣帽（鏡鑑）。以古（歷史）作鏡子，可以知道興亡（史鑑）。以人（說直話糾正缺失）作鏡子，可以明白對錯（人鑑）。我一直珍視這三種鏡子，以防自己犯錯。尤其魏徵在朝時，使我免了許多過失。如今魏徵不在了，我就缺少了一種主要的鏡子了。」一邊說著，一邊流下淚來，久久沒有息哀。

魏徵死後，諫言漸稀。太宗頒下詔諭說：「以往唯有魏徵，時常指正我的過錯。自從他去世之後，我即使做錯了，自己也不知曉。難道我以前有那麼多的不是之處，而現在全都做對了嗎？從今以後，你們要儘量誠實進諫。如果我的處置不適當，大家必須直接講出來，不要怕我不高興而隱瞞不說！」

**【原文附參】**：魏徵宅內，先無正堂。及遇疾，太宗時欲造小殿，乃輟其材爲造，五日而就。遣中使賜以布被素褥，遂其所尚。後數日薨，太宗親臨痛哭。親製碑文，復自書於石。後嘗謂侍臣曰：夫以銅爲鏡，可以正衣冠。以古爲鏡，可以知興替。以人爲鏡，可以明得失。朕常保此三鏡，以防己過。今魏徵殂逝，遂亡一鏡矣。因泣下久之。乃詔曰：昔唯魏徵，每顯予過。自其逝也，雖過莫彰。朕豈獨有非於往時，而皆是於茲日？自斯以後，各悉乃誠。若有是非，直言無隱。（見：《貞觀政要》、卷第二、任賢第三。又見：《舊唐書》、卷七十）

**【編者私語】**：教育家魯立剛先生論李世民曰：「民閥閱之子，具文武全才，而能謙恭下士，廓宏大度，選賢任能，採納忠言，故能統一天下，威震遐方。唐太宗貞觀之治，上追漢之文景，以創業之主而兼守成之君，蓋並漢高與文景爲一人，誠千古未有之人傑也。」吾人都有缺失，苦於自己不知。倘能接受規勸，便成聖君賢主。但規勸要有膽勇，而接納更要雅量。可貴者：魏徵饒有膽勇，太宗極有雅量。可憾者：如斯千古佳配，卻是絕後空前。可悲者：太宗三鏡皆珍，我們卻無一鏡。

## 一八二　宣告武則天罪狀（傳檄）

駱賓王，唐朝義烏人，七歲就能做詩，也工駢儷，與王勃、楊炯、盧照鄰合稱初唐四傑。武則天稱帝時，曾經幾次奏疏，貢獻意見，但未被重視，下派到臨海作縣丞（縣長屬下的僚吏）。這是大才小用，他鬱抑不得志，便丟下官職不幹了。

那徐敬業，原叫李敬業，祖父李勣歸順唐朝時，賜姓李。後來敬業反對武后，就收回了他的爵位，故恢復姓徐。又因事降職爲柳州司馬，兩方都有芥蒂。

武則天是唐高宗的皇后，高宗死後，中宗繼位，武后專政。不久廢了中宗，改立睿宗。又廢了睿宗，她自己做了皇帝，改國號爲周（六二四—七〇五）。她殺戮唐朝李家的宗室，嬖幸張易之、張宗昌等人。徐敬業就連絡唐之奇、杜求仁、駱賓王這班人，起兵討伐武氏。

義兵興起，駱賓王參加爲府屬，他首先寫了一篇《討武曌檄》（曌音照，是武氏創造的新字，作她的名。檄是一種廣爲傳佈的官式文書），宣告武氏的罪狀，昭示天下。開頭就說：「僞臨朝武氏者，性非和順，地實寒微……殺姊屠兄，弒君鴆母。人神之所同嫉，天地之所不容……爰舉義旗，以清妖孽。」這篇檄文，首敘武氏的罪不容誅，接述起兵的事不可緩，然後曉諭大義，號召全國響應。文雄氣壯，很能打動人心。

武則天由一個後宮才人，爬上帝位，自是經過許多大風大浪。徐敬業要討伐，她也處變不驚，反而說要看看檄文，好瞭解寫的是甚麼內容。她起初讀來，只是淡淡地笑笑，認爲無甚希奇，後來唸到「一抔之土未乾（是說唐高宗新葬，墳上的土還未乾固），六尺之孤何託（是說唐中宗廢了，何人可以託孤）？」她突然變得嚴肅了，便問臣下道：「這檄文是甚麼人寫的？」

有人奏告說：「是四傑之一的駱賓王寫的。」

武氏道：「這個駱賓王，有如此才華，卻讓他落拓不得志，我們的宰相是怎麼搞的？爲甚麼疏忽了這種人才呢？」

很不幸，徐敬業失敗了，駱賓王只好逃亡，不知道他的下落。有人說：他後來遁入空門，入靈隱寺削髮爲僧了。

**【原文附參】**：駱賓王，義烏人，七歲能賦詩。武后時，數上疏言事，下除臨海丞，鞅鞅不得志，棄官去。徐敬業亂，署賓王爲府屬，爲敬業傳檄天下，斥武后罪。后讀，但嘻笑。至一抔之土未乾，六尺之孤何託？矍然曰：誰爲之？或以賓王對。后曰：宰相安得失此人？敬業敗，賓王亡命，不知所之。（見：《新唐書》、卷二百一、列傳第一百二十六、文藝上）

**【編者私語】**：駱賓王懷才不遇，討武又失敗。天下之大，無處容身，可能遁入佛門，想也是一腔憤慍也。王勃《滕王閣序》說：「屈賈誼於長沙，非無聖主。竄梁鴻於海曲，豈乏明時？」有才沒有才，修持在我；得遇不得遇，操之在人。自古到今，多少人懷才不遇？孔子說：「天下有道則現（服務人群），無道則隱（等候時機）。」我們心胸要放寬鬆一些，才會對窮通看得開朗。

# 二八三　封存贈錢五百吊（廉介）

北宋劉溫叟，字永齡。後晉時（殘唐五代）爲翰林學士，後周時爲諫議大夫。宋太祖（九二七—九七六）登基（陳橋兵變，禪後周爲帝）時，任御史中丞（司糾彈，等於監察院長）。他做了十二年，屢次請求辭官，宋太祖因爲找不到好人接替，始終不准他去職。

他家境貧寒，那時京都開封尹（首都市長）趙光義（九三九—九九七，原名匡義，太祖之弟，後爲宋太宗）知道他清廉耿介，便要府衙裡的官員，帶了一批錢箱，裝著五百千錢幣（就是五十萬文。《四友齋叢說》云：千錢成串爲一吊。共五百吊，很多很重），餽贈給他。因爲是御弟（天子之弟）送來的，不好峻拒，劉溫叟便指定存放在廳堂西邊的空舍裡，還當場請那位官員貼上封條才離去。

第二年的五月五日（端午，又叫重午）是蒲節，趙光義又送來應節的粽子（又叫角黍）和紈扇（用薄絹製的團扇），仍然是由上次那位官員送來，一看西舍裡的錢箱，上年貼的封條仍在，迄未動過。回府後，報告了趙光義。

光義歎道：「我送的禮物，他都原封不動，別人送的更不用說了。」於是再派馬車，把禮物都搬了回來，免得有傷劉溫叟的清譽。

後來，趙光義陪宋太祖在宮中宴飲。談論起當今有節操的人士。光義便將劉溫叟封錢的事講了出來，宋太祖嗟歎贊美了好久。

**【原文附參】**：御史中丞劉溫叟，爲中丞十二年。屢求解職，帝難其代，終不許。家貧，開封尹光義聞其清介，嘗遣府吏齎錢五百千遺之。溫叟不敢卻，貯廳事西舍中，令府吏封識乃去。明年重午，復送角黍紈扇，所遣吏即前送錢者，視西舍封識宛然，還、以告光義。光義曰：我餽猶不受，況他人乎？乃命輦歸府中。他日，光義侍宴，論當世名節士，具道溫叟辭錢事，帝歎賞久之。（見：淸、刑部尙書徐乾學：《資治通鑑後編》、卷六、宋紀六）

**【編者私語】**：金錢誰不愛？劉溫叟則不重金錢重節操，眞是「窮且益堅」，不墜其志。孔子說：「君子固窮」，劉中丞雖貧於財，卻富於德。他貧賤不能移，抬得起頭，挺得起腰，一身骨鯁，誰個都畏他敬他，這便不是五十萬錢可以買到的了。有人說：大丈夫不名一文，不足爲恥；如果沒有品德，那就不值一錢了。今天大家見錢眼開，都想一夜致富，因爲有錢能使鬼推磨。但錢太多了，又會「發燒」。究竟要積多少錢才夠呢？似乎又沒有準則。我們要知道：足與不足，在吾人心中一念之間。今天人人都衣食不缺，溫飽不愁，還是將「人生觀」提昇一層爲妙。

## 二八四　要行淫為何不抓（善譬）

三國時代，蜀漢簡雍，字憲和，涿郡人。和蜀主劉備（一七〇—二二三）自小就有交往，善於滑稽諷諫，也受到劉備的親重。

劉備於公元二二一年，在成都（四川省）稱蜀漢昭烈帝，是謂先主（以別於後主劉禪）。簡雍封爲昭德將軍。有一年，久旱不雨，麥穀收成大減。政府禁止釀酒，以免耗費而影響民食，犯禁的都有刑罰。

成都執法的官吏，在一民家搜出了釀酒的器具，認爲抓到了製酒設備，證據確鑿，要用禁酒的法條來重辦他。

此事傳揚開來，大家都知道了。這一天，簡雍陪著先主劉備在宮外閒步遊觀，見前面有一對男女並排偕行。簡雍說：「前面這對男女要行淫，爲甚麼不抓起來辦罪？」

劉備奇怪的問道：「你怎麼會知道？」

簡雍說：「他們兩人身上，都有行淫的器官，和那有釀酒器具的嫌犯一樣的嘛！」

先主劉備大笑，便交待不要追究那有釀具的民家了。

**【原文附參】**：簡雍，少與先主有舊。先主入成都，拜簡雍爲昭德將軍。時天旱禁酒，釀者有刑。吏於人家索得釀具，論者欲令與作酒者同罰。雍與先主游觀，見一男女行道。謂先主曰：彼人欲行淫，何以不縛？先主曰：卿何以知之？雍對曰：彼有其具，與欲釀者同。先主大笑，而原欲釀者。（見：陳壽：《三國志》、蜀志、卷八）

**【編者私語】**：犯罪與刑罰，概須法律有明文規定，才可處罰。這稱爲「罰刑法定主義」，各國皆然。《漢書刑法志》裡，就有疑獄比附難決的敘述。我國舊刑法第一條說：「行爲時之法律，無明文科以刑罰者，其行爲不爲罪。」這是從負面作規定。現在的刑法總則第一條說：「行爲之處罰，以行爲時之法律，有明文規定者爲限。」這是從正面作規定。禁止釀酒，必須有「釀」的行爲，乃構成犯罪的要件。家藏釀具，不曾有「釀」的動作，不能處罰他。譬如搜到麻將牌，如沒有賭徒擺出賭資正在賭，不能以賭博罪處斷，只能說家有賭具。賭具如屬違禁品，沒入可也。倘若牽援比附，那稱爲「罪刑擅斷主義」，將動輒得咎，社會永不安寧了。申言之，簡雍的譬喻，還有點牽強。男女身有淫具，這是天生的，總不能閹割吧；而釀具是人爲的，自可依法立禁。兩者不能混擧，但一時詭辯，也不失其以戲譬解紛之效。

## 二八五　要殺曾國藩之妾

（保節）

曾國藩（一八一一——一八七二）平定了太平天國，封爲毅勇侯，後來又做了兩江總督（轄江蘇安徽及江西），總督府設在南京，他便去南京赴任。

他的好友見他眷屬沒有隨同前來，飲食起居，自有不便，就選了一名秦淮歌女（秦淮河貫流南京，畫舫歌樓很多）名叫小紅的獻給他，在身邊照料。

曾國藩起初不肯接受，及至小紅盈盈拜見時，溫柔宛妙，相當引起好感，於是姑且讓他留下來。那小紅柔情似水，又善解人意，生活細節，都先已料到曾國藩的心意，早就服侍妥當了。如此一久，身邊竟沒有一天少得了這位小美人。

那時彭玉麟（字雪琴，衡陽人。一八一六——一八九〇）助曾國藩平定太平天國之後，奉旨督辦長江水師，正沿江巡察，一路到了南京。曾國藩是他恩師，按禮應當拜見。彭玉麟剛一上岸，就聽說曾爺納妾的事，大起怒火，當即佩上寶劍，直向兩江總督府衙門走去，聲言必把小紅殺掉，以保全老師的淸白聲譽。

有人急忙跑去報告曾國藩，說：「彭宮保（太子少保稱宮保，這是虛銜，不是眞的做老師）提著寶劍，要來斬殺小紅了。」

曾國藩臉上變了顏色，料想大禍來了，連忙命人準備小轎，急送小紅由督府後門溜出躲避。

小紅哭了，哀求道：「曾爺，以你侯爵總督的尊貴地位，難道連一個弱小的女孩子都保護不了嗎？」

曾國藩說：「你不懂得彭宮保，他性情剛直，爆烈如火。唯獨他才是我最害怕的學生。你如不趕快逃開，恐怕小命都沒有了。」

小紅剛一走，彭玉麟就氣沖沖的來了，大聲喊道：「何物妖女，膽敢破壞我老師的名節！」

曾國藩說：「雪琴，你聽錯話了，我一直都是獨身的呀。」

彭玉麟不相信，仗著寶劍，在府衙裡到處搜查，一直沒有發現。這才回到正廳，以學生的身分，向老師曾國藩叩頭，遵照弟子儀節，補行見師禮。

叩頭完畢，不等曾國藩開口，便嚴正地說道：「曾公是我恩師，你一世功勳，爲天下所共仰，全國人都知道老師以嚴律己。如今外面傳說你養了小妾，想必不是空穴來風吧？但願老師以名節爲重，使做學生的我也同感光榮。」

從這天以後，曾國藩再也不敢接近小紅了。而老師學生的情誼，像曾彭這樣篤直嚴謹的，也是古今少見的了。

**【原文附參】**：曾國藩開府金陵，摯友以其眷未隨任，特獻一秦淮歌妓名小紅者，爲之照料起居。曾初不允，及小紅盈盈拜見，頗獲好感，遂姑且留侍。小紅柔情似水，凡事先意承旨，終乃不可一日無此姝矣。時彭雪琴巡江，路過金陵，按禮應拜老師。甫上岸，即聞納小紅事，大怒，乃佩劍直趨總督府，聲言必殺小紅，以保老師清譽。有人奔告國藩，言彭宮保持劍來殺小紅矣。曾色變，急命備轎欲送小紅從後門出。小紅哭謂：以侯爺之尊，獨不能保一弱女子耶？曾曰：彭宮保剛烈如火，乃吾最畏之門生。汝不快逃，命且不保。小紅甫走，彭已洶然而至，大喊：何物妖女，敢壞吾師名節？曾曰：雪琴誤矣，吾固獨身耳。彭不信，仗劍搜查，終無所見。乃向曾叩首行禮。禮畢，未待曾開口，即正色言曰：吾師一世功勳，爲天下共欽，世人皆知吾師以嚴律己。今外傳吾師蓄妾，諒非空穴來風，願以名節爲重。自是國藩不敢再近小紅。而師生情誼如曾彭者，亦古今少見也。（見：《朱氏淘沙》、卷一）

**【編者私語】**：不攜髮妻，納收小妾，雖云照料起居，究是爲德不卒也。唯有彭玉麟護其恩師，敢於仗劍搜衙，換他人哪有此膽？唯有曾國藩畏此徒弟，終於孽緣斬斷，換他人怎會收心？有彭玉麟之剛直正氣，顯曾國藩之向善回頭。如今少見曾彭，不免長思遺範。彭玉麟隨曾國藩剿太平天國，克武漢、九江、蕪湖，戰功甚偉。小孤山一役，尤著威名。後來官至兵部尚書，謚剛直。我們看彭玉麟在本篇中的言行表現，似乎衹是一介莽烈的武夫，實則他是詩文書畫全能，晚年且自號「退省庵主人」。他那《辭漕運總督奏摺》（最肥的高官），表露士人正氣，傳譽至今。他由澎浪嶼攻克了小孤山時，刻石山上，有句云：「十萬貔貅齊拍手，彭郎奪得小姑回」（俗稱澎浪嶼爲彭郎，小孤叫小姑也）這是何等氣概？他幼時和一少女梅娘相戀，發跡後，派人去找梅娘，卻已死了。彭傷痛異常，此後即以畫梅排遣悲懷，作詩也多以詠梅爲主，詩畫都好。後來，又喜歡一個叫春燕的美女，不料又死了。曾國藩輓以聯曰：「未免有情，看杏謝桃殘，一夕遽驚春去也」。「豈能無慟，問巢空泥落，幾時重見燕歸來」。把春燕兩字，嵌入上下聯中以慰彭，足見曾彭師生兩人情誼之篤厚也。

## 二八六　柳木豈可作車轂（該殺）

五代梁朝開國皇帝朱全忠，本名朱溫。唐僖宗時，跟隨流寇黃巢作亂。後來降唐，賜名全忠，封為梁王。其後弒了唐昭宗及哀帝，自己登位，國號梁，史稱後梁。

有一天，他同一群部屬和遊客們坐在一株大柳樹下乘涼。全忠故意獨自說：「這株柳樹，正好可做車轂（車輪中央的圓木叫轂，中心空處穿入車軸）。」跟隨的人，還沒有回應，卻有好幾個遊客，站起來應聲說：「柳樹正好做車轂。」朱全忠一時怒起，大聲罵道：「我最恨這班唸了幾句臭書的人。喜歡順口玩弄人，都是這些無聊的敗類。車轂要用夾榆（按夾榆又叫田榆。《通鑑》唐昭宗天祐二年載：「車轂須用夾榆」），柳木哪裡可以？」回頭對左右說：「還等待甚麼？」幾十個他的部屬，抓起那些說柳木可做車轂的人，一起殺掉了。

**【原文附參】**：朱全忠嘗與寮佐及游客坐於柳下。全忠獨言曰：此木宜為車轂。衆莫有應。有游客數人起應曰：宜為車轂。全忠勃然厲聲曰：書生輩好順口玩人，皆此類也。車轂須用夾榆，柳木豈可為之？顧左右曰：更何待？左右數十人，捽言宜

爲車轂者，悉撲殺之。（見：孔平仲：《續世說》、假譎）

**【編者私語】**：文人無行，喜歡阿諛討好，卻不料遇到的正是強盜出身的皇帝，致惹殺身之禍。朱全忠是草莽武夫，看不慣這些品格低下的讀書人，雖然殺得過當，也是咎由自取。

# 二八七　為學只在專與勤（勵學）

北宋王巖叟，字彥霖。他參加縣試（考秀才）、省試（考舉人）、廷對（欽考進士），都是第一名列榜。熙寧（宋神宗年號）年間，神宗下詔，要朝中某位大臣推舉御史。這位大臣心中屬意於王巖叟，但還不曾認識他。在這考慮的時期裡，有人建議他不妨去拜謁一下。王巖叟笑道：「我若主動去見他，那便是獻身請求賞賜個御史做了。」始終沒有去造訪。但若干年後，仍擔任了言官（職司糾彈，就是御史）五載。

宋哲宗（一〇七七—一一〇〇）在位的時候，王巖叟奉命對皇帝講解經書。乘暇問道：「陛下退朝之後，政務清閒時，請問你做甚麼來打發時日？」

哲宗答：「暇時就是看書。」

王巖叟說：「陛下對讀書有興趣，這是天下人所樂聞的美事。古聖先賢的學問，太深太廣，不是一下子就可貫通的。必須日積月累，才會有成。積累的要訣有兩個：一是專（專心致志），一是勤（勤憤不懈）。不耽於別的嗜好，唯學是務，才叫做專。長期去鑽研，歷久而不倦，才叫做勤。甚盼陛下對這專勤兩字特別留意。」

宋哲宗欣然接納了王巖叟這番議論。

【原文附參】：王巖叟，字彥霖。縣試、省試、廷對皆第一。熙寧中，有詔近臣舉御史，舉者意屬巖叟而未及識。或謂可往一見，巖叟笑曰：是所謂呈身御史也。卒不見。哲宗臨御，巖叟因侍講，奏曰：陛下退朝無事，不知何以消日？哲宗曰：看文字。對曰：陛下以讀書爲樂，天下幸甚。聖賢之學，非造次可成，須在積累。積累之要，在專與勤。屛絕他好，始可謂之專；久而不倦，始可謂之勤。願陛下特留聖意。哲宗然之。（見：《宋史》、卷三百四十二、列傳第一百一）

【編者私語】：讀書的方法，古人講得很多。曾文正公（國藩）說：「讀書第一要有志（有志趣才會去努力求知，有興趣才會去樂於求知），第二要有識（有眼光選擇致力的途徑，不瞎摸），第三要有恆（學如不及，猶恐失之。鍥而不捨，就是勤）。」朱文公（朱熹）說：「讀書有六法：一曰循序漸進（沒有走穩時，不要急於學跑），二曰熟讀深思（溫故知新，反覆研求），三曰虛心涵泳（不要先存成見，接納各種見解），四曰切己體察（讀書目的在致用，要衡量是否自己需要，要體察是否切實可行），五曰著緊用力（勤於學習，以達博厚），六曰居敬持志（做學問不是消遣，要存心恭謹，貫徹始終）。」但還不及本篇「專、勤」兩字扼要。專是獨攻一門，心無旁騖，避免歧路亡羊。勤是鍥而不捨，鑽之彌深，避免一暴十寒。看似老生常談，實爲中肯有得。言雖平淡，卻不可忽略了。不但求學如是，凡事莫不如是。只要付出傻勁，定會獲致成就。

# 二八八　負薪者李進士也（隱逸）

李孔昭，字光四，又字潛夫，薊州籍（今河北薊縣）。明末清初時人。明崇禎十五年（一六四二），中了進士。他不貪虛名，將起造進士牌坊的公款，捐給國家，以助軍餉。

明代之末，世局敗壞。流寇張獻忠（一六〇六—一六四六）李自成（一六〇六—一六四五）作亂，洪承疇（一五九三—一六六五）抗清被擒。李孔昭見時政日非，個人無力回天，便帶著母親，隱居在盤山之中（又名田盤山，在薊縣西北），種田打柴度日。日子久了，別人很少認識他了。

清朝統一了天下，有聖旨訪求前代遺老（在野年長的遺賢），他不願出山。一天，官府派了專使，捧著徵召的文書和禮金，特意專程拜訪他，表達朝廷聘他出仕的誠意。

這位專使，路途不熟，正好在山腰遇到一個背著薪柴的鄉下人，叫他停步，問道：「你知道李進士的家在哪裡嗎？」

扛柴的鄉下人問明了原因，用手遠遠的指出了方向，就分開了。等到這位專使，尋到李進士的家，進門一看，家裡全空了，人早已避開不在了。

鄰居有位老者，告訴這位專使說：「你當面錯過了呀。剛才那位背柴的人，他本人就是李進士嘛！」

【原文附參】：李孔昭，字光四，薊州人。明崇禎十五年進士。見世事日非，奉母隱盤山中，躬執樵採自給。形跡數易，人無識者。清初，詔求遺老，不出。一日，當道遣吏，持書幣往，遇負薪者，呼而問之曰：若識李進士耶？負薪者詰得其故，以手遙指而去。吏至，其室虛矣。鄰叟曰：汝面失之，向所負薪者，李進士也。（見：《清史》、卷五百、列傳二百八十六、遺逸卷二）

【編者私語】：讀書就是明理，知道進退。《孟子盡心上篇》說：「窮（在野）則獨善其身（修己），達（在朝）則兼善天下（福民）。」如果遇到世局紛亂，抱負不能施展，便只好隱居山林待時。必須要看得很開，敝屣富貴名利，才可心安理得而怡然自樂，這要更高的修養。宋代朱敦儒（字希眞）有一首《西江月》詞，就看破了這點，錄供參悟。詞曰：「世事短如春夢，人情薄似秋雲；不須計較苦勞心，萬事原來有命。幸喜三杯酒好，況逢一朵花新，片時歡笑且相親，明日陰晴未定。」

## 二八九　軍中不聞天子詔（嚴肅）

西漢時代，北方匈奴勢盛，時常南下侵掠。漢文帝（公元前二〇二—前一五七）為了守禦京都（長安），挑選了三位將軍：派河內太守周亞夫（前？—前一四三，周勃之子）統軍駐紮在細柳（長安西北），宗正（皇族官名）劉禮統軍駐紮在霸上（長安之東），祝茲侯徐厲統軍駐紮在棘門（長安之北），共同防備匈奴入寇。

漢文帝親自去慰勞三處駐軍的辛勤，出動了車馬隨從。御駕先到東郊霸上，再到北郊棘門。這兩個軍營，由於是皇帝親臨，鑾駕逕自長驅直入，一路奔馳到中軍帳前停下。營中將校們騎著馬，隨行恭迎進入，又簇擁護送出來，叩謝天恩，順利的完成了勞軍的聖典。

最後才前去西北郊的細柳營，只見守營的士兵和軍吏，人人持矛披甲，刀兵耀眼生光，弓弩都上了箭，強弦拉得很滿，一切都處於備戰狀態。天子的前導官馳馬奔來，卻被擋在營門之外，不許進入。

前導官說：「天子勞軍，馬上就快到了！」

守衛的軍頭道：「周將軍有令：『軍中只聽主帥命令，不受天子詔諭。』閒人不得擅闖！」

前導官無可奈何，只得等候。一會兒，漢文帝也到了。士兵們不認識天子，又未接奉指示，營門還是不開。漢文帝只好派個隨從官，充當使者，拿了皇帝的符節，詔告周將軍說：「寡人來入營勞軍。」

周亞夫傳下命令，大開軍營正門，請皇上入內。守衛的軍頭，又對駕馬的人說：「周將軍有規約：『在本軍營區之內，不得快馬奔馳。』請大家不要犯令！」於是皇駕也勒緊馬韁，約束大隊人馬，徐徐行進。

到了中營，只見統帥將軍周亞夫，全身兜鍪鎧甲，手持長劍，行近兩三丈遠處（持有兵器，不可太近皇帝），抱劍向漢文帝一揖，大聲奏道：「臣在軍營，戴盔披甲（前後有護胸護背，肩肘膝腿都有護甲），不能跪拜，請准以軍禮參見。」漢文帝看到這種威嚴肅穆的場面，心中很爲感佩，臉色也端莊了，在御車上用手撫著車前橫木，俯而憑式（古儀叫做式車），表示答禮。命人告知周亞夫，天子這次親臨，乃是特意前來慰勞將軍的。於是依照禮節，檢閱步騎軍容，觀察戰陣操演，完成了勞軍儀式才離去。

出了軍門後，這些驚懼惶悚的隨從和大臣們，才鬆了一口氣。漢文帝歎道：「哇！這才眞正是個將軍呀。前面兩處，看到霸上和棘門的軍容，都好像兒戲一樣的嘛！」好久好久，還在稱贊不已。

**【原文附參】**：漢文帝禦匈奴，以河內太守周亞夫爲將軍，次細柳；宗正劉禮爲將軍，次霸上；祝茲侯徐厲爲將軍，次棘門，以備胡。上自勞軍，至霸上及棘門軍，直馳入，將校以下騎送迎。已而之細柳軍，軍士吏被甲，銳刀刃，彀弓弩，持滿。天子先驅至，不得入。先驅曰：天子且至軍門。都尉曰：將軍令曰：軍中但聞將軍令，不聞天子之詔。居無何，上至，又不得入。於是上乃使使持節詔將軍：吾欲入營勞軍。亞夫乃傳言開壁門。壁門士請車騎曰：將軍約：軍中不得馳驅。於是天子乃按轡徐行。至營，將軍亞夫持兵揖曰：介胄之士不拜，請以軍禮見。天子爲動，改容式車。使人稱謝，皇帝敬勞將軍。成禮而去。既出軍門，群臣皆驚，上曰：嗟呼，此眞將軍矣。曩者霸上棘門軍，若兒戲耳。稱善者久之。（見：《資治通鑑》、卷十五、漢紀七）

**【編者私語】**：兵凶戰危，古有明訓。打仗性命攸關，這必須平時力求紀律嚴明，才可在戰時衝鋒陷陣。孫武子請吳王的寵妃作隊長，斬妃以肅紀，女兵竟可赴水火而不辭。司馬穰苴請莊賈監軍，日中後至，斬其首以申法，士卒爭奮。都是振肅軍紀的例子（兩事均見本書）。先導官不知軍紀似鐵、軍令如山之理，以爲天子駕到，何人敢予阻攔?卻碰到細柳營的衛兵，拒之於營門之外。後來皇帝到了，仍然大門不開。若是別的天子，便要問周亞夫有幾個腦袋，如此侮慢?應即撤職，峻究嚴辦。幸好是漢文帝，不但「按轡徐行」，還誇他是「眞將軍也」。君臣並美，千古留芬。

## 二九〇　軍中只有一月糧　（欺瞞）

袁紹（字本初）興兵百萬，向官渡進發，攻打曹操（一五五—二二〇，字孟德）。相持了幾個月，曹操軍糧快沒有了，派人急往許昌催糧。

袁紹有位謀士許攸（字子遠），因與袁紹意見不合，獻策被袁紹駁斥，且因以前就與曹操友好，便逕往曹營，投奔曹操。

曹操聽說許攸來到，十分高興，等不及穿鞋，赤腳跑出帳外，把許攸接進營中，拍手笑道：「子遠（許攸字）來了，我的大事就會成功了！」

許攸就坐後，問曹操道：「袁紹的兵威很盛，你打算如何對付？此外，你的軍糧，還有多少呢？」

曹操說：「足可供給一年。」

許攸笑道：「我看不對，再說說聽聽！」

曹操說：「還可支持半年。」

許攸再問道：「明公你是不想打敗袁紹吧？爲甚麼不肯說實話？天下人都說曹孟德是個奸雄，今天看來，此話果然不假！」

曹操說：「子遠，你難道沒聽說『兵不厭詐』麼？剛才的話，是騙外人的。實不相瞞，軍糧只有一個月了。」

許攸生氣了，道：「不必誑我，你的軍糧快沒有了！」

曹操低聲說：「子遠眞是厲害！騙不倒你！既然你已知道實情，此次念舊而來，我該怎麼辦呢？」

許攸說：「你帶著孤零寡少的部隊，獨自困守在這裡，外面旣沒有援軍，而軍糧又快完了，這是危急的時刻，本就不妙。而今久持不下，又不想採取快速求勝之法，這是找死呀！我許攸倒有一個破敵之策，不知你願意聽嗎？」

曹操大喜道：「我就料到故友子遠會幫我，極想聽聽你的妙計！」

許攸道：「如今袁紹的軍糧輜重和補給品，全都屯積在烏巢，防守並不嚴密。你只要派一支快速部隊去突擊，燒掉他的糧倉和軍械庫，不過三天，袁紹百萬大軍，馬上就會崩潰了。」

曹操大喜，贊佩這是妙計，便選派精銳輕騎，冒充袁紹的旗幟番號，晚上從小路出發。遇到半途查問時，都說：「我們袁公，恐怕曹操從後面包抄，特別加派這支部隊來增強防備。」對方都相信了，沒有起疑。

曹操的部隊很快到了烏巢，立刻團團圍住，一齊放起大火，把糧倉、軍械庫、彈藥庫全燒光了，殺了守將眭元進。袁紹敗走了。

**【原文附參】**：曹瞞傳曰：公聞攸來，跣出迎之，撫掌笑曰：子遠來，吾事濟矣。既入坐，謂公曰：袁氏軍盛，何以待之？今有幾糧乎？公曰：尚可支一歲。攸曰：無是。更言之。又曰：可支半歲。攸曰：足下不欲破袁氏耶？何言之不實也？公曰：向言戲之也，其實可一月，爲之奈何？攸曰：公孤軍獨守，外無救援，而糧穀已盡，此危害之日也。今袁氏輜重在烏巢，屯軍無嚴備。今以輕兵襲之，不意而至，燔其積聚，不過三日，袁氏自敗也。公大喜，乃選精銳步騎，皆用袁軍旗幟，夜從間道出，所歷道有問者，語之曰：袁公恐曹操鈔略後軍，遣兵以益備。聞者信以爲然，皆自若。既至，圍屯，大放火，破之，盡燔其糧食，斬督將眭元進。

（見：《三國志》、魏志、卷第一、武帝紀第一注）

**【編者私語】**：許攸多謀，袁紹不能用他，以致反給曹操獻策，應是袁紹跟自己過不去，茲不多論。至於曹操，他給我們的印象，似乎很難對別人說眞心話。現代人更精靈乖巧了，「兵不厭詐」，無論在軍事戰、政治戰、商情戰中，都可廣泛使用。曾憶對日抗戰勝利後，中共屢攻國軍，美國派特使馬歇爾將軍來華，組成調處小組，由國軍、中共、美國三方共同調處爭端。每次集會調查眞相時，中共累次説謊，馬氏累次駁穿。有人私下問中共代表：「每次造謠，每次戳穿了，豈不害臊？」答曰：「和談也是作戰，兵不厭詐，何臊之有？謊話説一百次，只要有人相信一次，就成功了。」似比曹操還勝一籌。

## 二九一　皇帝不易為及其他（爲政）

【一】

宋太祖趙匡胤（九二七—九七六），是涿郡人（今河北涿縣）。即帝位後，有一天，散朝退下，回到便殿裡坐著，悶悶不樂，許久不講話。左右近侍，請問他甚麼緣故？宋太祖說：「你們以爲做皇帝很容易嗎？今天早朝時，觀察事情太輕忽隨便了，沒有多加考慮，匆忙中錯誤的決定了一樁大事。現在還覺得很不對，所以久久不樂呀。」

【二】

唐末的五代十國中，有個吳越國（八九五—九七八，據有蘇浙閩之地）。宋太祖有了天下，該國國君錢俶，敬畏天威，親來朝覲。宋朝自宰相以下諸大臣，都建請扣留錢俶，並收取他的國土。宋太祖不聽，還是要他回歸本國。

錢俶辭行時，宋太祖將大臣們的奏章幾十通，密封起來，交給錢俶。告誡他說：須到路上，才可獨自祕密拆看。錢俶走到半途，啓開遍觀，全都是要拘留他不准放他回國的奏疏。錢俶又感激，又害怕，等到宋兵平定江南時，便自動請求削除國號，獻上國土，歸降宋朝了。

【三】

十國中還有一個南漢（九〇五—九七一，據有粵桂閩之地），國君叫劉鋹，喜好用酖酒（毒酒）毒害臣僚。後來歸降宋朝了。

有一次，陪同宋太祖在講武池遊宴，宋太祖斟了一杯美酒，賜給劉鋹喝。他疑心酒裡有毒，但又不敢違命，捧著酒杯，邊哭邊訴道：「我本來就有罪，不當赦免。陛下既然一直留下我，不讓我死，請賜我在這京都大梁（又叫汴京、汴梁。即今開封）市郊，做一介平民，好觀賞這太平的盛況，願望就足了。這杯酒，我不敢喝。」

宋太祖笑道：「我是敞開眞心待人，哪會用毒酒計算於你？」接過劉鋹的酒杯，自己一口喝了。另斟一杯酒，再給劉鋹。

**【原文附參】**：（一）宋太祖趙匡胤，涿郡人也。即帝位後，一日，罷朝，坐便殿，不樂者久之。左右請其故，曰：爾謂爲天子容易耶？早朝乘快誤決一事，故不樂耳。（二）吳越錢俶來朝，自宰相以下咸請留俶而取其地。帝不聽，遣俶歸國。及辭，取群臣留俶章疏數十軸，封識遺俶，戒以途中密觀。俶居途啓視，皆留己不遣之章也。俶自是感懼。江南平，遂乞納土。（三）南漢劉鋹在其國，好置酖酒，以毒臣下。既歸朝，從幸講武池，帝酌巵酒賜鋹，鋹疑有毒，捧杯泣曰：臣罪在不赦；陛下既待臣以不死，願爲大梁布衣，觀太平之盛。未敢飲此酒。帝笑而謂之

曰：朕推赤心於人腹中，寧肯爾耶？即取鋹酒自飲，別酌以賜鋹。（見：《宋史》、卷三、本紀第三）

【編者私語】：宋太祖自悔決策失誤，不文過飾非，不愧是一位開明的領導者。蓋地位愈高，所做的決策影響愈大。不但興一利（創一新法）要愼重，即使除一弊（廢一舊法）也該深思。法幣改爲關金，再改爲金圓券，使財政崩潰是一例；戰士授田條例，折發現金，使國庫受損也是一例。或曰：此論乃是後見之明，當初誰也不能預料。這話不錯，但只適用於買賣股票虧本的人，他的損失只及於己身；對掌理國政的人，卻不能原諒其無過。法律上容或不能追溯究辦，良知上豈能不深感疚慚？此所以宋太祖久久不樂也。《論語》說：「一言可以興邦，一言可以喪邦。」實爲警語，非危言聳聽也。再者，古之帝王，殺人乃是常事。漢高祖殺戮功臣，在保護弱主。唐太宗殺二兄，在爭奪權位。明太祖殺盡強臣，只因太子早死，皇孫還只十歲。唯有宋太祖採和平手段，「杯酒釋兵權」沒有殺人。錢俶納土，劉鋹泣酒，都用感化之法，此點十分可取。

## 二九二　馬上說好便不留心　（習字）

北宋王著（成都人，後來官至殿中侍御史），字知微，精於書法。宋太宗（九三九—九九七）在處理國事之暇，常常刻意練習寫字，對各家各體的承傳，都能洞悉其源流；對碑帖的臨摹功力，也很精妙。

宋太宗把練習寫好的字，要中使（宮中近侍官）王仁睿（十餘歲就入侍，那時太宗還是晉王，甚爲淳謹）拿去請王著評閱。王著說：「還沒有寫得很好，仍須再練。」既然還不太好，宋太宗練習更勤了。隔了十天半月，又拿去給王著看，哪知王著的評語仍和上次一樣。

王仁睿不以爲然，問他。王著才說：「帝君學書，是要長期專注練習的。如果起初就馬上贊美說寫得好，使他心生驕惰，便不會繼續留心了。」

又過了很久，宋太宗再送字給王著評核，他才稱贊道：「功夫已經到頂了，字也寫得極好，連我都自歎不如呢。」

太宗過世後，宋眞宗（九六八—一〇二二）繼位。在朝廷中向宰相提起了這段往事，還著實稱贊王著，嘉許他對先皇帝練習寫字的善良誘導方法，沒有其他人可以及得上。

【原文附參】：王著、字知微，善書。宋太宗聽政之暇，嘗以筆法爲意，諸家字體，洞臻精妙。嘗令中使王仁睿持御札示王著。著曰：未盡善也。太宗臨學益勤，又以示著，著答如前。仁睿詰其故。著曰：帝王始攻書，或驟稱善，則不復留心矣。久之，復以示著。著曰：功已至矣，非臣所能及。其後眞宗嘗對宰相語其事，且嘉著之善於規益，無與其比。（見：《宋史》、卷二百九十六、列傳第五十五）

【編者私語】：帝王學寫字，十分可喜。史書說：南北朝宋朝劉裕，寫字很拙，劉穆之勸他留意，劉裕說因稟性所限，難得寫好。穆之建議說：「但縱筆爲大字，大則足有所包，其勢亦美」（見《宋書》卷四十二）。這是遮醜之法。又唐太宗極喜王羲之的蘭亭帖，甚至用它陪葬，這是愛字成癡的皇帝。又柳公權對唐穆宗說：「用筆在心，心正則筆正。」這是借寫字規諫帝王（見《舊唐書》卷一六五）。又南宋徽宗善書，創爲瘦金體，柳貫詠爲「輕紈留得瘦金書」（台北故宮博物院留有墨寶）。大凡習字，以練大字爲宜。撥鐙法寫小字，點劃纖細，難顯書道；不若擘窠法可盡情揮灑，筆舞龍蛇。大字寫好了，容易收斂成小字；小字雖練好，卻難放勢爲大字。然習字比繪畫尤難。蓋繪畫尚可補塡，疏處加一葉，空處添一枝，便可調和。寫字卻筆劃不能增減，勾捺轉折之際，甚難掌握其橫斜疏密的分寸也。如今書道式微，用毛筆的人日少，不免爲中華文化之承傳而憂心焉。

## 二九三 晉先亡（失政）

晉國的太史官屠黍（有的書上作屠餘）覺得晉國太亂，帶著珍貴的圖籍書冊，投奔到周國來了。

周威公請問他說：「天下這多國家，依你看，哪一國會首先滅亡呢？」

屠黍答道：「晉國先亡。」

威公問甚麼原因。屠黍道：「人事上有許多不義的舉措，百姓都蘊蓄著怨恨，鄰國都不信服。所以我說晉國會首先亡掉。」過了三年，晉國果然亡了（在晉出公時代，政權旁落到智氏趙氏韓氏魏氏諸大夫手裡，國君無權，後來三家分晉，晉亡）。

周威公又問屠黍：「哪一國會接著滅亡呢？」

屠黍回答說：「中山會第二個滅亡。」過了兩年，中山國果然亡了。

威公再問屠黍道：「今後再輪到哪國滅亡呢？」屠黍沉吟不答。威公再三追問，屠黍才答道：「我想你會第三個滅掉吧。」

威公害怕了，訪求到國內的賢德長者，作為諫官，來糾正自己的缺失，又廢除了苛擾百姓的政令三十九種，以圖振衰起敝。

威公覺得改善了不少，告訴屠黍。屠黍回答說：「這些作爲都很好。我想可以維持到你過世的時候吧。」

後來周威公死了，九個月不曾下葬。周朝一分爲二，一叫東周惠公，一叫西周惠公。

**【原文附參】**：晉太史屠黍，見晉之亂也，以其圖法歸周。周威公問焉，曰：天下之國，孰先亡？對曰：晉先亡。威公問其故，對曰：人事多不義，百姓多鬱怨，鄰國不服，故臣曰晉先亡也。居三年，晉果亡。威公又見屠黍而問焉，曰：孰次之？對曰：中山次之。居二年，中山果亡。威公又見屠黍而問焉，曰：孰次之？屠黍不對。威公固問焉，對曰：君次之。威公乃懼，求國之長者，以爲諫臣。去苛令三十九物。以告屠黍。對曰：其尚終君之身乎？威公薨，九月不得葬，周乃分爲二。

（見：《呂氏春秋》、先識覽。又見：《說苑》、卷十三、權謀篇）

**【編者私語】**：國之興亡，必有徵兆。歷史是面鏡子，爲政的人，豈可不讀歷史？唐太宗說：「以銅爲鑑，可正衣冠；以古爲鑑，可知興替；以人爲鑑，可明得失。」請三復斯言。

# 二九四 追韓信 （知人）

韓信（前？—前一九六）脫離楚王項羽（前二三二—前二〇二），投效漢軍。滕公（即夏侯嬰，劉邦好友）見他像貌威壯，推薦給劉邦（前二四七—前一九五），封他爲治粟都尉（掌理糧鹽鐵之官），也未覺得他有何特別之處。

初入漢營，了解他的人不多。及至韓信幾次和蕭何（前？—前一九三）談話，蕭何才發覺他確是個奇才，對他另眼相看。

漢軍到了南鄭（在陝西省），那時勢弱，將士們私自逃亡離去的有幾十人。韓信猜度劉邦不可能重用自己，前途沒有指望，也就不告而別了。

蕭何聽說韓信也逃亡了，一時情急，來不及告訴劉邦，立即親自去追他回來。旁人報告劉邦，說蕭丞相不知何故也跑了。劉邦又怒又恐，有如失掉了左右手，不知如何是好。

過了兩天，蕭何回來了。劉邦既怒又喜，對蕭何罵道：「你也逃了，爲甚麼？」

蕭何說：「我不是逃，是去追逃亡的人。」

劉邦問道：「追誰？」

蕭何說：「追韓信。」

劉邦又罵道：「將士們逃亡的有十幾個，別人你不去追，獨獨去追韓信。他只是個都尉，你在撒謊！」

蕭何說：「那些逃了的將士，容易找人補替。唯獨韓信，乃是國士無雙。大王如要爭奪天下，沒有韓信便無人替你策劃！」

劉邦道：「既如此，那我就用他爲將（將領）可以了吧！」

蕭何說：「你用他爲將，他仍然不會留下。」

劉邦道：「用他爲大將好了。」便要召喚韓信前來受封。

蕭何說：「大王你素來傲慢少禮。到如今，對拜大將這等事，也像呼喚小孩一樣，這就是韓信不告而去的原因。大王如果眞要拜大將，必須選擇吉日，誠心齋戒，築造將壇，舉行大禮，這樣才可以。」劉邦爽快的都接受了。

拜大將的消息傳了開來，全體將士都很興奮，人人以爲自己會拜爲大將。等到拜將之日，登臺受拜的乃是韓信，全軍這才驚服。

**【原文附參】**：信亡楚歸漢，滕公壯其貌，言於上，拜爲治粟都尉，上未之奇也。信數與蕭何語，何奇之。至南鄭，諸將亡者數十人，信度上不我用，即亡。何聞信亡，不及以聞，自追之。人言丞相亡，上大怒，如失左右手。居二日，何來，上且怒且喜，罵何曰：若亡，何也？何曰：臣追亡者。上曰：所追者誰？何曰：韓信也。上復罵曰：諸將亡者十數，公無所追；追信，詐也。何曰：諸將易得也，如信者，國士無雙，王必欲爭天下，非信無所與計。王曰：吾以爲將。何曰：雖爲將，信必不留。王曰：以爲大將。於是王欲召信拜之。何曰：王素慢無禮，今拜大將，如呼小兒，此信所以去也。王必欲拜之，擇日齋戒，設壇具禮，乃可耳。王許之。諸將皆喜，人人各以爲得大將。至拜大將，乃信也，一軍皆驚。（見：《史記》、卷九十二、淮陰侯列傳第三十二）

**【編者私語】**：韓信不愜劉邦，只好偷偷出走；蕭何急追韓信，獨識國士少有；劉邦怒罵蕭何，一副油腔滑口；司馬寫活三人，眞是斲輪老手。

# 二九五　除三害（自新）

晉代周處，陽羨人，即今江蘇省義興縣。少年時，力氣大，性情乖戾，凶殘強悍，鄉里百姓，既怕他又恨他，稱他是是個特級流氓。

那時候，義興縣長橋河裡有條惡蛟，南山上有隻暴虎，常常危害縣民。義興人把周處算上，稱之爲「三橫」，就是三害，而以周處的爲害最烈。

有人鼓起勇氣，勸說周處去殺虎斬蛟，本意欲使三害互鬥，同歸於盡。周處便上山殺了老虎，又下江去搏惡蛟。與那蛟龍載浮載沉，周處跟著它纏鬥翻騰了幾十里。這樣過了三天三夜，鄉里間人人都認爲惡蛟已遠離了，周處也已死了，三害都除，大家高興得互相道賀。那知周處終於把蛟龍斬了，回到故居，聽到街坊的慶賀之情，方曉得自己才是三害中的首害，沉思良久，興起了悔改的念頭。

那時，吳郡有兩位兄弟：陸機和陸雲，號稱二陸，是名賢陸遜之孫、陸抗之子，甚有名望。周處前往乞求謁見，陸機不在，見到了陸雲。周處稟明來意，並說：「想要重新改過，但覺得年歲虛度了，恐怕會一事無成。」

陸雲勉勵他道：「孔子說過：『朝聞道，夕死可矣』。意思是早晨聽懂了性命之道，徹悟了人生的眞諦，即使晚上就死，也不會有何遺憾。可見明理是很重要的。你還有光明的前途，實不算起步太晚。而且做人只怕志向沒有確立，不必怕名譽沒有傳揚開來呀！」

周處從此重新做人，勵志向善。後來入仕吳國爲東觀左丞，入晉爲新平太守，累官到御史中丞。死後賜謚曰孝。

**【原文附參】**：周處年少時，兇強任氣，爲鄉里所惡。又義興水中有蛟，南山有虎，並皆暴犯百姓。義興人謂爲三横，而處尤劇。或説處殺虎斬蛟，實冀三横唯餘其一。處即刺殺虎，又入水擊蛟。蛟或浮或沒，行數十里，處與之俱。經三日三夜，鄉里皆謂已死，更相慶。竟殺蛟而出，聞里人相慶，始知爲人情所患，有自改意。乃自吳尋二陸。平原不在，正見清河，具以情告。並云：欲自修改，而年已蹉跎，終無所成。清河曰：古人貴朝聞夕死，況君前途尚可。且人患志之不立，亦何憂令名不彰耶？處遂改勵，終爲忠臣孝子。（見：《世說新語》、自新第十五。又見：《資治通鑑》、卷八十、晉紀二）

**【編者私語】**：除南山之暴虎易，除己身之暴行難。斬長橋之惡蛟易，斬心中之惡念難。周處原是特級暴徒，卻能頓悟徹悔，非賢亦哲，迥異尋常。

# 二九六　捕鳩放生

（非善）

戰國時代，趙國位居中國北方，首都叫邯鄲（今河北省成安縣）。算得上是個物阜民康的大城邑。

邯鄲城裡一位市民，在正月初一元旦之期，呈獻一隻活的斑鳩給趙簡子（即趙鞅），簡子十分高興，厚厚的賞賜了他。

有位賓客問起這事，簡子答道：「正月初一，將飛禽（如鳩鵲）鱗介（如龜鱉）放生，顯示有恩於牠，會獲好報。」

賓客說：「恐怕未必如此。百姓們知道你要放生，便爭著去捉鳥，鳥兒爲此而死傷的必定不少。你如想要鳥兒存活，不如禁止人民捕捉，不就對了嗎？如今捉他的人多，把他弄死弄傷的人不少，放他的人更少，恩過不能相抵了。」

趙簡子道：「你的見解很對。」

**【原文附參】**：邯鄲之民，以正月之旦，獻鳩於簡子。簡子大悅，厚賞之。客問其故。簡子曰：正旦放生，示有恩也。客曰：民知君之欲放之，故競而捕之，死者衆矣。君爲欲生之，不若禁民勿捕。捕而放之，恩過不相補矣。簡子曰：善。（見：

《列子》、說符篇）

**【編者私語】**：戒殺放生，佛門之善行。亦合於「民吾同胞，物吾與也」之古訓。故有放生亭之建，放生池之闢，放生會之舉行。但要獲得鳩龜來表演放生，便有人競捕鳩龜以供放生表演。捕十可能有五死，放二可能僅一生。美稱放生，實係害生。德乎？孽乎？願起佛祖而釋之。

# 二九七　弱馬打獵

（憂國）

古弼，是代郡人，好讀書，又善於騎馬射箭。南北朝時代，北朝的北魏建國後，北魏明元帝（名嗣，號太宗。四〇九—四二三）很賞識他，賜他的名字叫筆，意思是剛直而有大用。後來又改爲同音字的弼，意思是他有輔佐國家的才略。

北魏太武帝（名燾，號世祖。四二四—四五一）舉行大規模的打獵之遊，地區在河西（黃河以西，今陝西一帶）。古弼那時擔任尙書，叫他在京都留守。世祖（太武帝之廟號）自河西傳來聖旨，要將京裡好的馬匹，都撥去打獵。古弼沒有照辦，只將瘦弱的馬撥交出去。

世祖大怒，說道：「這古弼竟敢不聽話，大膽把我的命令打折扣，這還了得？等我回京，第一樁事就要斬掉他！」

那時殺人很隨便，世祖又說了狠話。古弼手下的官員們，都惶悚恐怖，害怕性命不保，會被連帶殺頭。

古弼安撫他們說：「大家不必驚慌。想我得罪世祖，不過是沒給好馬打獵，不稱心而已，這種罪過很小。如果在保國衛疆的準備上不留意，讓強敵乘虛得逞，這種罪過就太大了。如今北方內外蒙的柔然（即蠕蠕）氣焰方盛，南方的寇盜也未消滅，這才是我最耽心的，所以我留下駿馬來充實軍力。我的考慮比較深遠，隨時在提防外來的侵襲，這就是我的做法。倘若對國家有利，何須規避死亡呢？而且這是我一個人的決定，不是你們的錯，一切由我承擔就好了。」

世祖聽到了，贊歎古弼的忠心和遠見，說道：「國家有這樣盡心的輔佐之臣，這是國家的瑰寶。」回京之後，特別賞賜他錦衣一套，良馬兩匹，馴鹿十頭，以示獎勵。

**【原文附參】**：古弼，代人也。好讀書，善騎射。太宗嘉之，賜名曰筆，取其直而有用。後改名弼，言其有輔佐才也。世祖將校獵於河西，弼留守。詔以肥馬給騎人，弼命給弱者。世祖大怒，曰：敢裁量朕耶？朕還臺，先斬此奴。弼屬官惶怖懼誅，弼告之曰：吾以爲事君使畋獵不適，其罪小也。不備不虞，使戎寇恣逸，其罪大也。今北狄孔熾，南虜未滅，是吾憂也。故選肥馬備軍實，爲不虞之遠慮。苟使國家有利，吾何避死乎？此自吾罪，非卿等之咎。世祖聞而歎曰：有臣如此，國之寶也。賜衣一襲，馬二匹，鹿十頭。（見：北齊、魏收：《魏書》、卷二十八、列傳第十六）

**【編者私語】**：國防第一，軍事爲先。政務雖有千萬端，若能把握緩急重輕，才是有遠見的大人物。

## 二九八　留屍求償（詭辯）

春秋時代的鄭國，在今河南省。境內有一條洧水，發源於登封縣，水量很大。鄭國有位富人，在洧水中溺死了。有人撈起了富人的屍體。富人的家屬要把屍體領回去，但這撈起屍體的人索取很多金錢。雙方沒有談成，僵持不下。富人的家屬就找鄧析求教，請他出個主意。

這位鄧析，乃是鄭國大夫（《左傳》定九年有載），專治名家之言。他一直和鄭國國相子產（元前?—前四九六）作對。而且包攬訴訟。打官司時，歪主意很多。

鄧析聽到了這件事，便對富人的家屬說：「不要緊嘛，你安心等著好了。這具屍體，是你家的，這人一定沒法把死屍賣給別人。」

那個保有屍體的人，眼見價錢沒有講成，而富人家屬又久無動作，耽心不能善後，著急了，也去找鄧析求教，請他出個主意。

鄧析也告訴這人說：「不要緊嘛，你安心等著好了。這具屍體，既是他家的，他必定不可能到別處買得到呀！」

**【原文附參】**：洧水甚大，鄭之富人有溺者，人得其尸。富人請贖之，其人求金甚多。以告鄧析。鄧析曰：安之，人必莫之賣矣。得死者患之，以告鄧析。鄧析又答之曰：安之，此必無所更買矣。（見：秦、呂不韋：《呂氏春秋》、離謂）

**【編者私語】**：《荀子》非十二子篇說：「假今之世，飾邪說、文姦言，以梟亂天下，矞宇嵬瑣，而好治怪說，玩琦辭。其持之有故，言之成理，足以欺惑愚衆，是鄧析也。」劉向也批評鄧析說：「操兩可之說，設無窮之辭」。這都是不對的。詭辯家混淆黑白，顛倒是非，到今天仍弄得世界永無寧日。即以中國統一而論，那邊說：你是地方政府，希望叛逆的兒子回家；如搞台獨，我就動武。這邊說：我已經是暴發户了，兩岸應當一般高，你要放棄專政，讓雙方平起平坐。似這樣各說各話，缺少個交集點，只好長期僵持下去。如同此篇鄧析，讓兩邊都有理由堅持，但問題一點也未解決。

# 二九九　胯下之辱（忍小）

楚漢相爭時期，替劉邦攻取天下的韓信，是淮陰人。原本家境貧寒，既沒有可資稱道的善行，讓地方官選拔舉薦，又不會經商做買賣，以維持生計，弄得一日三餐都有了問題，極為窮困。

有一天，他無所事事，一早到城下河邊去釣魚（城北有條河叫清江浦）。有一個年長的婦人，也同時在河邊用水漂絮（把紗絮用水漂白為職業）。見韓信整天沒有吃飯，起了憐憫同情，便分了一半飯給他吃。韓信那個時期，確也潦倒，竟接連白吃了幾十天。

韓信受了長久的捨飯之恩，心生感激，對漂母說：「你待我太好了，將來我必定會重重的報答你。」

那漂母怒道：「你是個堂堂的男子漢，為甚麼不能憑力氣找碗飯吃？我只是見你長得像個公子哥兒，可憐你，才分飯給你，哪還指望你報答我呢？」

淮陰是個大地方，各色人品很雜。有個不良少年，找上韓信挑釁，說：「看你這副長像，雖然又高又大，身上還帶了長劍，我瞧你只是個膽小鬼而已。」就在街坊衆人的面前，放下狠話，羞辱韓信說：「有種的，不怕死的，就刺殺我。如果沒有膽，就從我的胯下爬過去！」

韓信瞪著眼睛，看了他半天，一句話也沒有說，最後低頭俯身，眞的從那個少年分開的兩腿之間鑽了過去。一街的人都嘲笑他，以爲他的確膽子太小了。

隔不幾年，韓信領著大軍，東征西討，每戰必勝，劉邦封他爲楚王。淮陰正是楚的轄地。他以王爺身分，榮歸淮陰故里。請來那給飯的漂母，酬報千金。又召來那侮辱他，曾經逼他從胯下爬過去的少年，封他在部隊裡做中尉。韓信說：「這人是個壯士，軍中正好需要。從前他羞辱我的時候，我豈不能殺他？但一想還缺少充足的理由，爲小忿殺人也是不值得的。所以容忍下來，才成就了今天的大業。」

**【原文附參】**：韓信，淮陰人也。家貧無行，不能治生爲商賈。至城下釣。有一漂母哀之，飯信，竟漂數十日。信謂漂母曰：吾必重報母。母怒曰：大丈夫不能自食，吾哀王孫而進食，豈望報乎？淮陰少年侮信曰：若雖長大，好帶刀劍，怯耳。衆辱信曰：能死、刺我；不能、出胯下。信熟視，俛出胯下。一市皆笑信，以爲怯。後信爲楚王，至國，召所從食漂母，賜千金。召辱少年令出胯下者，以爲中尉。曰：此壯士也，方辱我時，寧不能死？死之無名，故忍而就此也。（見：《漢書》、卷三十四、韓信傳第四。又見：東漢、應劭：《風俗通義》、卷七、窮通。又見：《史記》、卷九十二、列傳第三十二）

**【編者私語】**：韓信歸漢，劉邦拜他作大將（等於三軍總司令）。他說：「我最會統帶大兵，多多益善。」他確有很高的指揮天才：背水作戰，撥幟立幟，都是他的傑作。但個人謀衣食的能力卻欠缺，豈非長於大略，短於小技耶？語云：「韓信受胯下之辱，張良有進履之謙。」我們不要爲小事而睚眥必報，因爲還有大志要去追求，無暇爭微末耳。

## 三〇〇　能飲一擔（諷諫）

齊威王因淳于髡向趙國借兵，嚇退了楚國大軍，十分喜悅，在後宮大開筵席慶功，賜淳于髡酒。因問道：「淳于先生，你能飲多少酒才醉呢？」

淳于髡見威王飲宴無度，意存諷諫，答道：「臣飲一斗也醉，一石（音義同擔、十斗爲一石）也醉。」

威王反問：「先生飲一斗就醉了，哪能飲到一石？可有甚麼解說嗎？」

淳于髡答道：「若像今天大王賜酒，執法的官員在旁盯著，糾彈的御史在後看著，我耽心害怕失儀，只好低頭默飲，不到一斗，徑自醉了。

「若是在我家中，親長造訪，或來了尊貴的客人。我扣紮衣袖，收攏手肘，躬身微跪，在席前服侍大人們宴飲。有時賞些剩酒給我，我舉杯向賓客們敬酒祝福，幾度起身，又幾度陪酒，飲不到二斗，也就醉了。

「若遇朋輩邀約，宴飲遊樂，久不相見，乍然晤面，互道離情，暢談私話，開懷痛飲五六斗，就會有些醉容了。

「至若參加州縣的大型宴會，男女共聚一堂，互行酒令，筵席時間很長，還夾雜著餘興節目，可以捉對兒玩黑白奕棋，還有投壺之戲。互相拉手不犯規，直眼瞪瞧也不禁。席前掉落了耳飾，桌後忘記了髮簪。我私心很喜歡這種宴樂，可以飲到八斗，醉意還只有十之二三。

「等到太陽下山，酒也喝得差不多了，把杯瓶的酒併合起來，重新入座，男女同在一桌，繡鞋都穿錯了，杯盤也擺亂了，廳上的燭光熄掉了，主人送走了客人，單獨留我下來，綾羅上衣的前襟解開了，微微的還聞到芬芳的體香。這時候我心中最樂，得意忘形之餘，能夠飲到一石。

「但酒後常會失態，所以飲酒不可過量，超量就會起亂。享樂不可過度，樂極常會生悲。萬事萬物，其理都同。進諫的話也不可講得過分，過分就衰竭了，可不是嗎？」

淳于髡用飲酒來諷諫齊威王，齊王說：「先生的解說很對。」就取銷了通夜宴飲的常規，任他爲鴻臚卿，專司賀慶儀典。以後每逢酒會時，都要他到場陪在一起，以防酒失。

**【原文附參】**：威王置酒後宮，召髡賜之酒。問曰：先生能飲幾何而醉？對曰：臣飲一斗亦醉，一石亦醉。威王曰：先生飲一斗而醉，惡能飲一石哉？其說可得聞乎？髡曰：賜酒大王之前，執法在傍，御史在後，髡恐懼俯伏而飲，不過一斗徑醉矣。若親有嚴客，髡帣韝鞠跽，侍酒於前，時賜餘瀝，奉觴上壽，數起，飲不過二斗徑醉矣。若朋友交遊，久不相見，卒然相睹，歡然道故，私情相語，飲可五六斗徑醉矣。若乃州閭之會，男女雜坐，行酒稽留，六博投壺，相引爲曹，握手無罰，目眙不禁，前有墮珥，後有遺簪，髡竊樂此，飲可八斗而醉二參。日暮酒闌，合尊促坐，男女同席，履舄交錯，杯盤狼藉，堂上燭滅，主人留髡而送客，羅襦襟解，微聞薌澤。當此之時，髡心最歡，能飲一石。故曰：酒極則亂，樂極則悲。萬事盡然，言不可極，極之而衰。以諷諫焉。齊王曰：善。乃罷長夜之飲，以髡爲諸侯主客，宗室置酒，髡嘗在側。（見：《史記》、滑稽列傳）

**【編者私語】**：《論語》鄉黨篇曰：「唯酒無量，不及亂。」《百字銘》曰：「少杯不亂性。」《戒酒文》曰：「酒之爲害，内喪若德，外喪若儀。」現今社會，酒食應酬日多，要記住：適量有益，牛飲傷身，不必勸酒，不可酗酒。

# 三〇一　除夕試婿　（敬業）

清朝道光咸豐年間，岳父與女婿同時因豐功偉業而彰顯於世的，都說唯有岳丈林則徐（一七八五—一八五〇）和佳婿沈葆楨（一八二〇—一八七九）二人。他倆都是福建侯官（今福州）人，先後都是進士。林任湖廣總督，後爲欽差大臣，在廣州燒掉英商雅片二百餘萬斤（雅片戰爭因此而起，但過不在林），卒謚文忠。沈任江西巡撫，後爲兩江總督，卒謚文肅。

林則徐的愛女名叫林敬紉，閨名普晴，秀慧而有膽識。父親覓配很嚴，他挑選沈葆楨的經過頗富奇趣。

那時，沈葆楨還是以生員的身分，在林的官署裡當一名書記。有一年除夕之夜，署裡的人都回家了，獨有沈葆楨一人留下處理公文。林偶然在巡視時發現了他，問道：「今晚是大年夜，別人都回去了，你何事留在這裡？」

沈答道：「我因公事還未辦完，不敢先走，所以獨自留下。」

林注視他好一陣，見他器宇非凡，相貌堂堂，而且如此忠誠盡責，來日自不會久居人下，有心進一步試煉他一番，就對他說：「我有一封呈給皇帝的奏章，今晚要寫好送出，恰好你在，這太好了。」便給他一疊文稿，叫他謄寫。

那篇奏章很長，幾乎是萬言書。沈高燃蠟燭，振筆端書，寫到三更，才算恭抄完畢，自己檢查一遍，覺得並無漏字錯字，就送往林過目，順便辭歲，打算回去了。

林約略瀏覽了一下，並不滿意，說道：「這篇東西，書法太草，不合格，必須重寫。」把奏章往茶几上一擱，沒有再看一眼。

沈拿著奏章逡巡退下，也不敢擅自回家，打起精神，用心再寫一遍。等到重繕結束時，天已快亮了。再度敬送林則徐，林看了看他，笑著說：「這才差不多，可以了。」

此時已是初一元旦的早晨，一會兒，賀歲拜年的都來了，堂中聚了許多賓客。林則徐向大家宣佈說：「今天大家向我賀年，也更應當賀我得了個好女婿。」賓客都感錯愕，不知道說的是誰？林把沈從旁叫出來，要他對大衆拱手作揖，說道：「這位沈君，就是我的佳婿嘛。」

林選沈，乃是基於兩個理由：一是除夕通霄還在辦公，不先回家，公爾忘私的精神勝於常人。二是額外命他謄寫奏章，無故要他重錄兩次，折騰了除夕夜一整晚，始終細心敬事，沒有半點急躁或怨言。果然獨具慧眼，以後沈葆楨和林則徐的成就竟不相上下。

【原文附參】：清道咸間，翁婿以功業顯者，世皆稱林則徐與沈葆楨。林之相沈也甚奇。某歲，沈以諸生傭書於林署。值歲除，幕僚皆散歸，而沈獨留治文書。林偶至亭舍，見之，詰沈曰：今夕除夕，餘人均寧家，汝奚事留此？沈曰：治事未竟，故獨後。林諦視良久，曰：吾有奏章，今夕須繕發，汝留此，大佳。畀疏稿囑書，文累千萬言。沈燃蠟疾書，漏三下始竟，自視無訛脱，遂以報林，且告歸。而林忽曰：字太草率，宜重錄。置於几，不復審。沈逡巡不敢歸，復寫一通，天將曉，重以進。林顧而笑曰：此差可。無何，賀歲者紛集，林笑謂曰：今日賀正，並當賀我得佳婿。衆皆愕異，林乃招沈，使揖於衆，曰：此我婿也。蓋林之重沈，殆有二端：歲除治事不歸，有異儕輩；再屬易書，不涉躁怨。宜其後功業如林也。（見：徐珂：《清稗類鈔》）

**【編者私語】**：先是、林囑沈謄稿時，即另備酒食，送往沈的寡母居所，告以署中公忙，必須留下沈葆楨連夜趕辦，恐其子無法返家度歲，請曲諒之。故沈雖未回家，伊母已心安矣。林則徐歿後，清文宗皇帝輓以聯曰：「答君恩清愼忠勤，數十年盡瘁不遑，解組歸來，猶是心存軍國。殫臣力崎嶇險阻，六千里出師未捷，騎箕化去，空教淚灑英雄。」又甘愚泉輓沈葆楨聯：「慕公可謂賢哉，陸嘉定雖曰罷官，無悲言猶感知己。武侯從今逝矣，廖長沙誰能復起，常痛心永爲廢人。」又沈葆楨輓妻林敬紉聯：「念此身何以酬君，幸死而有知，依泉下翁姑，仍然稱意。論全福自應先我，顧事猶未了，看床前兒女，怎不傷心。」又曾國藩輓林敬紉聯：「爲名臣女，爲名臣妻，江右佐元戎，錦繖夫人參偉業。中秋日生，中秋日死，天間圓皓魄，霓裳仙子誕前身。」按南北朝高涼洗氏之女，在家張錦繖，騎駿馬，嫁高涼太守馮寶，擊賊大捷，功封譙國夫人，錦繖夫人之典本此。

## 三〇二　卿得良馬否（馬諫）

南宋岳飛（一一〇三—一一四一），破了曹成（十餘萬衆，岳飛以八千破之），平了楊么（洞庭湖水寇，擒斬）。宋高宗紹興七年（一一三七，後三年，岳飛便大捷於朱仙鎮），皇上召見他，宣慰功蹟。

宋高宗從容問道：「你在軍中馳驅，得到好馬沒有？」

岳飛回奏：「我原有兩匹好馬，是當世少有的良駒。每天要吃鮮嫩的牧草幾十斤，和潔淨的小豆幾斗，要喝澄淸的泉水一斛（十斗爲一斛）。但不好的便不要，寧可挨餓而不受。裝上了鞍甲，騎著它起跑，初時並不很快，等到跑上百里，才振鬣長嘶，奔騰奮進。即使跑了老半天，還可以從中午到黃昏，再跑兩百里。這時卸下鞍甲，它旣不喘氣，也不出汗，好像沒有經過長跑一樣。這是由於它肚量大卻不貪隨便之食，精力充沛卻不逞一時之勇，乃是跑遠路的良駒。不幸在打襄陽、平楊么的戰役中相繼死了。

「現在我所騎的馬就差遠了。每天吃的只不過幾升，草料豆料從不選擇，任何髒水都喝。馬鞍還沒套好，就想起蹄騰驤，剛跑百來里路，力氣就用完了，汗水也濕透了，好像要倒下去的樣子。這是由於它攝取得少，雖飽而量淺；喜歡表現，卻外強而實衰。這種駑馬，只是庸劣的坐騎而已。」

宋高宗聽罷，心知他是借著論馬的良不良，寓諷諫於人的賢不肖。溫語慰示道：「你這番議論，確有高見，眞是朕的弼臣。」加封岳飛爲太尉。

**【原文附參】**：岳飛破曹成，平楊么。紹興七年，入見。帝從容問曰：卿得良馬否？飛曰：臣有二馬，日啖芻豆數斗，飲泉一斛，然非精潔則不受。介而馳，初不甚疾，比行百里，始奮迅。自午至酉，猶可二百里。褫鞍甲而不息不汗，若無事然。此其受大而不苟取，力裕而不求逞，致遠之材也。不幸相繼以死。今所乘者，日不過數升，而秣不擇粟，飲不擇泉。攬轡未安，踊躍疾驅。甫百里，力端汗喘，殆欲斃然。此其寡取易盈，好逞易窮，駑鈍之材也。帝稱善，拜飛太尉。（見：《宋史》、卷三百六十五、列傳第一百二十四。）

**【編者私語】**：岳飛這篇「良馬對」，寓意佳矣。宋高宗問的是馬，岳飛即席答的似乎是馬又不完全是馬。良馬譬喻賢材，賢材不汲汲求近功，在求長遠目標的實現。武將有此卓識，實是國棟之材也。考岳飛二十歲才從軍，三十九歲遇害，報國僅十九年，而功業彪炳，威震番夷。他不但武功高（射箭拉強弓第一），兵法精（運用之妙，存乎一心，爲千古名句），軍紀好（岳家軍餓死不擄掠，凍死不拆屋），還使金兵既畏且敬（尊稱岳爺爺而不敢呼名）；他在治軍作戰上的表現，可謂空前絕後了。但這些仍只是武將的本分。他又長於文學（少時家貧無燭，燃枯薪夜讀），他的公牘奏疏，都是自撰（見乞終制劄子、乞出師劄子、朱仙鎮大捷奏疏等），文（五嶽祠盟記、祁陽大營驛題記等），詩（刻石湯陰廟北伐詩，題翠嚴寺詩等），詞（小重山詞、滿江紅詞等），書法（寫有出師表傳世，運筆豪勁，不遜名家）。都很了不起，可謂文武全材。而這些都是在二十歲之前打的基礎，他是如何辦到的呢？《宋史》論曰：「西漢而下，若韓彭絳灌之爲將，代不乏人。求其文武全器，仁智並施，如宋岳飛者，豈多見哉？史稱關雲長通春秋左氏學，然未嘗見其文章。飛北伐軍至朱仙鎮，有詔班師，飛自爲表答詔，忠義之言，流自肺腑，眞有諸葛孔明之風。而卒死秦檜之手。昔劉宋殺檀道濟，濟曰：『自壞汝萬里長城！』嗚呼冤哉！」岳飛手書刻湯陰廟詩曰：「號令風雷迅，天聲動北陬。長驅渡河洛，直搗向燕幽。馬蹀閼氏血，旗梟可汗頭，歸來報明主，恢復舊神州。」清代李調元見此碑，詩曰：「獄成三字後，又讀五言詩。不意西川土，猶留北伐碑。鐵人例應跪，玉馬尚聞嘶。莫問中原事，冤禽萬古悲。」此外，岳飛所奏「文官不愛錢，武官不怕死，天下太平矣」的話，有誰說得更好呢？梁木其頹，含冤遇害，爲岳飛哀，亦爲南宋哀也。

# 三〇三　射箭與酌油（高技）

北宋時代，四川人陳堯咨，號嘉謨（做過武信軍節度使，卒謚康肅）。弓箭射得很準，當代沒有第二人可以及他，他也以此誇耀，自號小由基（春秋楚大夫養由基，善射。去柳葉百步射之，百發百中）。

有一天，他在後園裡練習射箭，有一個賣油的老翁路過，見有人正在習射，便卸下挑油擔子，停在路旁，斜著眼睛觀看，好久還不離去。只見陳堯咨十箭射中了八九枝，表現不錯，但也只是微微點點下巴而已。

陳堯咨不服這位旁觀者的輕視態度，就問他道：「你也懂得射箭嗎？我的射箭技術不是很準嗎？」

老翁答道：「這也沒有甚麼稀奇，不過是手法熟練而已。」

高傲的陳堯咨動氣了，就說：「你竟敢看輕我的神射工力，未免太大膽了罷？」

老翁說：「這從我酌油的手法，就可知曉了。」於是他取下一個空葫蘆，豎立在地上，那葫蘆是個腹大口小的盛油容器，他用一枚大銅錢，蓋住那葫蘆的小口，慢慢的用圓杓子舀滿食油，高高舉起，往葫蘆裡注油。那油從傾側的杓邊流出，沿著圓杓的外緣往下瀉成一線細流，穿過銅錢中央的方孔，注進葫蘆裡去，而銅錢卻未沾到油，錢孔也沒有濺濕。一瓢油倒完了，老翁因說：「我這也沒有什麼稀奇，只不過是手法熟練罷了。」

這一手表演可眞是神乎其技。陳堯咨心知此翁必是高人，就陪著笑臉請他離開了。

**【原文附參】**：陳堯咨善射，當世無雙，公亦以此自矜。嘗射於家圃，有賣油翁釋擔而立，睨之，久而不去。見其發矢，十中八九，但微頷之。堯咨問曰：汝亦知射乎？吾射不亦精乎？翁曰：無他，但手熟爾。堯咨忿然曰：爾安敢輕吾射？翁曰：以我酌油知之。乃取一葫蘆置於地，以錢覆其口，徐以杓酌油瀝之，自錢孔入，而錢不濕。因曰：我亦無他，惟手熟爾。堯咨笑而遣之。（見：《歐陽修全集》）

**【編者私語】**：莫謂世間無妙技，須知草野隱高人。

## 三〇四　晏嬰最不肖　（反諷）

齊王派國相晏子（名晏嬰，元前?—元前五〇〇，歷事靈公、莊公、景公）出使楚國。楚王早聞晏子是位賢相，但晏子身材短小，打算給他難堪，便在大門旁邊，另闢了一個很矮的小門，要請那身材短小的晏子，從矮門裡進去，來取笑他。

晏子不肯，正顏說道：「出使到狗國的，自然要從狗門進去。今天我出使楚國大邦，不應從狗門進入。」接待的人理屈，乃請他改從大門入內。

見到楚王，楚王問他說：「齊國沒有人才了嗎？」

晏子答道：「在我齊國，單說首都臨淄大城裡，就有三百閭里，住民成群。只要把寬大的衣袖舉起來，就成了帷幕，足以把太陽遮隔。倘若把額頭上的汗水揩下來，就如同下雨，可以將地面潤濕。人們肩膀挨著肩膀，腳跟接著腳跟，怎說無人？」

楚王說：「既然如此，爲何派你來當大使？」

晏子答道：「我齊國派遣大使有個原則：有才有德的人，派到有才有德的國君那裡去；無才無德的人，派到無才無德的國君那裡去。我晏嬰在齊國是個最無才德的人，所以就適合派到楚國來了。」

**【原文附參】**：晏子使楚。晏子短，楚人爲小門於大門之側，而延晏子。晏子不入，曰：使狗國者，從狗門入。今臣使楚，不當從此門。儐者更從大門入。見楚王，王曰：齊無人耶？晏子對曰：齊之臨淄三百閭，張袂成帷，揮汗成雨，比肩繼踵而在，何爲無人？王曰：然則何爲使子？晏子對曰：齊命使各有所主，其賢者使賢主，不肖者使不肖主。嬰最不肖，故宜使楚耳。（見：《說苑》、卷第十二、奉使）

**【編者私語】**：想羞辱對方，反而自取羞辱，賢者豈可侮乎？徒見愚淺自大者之不自量也。

# 三〇五　問交於子張　（擇友）

子夏（元前五〇七—前四〇〇，春秋衛人，姓卜名商，後爲魏文侯的老師）子張（春秋陳人，姓顓孫，名師，字子張），同是孔子的弟子。有位子夏的學生，去請問子張有關交朋友的原則。子張回問道：「你們老師子夏，是怎樣說呢？」這學生答道：「我們老師子夏說：『可以交的，才結交爲友。那些不可交的，就拒絕與他爲友。』對嗎？」

子張說：「這和我所聽到的交友之道完全不同嘛。君子的交友之道，應當尊敬賢德的人，接納衆多的人，嘉獎善良的人，同情無能的人。若對自已而言：我如果是個大賢者，對任何人爲甚麼不能包容呢？我如果是個不肖者，別人都會拒絕我，不與我爲友，我怎麼敢先就抗拒別人呢？」

【原文附參】：子夏之門人，問交於子張。子張曰：子夏云何？對曰：子夏曰：可者與之，其不可者拒之。子張曰：異乎吾所聞。君子尊賢而容衆，嘉善而矜不能。我之大賢歟，於人何所不容。我之不賢歟，人將拒我，如之何其拒人也。（見：《論語》、子張）

**【編者私語】**：明代莊元臣撰《叔苴子》一書，論曰：「賢人友勝己者，聖人友不如己者。雖不如己，必有己不如者也。若聖人待勝己而友，天下無友矣。」《論語》《學而》孔子說：「汎愛衆，而親仁。」汎愛即是廣結友緣，子張的「汎交」爲是。親仁即是擇仁爲朋，子夏的「友交」也對。但子夏的解釋太狹，子張的陳義又太高。爲甚麼?賢德之人，雖然無所不包，但交友仍須選擇，不可「濫交」。不賢的人，雖然沒有資格拒絕別人，但遇到壞朋友，還是要拒絕。

# 三〇六　高帽人人愛（奉承）

在日常用語中，稱那當面愛聽奉承話的，叫做喜歡戴高帽子。

有一位在京裡作官的人，外放到地方上去當主管，上任之前，先去拜見他的老師，一面辭行，一面聽取訓示。

老師告誡他說：「在外地作主管，要和鄉土派系及地方勢力周旋，在那個陌生的環境中，很不容易應付，要小心從事才好。」

這位官員道：「初去新環境，從了解、紮基到開創，阻力必多。我已準備了一百頂高帽子，見人就送一頂，這樣就不會有意見不和或彼此對立的事情了吧？」

老師生氣了，說：「你就只懂歪道！我以往是如何教導你的？我們正正當當做人，規規矩矩做事，怎麼要送甚麼高帽子呢？」

這位官員道：「您老有所不知，如今不喜歡戴高帽子的，像老師你這樣正派的人，已經找不出幾個了。」

老師微微的點了點頭說：「唔……我想……你這番話也還算有些見識。」

這位官員告辭出來，對別人說：「我本來有一百頂高帽子，今天還沒上任，就送出第一頂給了老師，只剩九十九頂了。」

**【原文附參】**：俗以喜人面諛者曰戴高帽，有京官出仕於外者，往別老師。師曰：外官不易爲，宜愼之。其人曰：某備有高帽一百，逢人則送其一，當不致有所齟齬也。師怒曰：吾輩直道事人，何須如此？其人曰：天下不喜戴高帽如吾師者，能有幾人歟？師頷其首曰：汝言亦不爲無見。其人出語人曰：吾高帽一百，今止存九十九矣。（見：《朱氏淘沙》、卷二）

**【編者私語】**：高帽人人喜歡，奉送卻有技巧。要察言觀色，審時度勢，才能出手順利，戴來高興。送之於無形，受之於不覺。推銷者黠然有術，接受者坦然無疑，這才高妙。

# 三〇七　卿有還金之美（敦品）

南朝梁代，有位甄彬，品潔行端，鄉里親黨之間，都稱贊他是正人君子。

甄彬家境並不好，有一次，他爲了應付急需，將一綑苧麻（麻稈纖維可以製麻布），向本州郡的長沙寺庫裡去質錢（就是典當，留麻爲質以借錢，以後還錢取麻）。後來還了借款，將苧麻贖取回家，解開麻綑，發現麻稈束裡夾藏著一包散碎的黃金，大約五兩。這不是自己的財物，便送還給長沙寺庫。

司庫和尚又驚又喜，對他說：「好久以前，有人拿這五兩碎金來質押借錢。我因那時有急事，就隨手不經意的暫且塞在麻綑裡，日子一久，自己也忘了，記不得放在哪裡，以爲是丟失了。如今施主這般誠實，自動送了回來，眞是好心好德。這樣罷，我收下一半，另一半作爲對你的酬謝好了。」

甄彬堅持不受，推讓了十多次。他說道：「我五月熱天，沒有葛衣，還披著羊皮來背柴草，難道是拾金不還，又難道是貪圖報酬的人嗎？」始終不受酬謝。

梁武帝（？—五四九，即蕭衍）當初還是平民的時候，就聽到甄彬的這樁善行。及至登上帝位（五〇二年爲帝），任西昌侯爲益州（今四川）刺史，派甄彬作錄事參軍（輔佐刺史，掌理公文）。赴任之前，梁武帝對一行同僚五人作臨行囑咐，告誡他們必須廉潔謹愼。輪到甄彬時，武帝改口說：「你以前有還金的美譽，我不必用這番話來叮嚀你了。」因而他的令名美德，更加彰顯於當時。

**【原文附參】**：甄彬，行己有品，鄉黨稱善。嘗以一束苧就州長沙寺庫質錢。後贖苧還，於苧束中得五兩金，以手巾裹之。彬得，送還寺庫。道人驚云：前有人以此金質辦，時有事隨手藏之，不復憶而失。檀越乃能見還，請以半酬之。往復十餘，彬堅然不受。因謂曰：五月披羊裘而負薪者，豈拾遺金者耶？卒還金。梁武帝布衣而聞之，及踐阼，以西昌侯爲益州刺史，以彬爲府錄事參軍。將行，同列五人，帝誡以廉愼。至彬，獨曰：卿昔有還金之美，故不復以此言相屬。由此名德益彰。

（見：《南史》、卷七十、列傳第六十）

**【編者私語】**：典當才有錢，甄彬的生活夠窮了罷？黃金五兩，是一生難以積蓄到的罷？只因爲非己所有，故爾璧還，這是求心之所安也。從前孔子弟子原憲，居陋巷，穿破衣，容顏枯槁。子貢問道：你病了嗎？原憲說：德義不修謂之病，無財謂之貧。憲貧也，非病也（見《高士傳》）。他們重視精神層面的生活，不在意物質層面的享受。既有這種人生觀，那末，布衣就比西裝領帶舒服，蔬食就比油膩肥鮮爽口，而且不會得高血壓、糖尿病。物質欲望降低後，金錢的需要便減少了。相傳有個和尚，隨身只有一衣一缽。有一天，他用手捧著泉水解渴，醒悟到連飲水的缽子也是贅餘而丟掉了。我們如果想通達了，許多無謂的煩惱，便會自動消除。

# 三〇八　哪有時間殺我

（高智）

宋仁宗寶元元年（一〇三八），西夏（黨項族建國曰夏，因在宋的西北，故稱西夏）元昊稱帝，國號大夏。他雄才大略，出兵攻宋，圍困了延安（在陝西北部）七日。西夏兵強，宋軍寡弱，好多次都幾乎被攻破了。宋朝派侍御范雍（字伯純，又是節度使）爲抗敵元帥，固守城池。但形勢危急，不免憂形於色。

這時部下有位服役甚久的老軍士，挺身而出，對大衆宣告說：「這座延安城，地處邊關，曾經被圍攻多次了。以前的危急情況，比今天還要嚴重得多。黨項軍人不長於攻堅，沒有一次打進來過。這次也萬萬沒有危險，我可以保證無虞。假若我說錯了，甘願殺身抵罪，大家儘可安心。」范雍認爲他辭氣很壯，頗感安慰，軍心也爲之穩定了。

戰事解除了，延安終獲保存。這位老軍士大蒙贊賞，上下都說他善知軍事，料敵如神，預言竟然應驗，眞是一軍瑰寶。

但也有同志私下問他道：「你敢於事先誇口，話也講得太滿，萬一沒有兌現，你就會要斬首。爲何敢於這樣冒險呢？」

老軍士笑著回答說：「你們沒有多想一想罷了。假如延安城眞的打破了，大家搶著逃命還來不及，哪有閒功夫來抓我殺頭呢？我乃是特意安撫大家，不要驚慌，一同盡力抗敵呀！」

**【原文附參】**：寶元元年，黨項圍延安七日，瀕於危者數矣。侍御范雍為帥，憂形於色。有老軍校出，昌言曰：此邊城遭圍攻者數次，其急迫有甚於今日者。黨人不善攻，卒不能拔。今日萬萬無虞，某可以保任。若有不可，某願斬首。范嘉其言壯，人心亦為之安。事平，此較大蒙賞拔。言其知兵善料敵。或謂之曰：汝敢肆妄言，萬一不驗，汝須伏法。較笑曰：汝未之思也。若城果陷，誰暇殺我耶？聊欲安眾心耳。（見：《朱氏淘沙》、卷二）

**【編者私語】**：老兵經驗多，看得準。助主帥定軍心，收效宏大。且料到沒有後患，吹牛無忌。他心中自有主意，莫謂低層無高智也。

# 三〇九　宰天下也如是（公平）

西漢陳平（前二三二—前一七八），字孺子，陽武人（在河南省），生來英俊。年少時，家境貧困，但喜好讀書。

他長大了，該娶妻了。有錢的見陳平前途無望，不肯嫁他。無錢的陳平覺得蒙羞，不肯娶她，這事便久久耽誤下來了。

陽武縣有位富翁叫張負，他有一位孫女，陳平看上了，想娶她爲妻。張負便先去察看一下。那陳平的家，在城垣之外，屋背靠著城郭的外牆，隱在僻陋的巷子裡，用破蓆子作大門，十足是個貧戶。但門外泥地上，卻留下不少大人物馬車輪子壓出來的車跡溝痕。

張負回到家中，對兒子張仲說：「我想把孫女兒許給陳平好了。」兒子張仲不同意，說道：「陳平是個沒有出息的窮小子，家裡無錢不說，任何正事也不想幹。全縣的人都譏笑他不求上進，爲何還要把孫女兒許配給他呢？」

張負說：「你看著好了，哪有像陳平這樣的俊美之士，會長久貧賤的呢？」終於將孫女兒嫁給他了。

陽武地方，縣中有里，里中有社（廿五家爲一社，猶如今之鄰里）。每當社裡分肉，陳平便負責割切，他分得十分均勻，大家都很服他。年長的父老誇他，說：「好極啦！陳孺子（陳平字孺子）宰肉很公正呀！」

陳平應聲道：「哎呀！假使讓我陳平宰制天下，也當像今天宰肉一樣，做得公平公正，大家都會滿意。」果然他以後輔佐劉邦，建立漢朝天下，封侯拜相。

**【原文附參】**：陳平者，少時家貧，好讀書。及平長，可娶妻，富人莫肯與，貧者平亦恥之。久之，富人張負有女孫，平欲得之。負視平家，家乃負郭窮巷，以弊席爲門；然門外多有長者車轍。張負歸，謂其子仲曰：吾欲以女孫予陳平。張仲曰：平貧不事事，一縣中盡笑其所爲，獨奈何予女乎？負曰：人固有好美如陳平而長貧賤者乎？卒與女。里中社，平爲宰。分肉食甚均。父老曰：善，陳孺子之爲宰。平曰：嗟呼，使平得宰天下，亦如是肉矣。（見：《史記》、卷五十六、陳丞相世家第二十六）

**【編者私語】**：甚矣知人之難也。陳平家貧，乃至用破蓆作門，誰説他會有出息？但他志向遠大，心裡縈迴的是天下國家，當初還是一條潛龍，尚未飛龍在天，鄉邑縣人，很難體會。試看左宗棠未出仕之前，聯其書齋曰：「身無半畝，心憂天下。讀破萬卷，神交古人。」這時左氏也只是個窮舉人。上聯便與陳平同其心境。唯獨有財主張負，慧眼識英雄，料到陳平將來必會出頭，還將孫女嫁他爲妻，張負的識見，也不在人下也。陳平在里社中宰肉，充其量不過是里幹事，任個芝麻綠豆官，竟然誇口說「使我得宰天下，亦如是肉」。果然以後做了宰相。足以證明吾人不怕業之不成，只怕志之不立也。本書都是一些小故事，讀來或嫌沉悶，茲附一則與割肉有關的趣談，以助餘興：遜清內閣中書饒智元，在長沙創玉樓東餐館，開幕時，懸一自撰聯曰：「要湯以割，見堯於羹」。湯翕莊先生以爲字面不吉，另撰一聯曰：「宰天下當如是肉（用本篇陳平故事），治大國若烹小鮮（引老子道德經語）」，以取代原有對聯，傳爲佳話。

## 三一〇　能救為何不救（睿識）

漢武帝建元三年，閩越王起兵包圍了東甌國（閩越及東甌，都是越王句踐之後，約今福建浙江一帶）。東甌都城糧食耗盡了，困頓不堪。連忙派人向大漢天子告急，請求派兵援救。

武帝徵詢太尉（執掌軍權）田蚡（長陵人，封武安侯）的意見。田蚡說：「越人互相攻殺，乃是家常便飯，而且好幾次反復叛亂。這是化外之民的內鬨，不足以麻煩漢家天子去救援。況且自秦代就放棄了越地，不曾劃入中國。我看不必去理會它。」

中大夫莊助詰問田蚡說：「太尉的意見錯了。怕只怕我們能力不足而不能救。而今有力去救，爲甚麼要放棄？至於秦代，連咸陽都放棄了，哪裡還有餘力去保護越國？現在東甌小國，因爲被圍危急，向大漢天子求救，天子如果不受理，他向誰去投訴？又怎麼能使四境各藩屬小國歸心呢？」

漢武帝說：「太尉的智慮，還不足以對此事作妥善的籌謀。莊助的意見是對的。不過我登帝位，還只三年，不願出動天子的大軍遠征。」於是命莊助帶著符節，到會稽郡（在江浙之交）就近憑符節發兵。

那會稽太守，初時還想拒絕，莊助就地殺了一名不受詔命的統兵司馬，宣告了天子的旨意，才帶兵從海路去援救東甌。

兵行還在途中，閩越得到訊息，知道對他不利，就引兵回去了。東甌王請求舉國遷移到中國來，（東甌是小國，《史記》說只有四萬多人民）便將他全國人民，徙置到江淮間的廬江郡定居了。

**【原文附參】**：建元三年，閩越發兵圍東甌。東甌食盡，困，乃使人告急天子。天子問太尉田蚡，蚡對曰：越人相攻擊，固其常。又數反覆，不足以煩中國往救也。自秦時棄弗屬。中大夫莊助詰蚡曰：特患力弗能救，誠能、何故棄之？且秦舉咸陽而棄之，何乃越也。今小國以窮困來告急天子，天子弗振，彼當安所告愬？又何以子萬國乎？上曰：太尉未足與計。吾初即位，不欲出虎符。乃遣莊助以節發兵會稽。會稽太守欲拒不發兵，助斬一司馬，諭意指，遂發兵浮海救東甌。未至，閩越引兵而去。（見：《史記》、卷一百一十四、東越列傳第五十四）

**【編者私語】**：我們的眼光要看遠一些，亦即宜有世界觀；要儘力之所及，去維持國與國間的和平與秩序，這是正義之邦的責任。田蚡只專注國疆之內，不理會境外週邊的變亂，未免短視。東夷有戰亂，我（大漢）若不伸援手，何人去救援？那時的世界，就只包括漢朝天下和四鄰藩屬，其時北有匈奴冒頓單于、東胡烏桓；南有南越王尉佗；東有閩越王無諸、東甌王搖、東越王餘善；東北有朝鮮王滿；西南有夜郎、滇、邛都；西有大宛、康居、大月氏、烏孫、于闐、樓蘭。藩屬如此之多，豈能坐視不管？不過要昭告明白：我們只是維護國際道義，不是侵略、不是征服、不是消滅、也不是擴佔殖民地。出征是仁義之師，用兵是以戰止戰。因此，中國獨求安定還不夠（事實上至今並不安定），必須四境都能和平相處，共存共榮。好比富家大宅，四鄰如果都是貧戶饑民，也難住得安穩的。何況現在已成地球（global village）村了，如能濟弱扶傾，興滅繼絕，這才是偉大的政治家。

# 三一一　豈可賣馬移禍　（仁厚）

宋朝太尉陳堯咨，字嘉謨，四川人，工隸書，善射箭（參本書第三〇三篇射箭與酌油）。他以前當翰林學士時，家裡養了一匹惡劣的悍馬，性情凶暴，沒有人可以馴服它。這惡馬每每用蹄子踢人，用嘴巴咬人，受傷的人不少，對它都無計可施。

有一天，陳堯咨的父親，那時任諫議大夫，因事來到馬廄裡，卻不見這匹惡馬，就問養馬的人：「那馬因何不在？」

養馬的人答道：「內翰（對翰林學士陳堯咨的尊稱）已經賣給一位商人了。」

他父親即刻責問陳堯咨說：「你身為貴臣，手下左右有許多可供使喚的人，還不能制服這匹惡馬；如今賣給一個普通做生意的行路商人，他哪有本領平安的養下這匹馬呢？你這是把禍害轉移給旁人，如何可以？」馬上叫人追回這匹惡馬，退還買馬的價款。

他父親立下告戒：這馬只可養到老死，不可再行出賣。從這一事，可見他父親的純厚德性。和遠古時代的善士相比，幾乎是同一類的人。

【原文附參】：太尉陳堯咨為翰林學士日，有惡馬不可馭，蹄囓傷人多矣。一日，父諫議入廄，不見是馬，因詰圉人，乃曰：內翰賣之商人矣。諫議遽謂翰林：汝為貴臣，左右尚不能制，旅人安能蓄此？是移禍於人也。亟命返馬而償其值，戒終老養焉。其長厚遠類古人。（見：宋、吳曾：《能改齋漫錄》、卷十二、紀事）

**【編者私語】**：常人的觀念，把禍患推給他人，最爲省事。殊不知這對道德有虧欠，不可取。最佳之策：能夠消除禍源（將惡馬教爲馴馬），這是上策。其次，禍留自己（惡馬不賣），這是中策。至於移禍別人（賣馬），這是下策，仁者不爲。

# 三一一　討個御史來做（不求）

唐朝韋澳，字子裴，是韋貫之（韋純的字）的兒子。大和六年（唐文宗的年號，公元八三二年），擢爲進士，才品很有時望。

他的兄弟韋溫，與御史中丞高元裕（司糾察的首長）相交友善。可以請求任命韋澳爲御史，對韋澳說：「高二十九（高二十九是排行，即高元裕）持掌風憲的大綱，想要你去見他一面，就可以得到御史的官職。」韋澳默不作聲，沒有回答他。

韋溫又說：「高中丞是位端正的人，你不要輕慢他呀！」

韋澳道：「我知道他是端人君子。但恐怕沒有自己登門去討個御史來做的例子吧！」他始終沒有跨進高元裕的大門一步。

**【原文附參】**：韋澳，貫之之子也。大和六年，擢進士。弟兄溫與御史中丞高元裕友善。溫請用澳爲御史，謂澳曰：高二十九持憲綱，欲與汝相面，汝必得御史。澳不答。溫曰：高君端士，汝不可輕。澳曰：然恐無呈身御史。終不詣元裕之門。（見：宋、李昉：《太平御覽》、第四百一十卷、絕交）

**【編者私語】**：御史職司風憲，必須察奸摘伏；貴在節操高潔，品德端嚴。若是登門自討，雖然求到，卻忘了孔子說的「不能正其身，如正人何？」反之，選御史要人先來謁見，否則不給，也欠「端」了。

## 三一三　宰相須用讀書人（治國）

宋太祖趙匡胤（九二七—九七六），生活儉樸。他所著的衣裳，多次洗淨了又再穿，捨不得丟掉。

他即位時，年號叫建隆（皇帝紀錄年代的名號叫年號，又叫建元，又叫紀元），過了三年，改元乾德。改元之前，先告訴宰相說：「年號的選定，要挑吉祥的字，而且須是前朝沒有用過的，免得重複。」

又隔了三年，後蜀（由孟知祥建國，在成都，爲五代十國之一，只傳兩代）君主孟昶投降，後蜀納入版圖，蜀宮裡的宮女，也都歸併到宋朝皇宮裡來了。

宋太祖有一次看到後蜀宮人有一面鏡子（元明以後才有玻璃鏡，宋以前還是用銅作鏡。正面磨光發亮，用來照臉，背面鑄有龍鳳花紋及文字）。那鏡的反面，刻有「乾德四年鑄」的字樣。太祖召來竇儀這一班大臣，詢問這乾德的根源。

那竇儀，字可象，漁陽人，學問優博，宋史有傳。做過工部尚書、翰林學士、禮部尚書等高官。此時他解釋道：「這銅鏡必定是蜀國所鑄之物，因爲後蜀建國，曾經定過乾德的年號。不過他僻處西隅，國小祚短，不值得注意罷了。」

宋太祖見竇儀即席作答，知識很富，十分高興，說：「宰相須用讀書人。」從此更爲重視學養深厚的儒者。

**【原文附參】**：宋太祖常服之衣，澣濯至再。乾德改元，先諭宰相曰：年號須擇前代所未有者。三年，蜀平，蜀宮人入內。帝見其鏡，背有志乾德四年鑄者，召竇儀等詰之。儀對曰：此必蜀物，蜀主嘗有此號。乃大喜曰：宰相須用讀書人。由是大重儒者。（見：《宋史》、本紀、卷第三、太祖三）

**【編者私語】**：治國要靠知識，其反面就是無知。槍桿子可以得天下，但槍桿子不能治天下。西諺云：知識即是力量，當是鐵則。治國者要有知，十億人民也不能無知。倘若上下交相愚，那永遠只是亂民亂國。

# 三一四　病學生因勞致死　（禮教）

古時候，有位學生，害了重病。老師很關愛他，常常去探視病況。老師一來，做學生的，每次都要撐身坐起，表示禮貌。由於探病頻繁，學生病體本很虛弱，就勞累而死了。按那個時代，一切行為舉止，都要合於禮節，法度嚴格。老師並不是不仁，學生也不是不守禮，可悲的乃是由於次數太多了。

**【原文附參】**：古有弟子病，師數往看之。師至，弟子輒起，因勞而致死。師非不仁，弟子非無禮，傷于數也。（見：漢、魏朗：《魏子》）

**【編者私語】**：拿現在的眼光，評鑑兩千年前的禮教，會發覺許多缺憾。孟子說：禮可從權。老師不會不知。頻頻前去探病，愛之適以害之，老師你錯了。忍見學生坐起，守禮而使喪身，老師你又錯了。

## 三一五　秦國不用想去楚（明辨）

戰國時代，人才輩出，各人爭相表現。陳軫（夏人，善游說）是個游說諸侯之士，和縱橫家張儀（與蘇秦同是鬼谷子的學生，封爲武信君）一同在秦惠王（秦孝公之子）朝中爲官，兩人爭著要贏得秦王的寵信。

既然雙雄勢均力敵，競爭也很費力，陳軫便想離開秦國，南下楚國去發展。張儀趁機向秦王進讒言，攻擊陳軫厚於爲自己前途作打算，而薄於爲秦王國計作籌謀，是個不忠的人。

秦惠王問陳軫：「我聽說你有意離開我國，前去楚國，此事可有？」

陳軫答道：「是有這個打算。」

惠王說：「那末張儀所說的話是眞的了。」

陳軫答道：「這件事不獨張儀知道，連路上的行人也全知道了。我們看到：從前吳國的伍子胥（公元？—前四八五，即伍員，仕吳攻佔楚都，又大破越國），忠於他的國君，天下各國都爭著歡迎他來作臣子。孔子學生曾參（公元前五〇五—前四三六，有曾子大孝一書行世）孝於他的雙親，天下各人都願意認他作兒子。我們再看：如若想要賣掉奴僕女婢，而竟被鄰近里巷買去的，這必定是個有好名聲的僕婢。如想出嫁女兒，而竟被本村本鄉娶去的，這必定是個有好品貌的淑女。至於說到我自己：今天我陳軫如果沒有忠於秦王的事實，楚國又怎麼會相信我將忠於楚王呢？只是大王你沒有明察罷了。因此我一直在想這個問題：既然我盡了忠，卻長時期受到冷落，我不去楚國，往哪裡去呢？」

秦惠王覺得陳軫的話很有說服力，就對他很好了。

**【原文附參】**：陳軫者、游說之士，與張儀俱事秦惠王，爭寵。陳軫欲去秦之楚，張儀惡之於秦王。王謂陳軫曰：吾聞子欲去秦之楚，有之乎？軫曰：然。王曰：儀之言果信矣。軫曰：非獨儀知之也，行道之士，盡知之矣。昔子胥忠於其君而天下爭以爲臣；曾參孝於其親，而天下願以爲子。故賣僕妾不出閭巷而售者，良僕妾也；出婦嫁於鄉曲者，良婦也。今軫不忠其君，楚亦何以軫爲忠乎？忠且見棄，軫不之楚，何歸乎？王以其言爲然，遂善待之。（見：《史記》、卷七十、列傳第十）

**【編者私語】**：張儀是個縱橫家，所謂策辯之士。其實也是游士之一。游士者，無尺寸之憑藉，純以口舌說動人主，以取權勢地位。人主需要人才，游士依靠人主，兩皆得其所哉。張儀擅長的是縱橫捭闔，翻雲覆雨。但這次想打擊陳軫，卻是輸了。張儀攻訐他的不忠，意在離間中傷。陳軫就坦白承認確有此事（如不承認，則加重秦王的疑心）。繼則說大家都已知道（不是張儀獨知，抹殺了張儀告密的功勞，降低了這事的嚴重性）。再則說楚王認爲他的「忠」是正面性的，證明他在秦是忠實的（否則楚亦何以軫爲忠乎）。終則說忠而見棄，留此無用，打算離開，理由充足。這一番合理的解釋，坦率婉轉，卻並無一語傷及張儀（風度比張儀宏闊多了），因而轉得秦惠王的信任。寫來並不出奇，卻是史實好例。我們處在現代錯縱複雜的社會裡，不論工商學政各界，遇到爾虞我詐的行徑，較以前過之而無不及。四週向我放冷箭的人、希望我垮台的人特多。若從負面去詰駁，爭得面紅耳赤，對眞相難有大幫助；必須自己氣定神安，拿出理由，從事實上來作說明。不反唇相譏，不惡語相向，自然擊敗了敵人，顯出我是正大光明，皎然而有氣度。

# 三一六　留給天子去斬首　（謙遜）

西漢衞青，字仲卿，他跟著母親（稱爲衞媼）而冒姓衞。父親（鄭季）叫他牧羊，他的異母兄弟都以奴僕對待他，不認同他是兄弟。

一天，有個看相的對他說：「你是個貴人相，將來會要封侯。」衞青笑道：「做作奴僕，只要不挨打挨罵就很滿足了，哪會封甚麼侯呢？」

元朔五年（漢武帝年號，爲公元前一二四年），衞青已是車騎將軍，這年他出擊匈奴，俘虜了一萬五千多人，牲畜牛馬數千百萬，這是空前大勝。天子（漢武帝）派了專使，遠到軍營中拜他爲大將軍（最尊寵的武職官爵，以前韓信也封過大將軍。）。

元朔六年，又出征匈奴。衞青的部屬右將軍蘇建（派他循右線分途進擊）獨遇匈奴單于的大軍，漢兵盡被消滅，僅蘇建一人逃了回來。衞青要議處，問軍正（軍法官）閎、長史（也管法律）安、議郎（參謀官）周霸等人說：「如何處置蘇建呢？」

周霸道：「自從你大將軍出征以來，沒有斬過副將。如今蘇建全軍覆沒，正可殺掉他，以彰顯大將軍的威嚴。」

閎和安兩人反對道：「不然。蘇建僅帶兵數千人，遭遇到匈奴主力好幾萬人，竭力抵抗了一天多，士兵都犧牲了，他沒有投降，全身逃回。如果殺他，那就是告訴後人若是打了敗仗，便不敢回來了，我看不當斬首。」

衛青道：「我算託天之佑，得以統帶大軍，一切行事都以肺腑對待大家，彼此以誠相見，不必耽心我缺少威儀。周霸建議我殺蘇建以立威，這違反我的心意。而且我雖有權斬將，如果我不自擅專，不想在國外逕行斬首，而把重輕決策留給天子，由皇上自作裁量，以表示大臣不想攬權，那不是更好嗎？」

大家都說這個決定最好，於是將蘇建納入囚車，解回京都。天子也沒有殺他，廢他爲平民百姓就結了。

**【原文附參】**：衛青者，平陽人也，冒姓衛氏。其父使牧羊，先母之子皆奴畜之，不以爲兄弟數。有人相青曰：貴人也，官至封侯。青笑曰：人奴之生，得毋笞罵足矣，安得封侯乎。元朔五年，漢令車騎將軍青，擊匈奴，得衆男女萬五千餘人，畜數千百萬。天子使使者即軍中拜青爲大將軍。明年、復出擊匈奴，右將軍蘇建，獨逢單于兵，蘇建盡亡其軍，獨以身亡歸。大將軍問其罪於正（軍正）閎、長史安、議郎周霸等：建當云何?霸曰：自大將軍出，未嘗斬裨將。今建棄軍，可斬以明將軍之威。閎、安曰：不然，今建以數千當單于數萬，力戰一日餘，士盡，不敢有二心，自歸。自歸而斬之，是示後無返意也。不當斬。大將軍曰：青幸得以肺腑待罪行間，不患無威。而霸說我以明威，甚失臣意。且臣職雖當斬將，以臣之尊寵而不敢自擅專誅於境外，具歸天子，天子自裁之，於是以見爲人臣不敢專權，不亦可乎?軍吏皆曰善。遂囚建詣京師，天子不誅，廢爲庶人。（見《史記》、卷一百一十一、列傳第五十一）

**【編者私語】**：此篇宜引伸兩點。其一：英雄莫怕出身低。試看漢代樊噲，是個屠狗的，後來做到左丞相，封舞陽侯。西漢朱買臣，是個砍柴的，後爲丞相長史。蜀漢劉備，原是織草蓆的，後爲蜀主。晉代周處，是個魚肉鄉里的流氓，後爲御史中丞。明代朱元璋，是個乞丐，後爲明太祖。清代劉銘傳，是個鹽販，後來做台灣巡撫。民初張作霖（張學良之父），行伍當兵出身，後爲東三省巡閱使、鎭威上將軍。本篇衛青，原是個牧羊奴，後來做到大將軍，封長平侯，進大司馬，卒諡烈。可見各人的前程，要自己努力去創造。其二：衛青凡七趟出擊匈奴，斬首五萬餘，收復河南地，闢置朔方郡。他官大尊顯，已無人敢比。有人建議他廣交賢士，以壯聲勢，他都謝了。觀本篇他有權斬將，卻不願自擅專誅，把處罰權留給天子決定，可見他謙退之德的一斑，是個好榜樣。

## 三一七　能讓他在高位嗎　（敦品）

宋代李沆，字太初，官任尚書右僕射（射音夜，僕射就是宰相）。宋眞宗（九六八—一〇二二）問他道：「治國之道，何者宜先？」

李沆說：「治國首在得人，不用那輕浮淺薄的、缺少經驗的、喜好滋事的人，這是先決條件。」

眞宗又認爲李沆沒有密奏（秘密直接送給皇帝的小報告）。又問他道：「別的大臣，都有密啓（就是密奏），獨你沒有，爲甚麼呢？」

李沆說：「我承恩竊寵，得以擔任宰相之職。我認爲一切公務，都應該公開論奏，哪會用得著密啓？凡是寫密啓的人，不是進讒言，就是說佞語，我厭惡這種行爲，怎可跟著做呢？」

同朝大臣寇準（九六一—一〇二三，字平仲，後也爲相），和丁謂（字謂之，機敏多智，憸狡過人）很友善。寇準屢次向李沆推薦，說丁謂才智很高，盼能重用，李沆一直沒有用他。寇準問是何原因，李沆道：「我觀察他人品卑鄙，這種人可以讓他位居人上嗎？」

寇準說：「像丁謂這種有才智的人，相公你能壓住他一直屈居人下嗎？」

李沆笑著答道：「將來你後悔的時候，就會想念我今天的話了。」

後來，寇準也做了宰相，丁謂自然也當權用事。卻銜恨陷害寇準，居然害得他罷相，遠貶崖州（海南島），方才佩服李沆的遠見。

**【原文附參】**：李沆，爲尚書右僕射。宋眞宗問治道所宜先，沆曰：不用浮薄先進喜事之人，此最爲先。帝以沆無密奏，謂之曰：人皆有密啓，卿獨無，何也？對曰：臣待罪宰相，公事則公言之，何用密啓？夫人臣有密啓者，非讒即佞，臣常惡之，豈可效尤？寇準與丁謂善，屢以謂才，薦於沆，不用。準問之，沆曰：顧其爲人，可使之在人上乎？準曰：如謂者，相公終能抑之使在人下乎？沆笑曰：他日後悔，當思吾言也。準後爲謂所傾，始伏沆言。（見：《宋史》、卷二百八十二、列傳第四十一）

**【編者私語】**：無論國家機構或私人團體，都要用人。取人有兩大條件：一曰德，一曰才。德是品格，才是智術。有德無才，雖難以建功，卻常守正道；有才無德，雖可以克困，卻常壞大局。孔子說：「驥不稱其力，稱其德也」。孟子說：「不仁而在高位，是播其惡於衆也」。司馬光說：「德勝才謂之君子，才勝德謂之小人」。才德兼備，那是完人，但世間少有。退而求其次，還當以重德爲先。

## 三一八　豈可與小兵對質（嚴正）

南宋劉錡，字信叔，爲抗金名將（與岳飛同代）。兵卒不足兩萬，鎭守孤城順昌府（今安徽阜陽縣）。金兵幾十萬攻來，紮營相連，接續十五里，聲勢懾人。劉錡施用奇計，一仗下來，使金兵棄屍斃馬，枕藉郊野，戰車旗幟，兵器盔甲，擄積如山，獲得大勝。

後來，他被任命爲淮北（淮河以北地區）宣撫判官（宣撫是總指揮，判官是僚佐）。紹興十一年（宋高宗年號，時爲一一四一年），金太祖第四太子金兀朮（名完顏宗弼）又計畫再攻南宋。宋高宗急詔各路兵馬，會集於淮西（宋設淮西路，今淮河上游地，又叫淮右），嚴待以禦之。

張俊（字伯英，盜匪出身，後亦名將）的部隊也來了，和劉琦同駐淮西。一晚，張俊的士兵，放火夜燒劉錡軍營，藉火搶劫。劉錡捉到十六個放火賊，將他們斬了，把首級刺在一丈八尺高的長矛尖上示衆。其餘的賊兵跑回去了。

不久，張俊和劉錡見了面。張俊怒責劉錡道：「我乃是宣撫（指揮官），你只是個判官（僚佐），膽敢斬我的士兵，是何道理？」

劉錡說：「不知道那些賊人是宣撫的部下，我只知斬掉一批劫寨的強盜吧了。」張俊道：「有些逃回來的士兵，他們口稱並沒有去搶劫你的營寨。」當場叫出一名兵卒，要和劉錡互相對質。

劉錡嚴正地答道：「我劉錡是國家任命的將帥，如果有罪，你做宣撫的，應當向朝廷報告。我身爲命官，豈可與小兵在這裡對口供？」雙手一揖，再不多言，翻身上馬，逕自揚長走了。

**【原文附參】**：劉錡，字信叔。兵不盈二萬，守順昌孤城。金兵數十萬，連營亘十五里，錡大破之。棄屍斃馬，血肉枕藉，車騎器甲，積如山阜。後命爲淮北宣撫判官。紹興十一年，兀朮復謀再舉，帝詔大兵合於淮西以待之，錡軍與張俊軍會。一夕、俊軍縱火劫錡軍。錡擒十六人，梟首槊上，餘皆逸。錡見俊，俊怒謂錡曰：我爲宣撫，爾乃判官，何得斬吾軍？錡曰：不知宣撫軍，但斬劫寨賊耳。俊曰：有卒歸，言未嘗劫寨。呼一人出對。錡正色曰：錡爲國家將帥，有罪，宣撫當言於朝，豈得與卒伍對事。長揖上馬去。（見：《宋史》、卷三百六十六、列傳第一百二十五）

**【編者私語】**：國有國法，家有家規，這都是公認的規則。下棋有規則，打球也有規則。不依規則，天下就大亂了。放火搶劫，必須繩之以法，這是公認的規則。不可因爲是「我」的人，傷了「我」的面子，就要免究。張俊是強盜出身，不懂這個道理，還要找出小卒，用謊話與劉錡對質。對質不是不可，當按法定程序，在大理院中，可以對質，在朝廷御前可以對質；但在張俊面前，則不可接受對質。劉錡正色反詰張俊，不待答話，上馬走了。官位雖有高低，義理當分邪正。我們處事，也要從這方面去深深體會。

## 三一九　豈為蚊蟲生人類　（齊物）

齊國的一位田姓人家（齊國田氏是大姓，有田嬰、田文、即孟嘗君、田單、田橫等），在大庭中祭神，會宴的客人近千，堪稱盛典。

宴會中，有人獻上魚和雁，可以燒作好菜。主人田氏看到這些鱗禽，觸發了感慨，贊歎道：「老天對人類的恩德實在太厚了。繁殖五穀，生長魚鳥，使人類享用不盡。」近千賓客，都大聲附和田氏的意見，滿庭都揚溢著一片歡愉贊美之聲。

有位姓鮑的少年，還只有十二歲，也參預了宴會。他獨持異議，起身說道：「恐怕不是你這樣說的吧！天地萬物，與人類都是生靈，只是種類不相同而已。每一種類之間，並無貴賤之分。由於要爭生存，便各憑力氣的大小和智慧的高低互相欺壓箝制，以至互相殘食。上天並沒有特別爲了某一類的生存而故意創生另一類來供作食用的呀。我們人類挑選那些可以吃的來吃，哪裡是上天特意爲人類安排而創生的呢？況且世間生物的種類繁多，蚊蟲喜歡叮吮人類的肌膚血液，虎狼喜歡吃羔羊野兔的鮮肉，難道上天是爲了蚊蟲而創造人類，爲了虎狼而創造羊兔的嗎？」

**【原文附參】**：齊田氏祖於庭，食客千人。中坐有獻魚雁者，田氏視之，乃歎曰：

天之於民厚矣。殖五穀，生魚鳥，以爲之用。衆客賀之如響。鮑氏子年十二，預於次。進曰：不如君言。天地萬物與我，並生類也。類無貴賤，徒以小大智力而扣制，迭相食，非相爲而生之。人取可食者而食之，豈天本爲人生之？且蚊蚋噆膚，虎狼食肉，豈天本爲蚊蚋生人，虎狼生肉者哉？（見：《列子》、說符）

**【編者私語】**：《莊子齊物論》曰：「天地與我並生，萬物與我爲一。」和本篇同其意。從天帝觀之：蛇蝎與人，同爲生物。從人類觀之：蛇蝎傷人，乃是敵體。友乎？仇乎？將欲起莊列而問之。

## 三一〇　陛下生子我無功　（失言）

晉元帝司馬睿，廟號中宗，是司馬懿的曾孫，那時已入東晉。他生了個男嬰，這是皇太子，十分高興，就對全體朝臣，大賜犒賞，以示慶賀。

朝廷中有位大臣殷羨，字洪喬，長平人，官任光祿勳（又叫光祿卿、光祿寺、光祿大夫，是京官），欲表達對皇上恩賜的謝意，就啓奏道：「皇太子降生，理應普天同慶。只是微臣對此事毫未盡力，卻領受厚賞，愧不敢當。」

晉元帝笑著說：「皇后懷孕，誕生皇子，這是我的事呀，哪裡可以請你來幫忙出力呢？」

**【原文附參】**：元帝皇子生，普賜群臣。殷洪喬謝曰：皇子誕育，普天同慶，臣無勳焉，而猥頒厚賚。中宗笑曰：此事豈可使卿有勳耶？（見：《世說新語》、排調第二十五）

**【另文錄參】**：隋、李文博，貞介耿直。秦孝王妃生男，高祖（隋文帝楊堅）大喜，頒賜群臣。文博家道屢空，人謂其悦，乃云：賞罰之設，功過所歸。今王妃生男，於群臣何事，乃妄受賞也？（見：魏徵：《隋書》、卷五十八、列傳第二十三）

**【編者私語】**：皇后深宮太子生，大臣啓奏愧無功，若眞借助他人力，中宗要戴綠頭巾。

# 三二一　假鳳凰（誠心）

楚國有人擔著山雉（就是野雞，羽毛閃彩，體形美麗，尾羽甚長）進城去賣，路上有人問他：「這是甚麼鳥？」

擔山雉的人騙他說：「這是鳳凰。」

路人道：「我聽說鳳凰是世上最美的鳥。今天竟然眞的遇到了。你這鳳凰賣不賣？」

「賣呀。」

路人出價十鎰黃金，賣鳥的人不肯。路人加倍出二十金，才肯賣給他，路人買下此鳥，乃是打算獻給楚王。

可是很不幸，過了一晚，鳥兒死了。路人倒不可惜買鳥的大筆金錢白費，而只可惜不能將鳳凰獻給楚王，連聲惋惜。他這番心意，被楚國人傳開了，都以爲是隻眞鳳凰，而且打算獻給楚王的，大家都贊美他的誠敬。

最後，這傳聞給楚王聽到了，很感謝這位好心人的一番摯意，便將他召來，賞給他厚禮，賜品甚豐，竟超過原來買鳥價值的十倍。

**【原文附參】**：楚人擔山雉者，路人問：何鳥也？擔山雉者欺之曰：鳳凰也。路人曰：我聞有鳳凰，今直見之。汝販之乎？曰：然。路人出十金，弗與。請加倍，乃與之。將以獻楚王，經宿而鳥死。路人不遑惜金，惟恨不得以獻楚王。國人傳之，咸以為眞鳳凰，欲以獻王，遂聞於楚王，王感其欲獻於己，召而厚賜之，過於買鳥之金十倍。（見：戰國、齊、尹文：《尹文子》、大道上）

**【編者私語】**：眞山雉，騙説是鸞凰。兩倍價錢求到手，鳥亡無計獻荊王，情摯百金償。

# 三二一　庶富教（治國）

孔子坐車到衛國去，由弟子冉有（元前五二二—前四八九，姓冉名求，又稱有子，與孔子同爲魯國人）駕車（原文朱熹注：僕、御車也）。馬車進入衛國（大約現在河北河南一帶），只見人口衆多，攘往熙來，一片祥和氣象。

孔子贊歎說：「衛國人口何其衆多呀。」

冉有趁機問道：「人口已經增多了，下一步該增加些甚麼呢？」

孔子答道：「人口多如果收入不豐，還是不好，下一步應該增加生產，獎助耕種，促進貿易，降低賦稅，使生活水準提高，人人『富裕』。」

冉有再問道：「如果大家都富裕了，下一步又該增加些甚麼呢？」

孔子答道：「人口增多了，大家富裕了，就要教人民明禮尚義，敬長尊賢，兄友弟恭，父慈子孝，把每人都『教育』成高品質的好國民。治國的要道，就包含在這三者之中了。」

**【原文附參】**：子適衛，冉有僕。子曰：庶矣哉。冉有曰：既庶矣，又何加焉？

曰：富之。曰：既富矣，又何加焉？曰：教之。（見：《論語》、子路）

【編者私語】：庶是增加人口，富是衣食豐足，教是提高質量。一國的強弱，不是比人的「數量」，而是比人的「素質」。試看全球人口最多的國家，無一是富強之國。固然、小國寡民不足爲雄，但徒然人多，反是負累。因爲餵飽肚皮就是個大難題，哪有餘力去致富和施教？既然無力擺脫貧窮和愚昧，國家的前景便很艱辛了。別人的國民所得每人每年數萬美元，我們只有幾百幾千。別人的國民百分之八十接受教育，我們百分之八十仍是文盲。如何急起直追，端賴徹底憤發。

# 三二三　強項令　（正直）

東漢時期，董宣（字少平）爲洛陽令（東漢都洛陽，即首都市長）。他廉能正直，壞人都害怕他。

那時漢光武帝（即劉秀，字文叔，公元前六—五七）在位。他有個胞姊湖陽公主，姊弟親情很篤。湖陽公主的奴僕白天在外面殺了人，躲進公主家中，洛陽市府的官員，抓他不到。

公主想送他到別處逃亡避禍，就親自出動車駕，叫這奴僕陪著乘車，打算出城後，遠走高飛，便沒事了。

那洛陽有十二道城門，夏門在亥位，這是公主必經之路。城門之外有個涼亭，董宣帶著兵吏，便在夏門亭等候。

公主到了，董宣喝令停車，叫人扣住馬匹。用長刀畫地，不許前進一步。他大聲數落公主的不是，喊那奴僕下車，當場就將他斬了。

湖陽公主受了莫大的羞辱，回來便對光武帝投訴。光武帝大怒，即時把董宣召來，要用大杖將他打死，好替姊姊出氣。

董宣叩著頭，說道：「但請只講一句話，然後領死。」

光武帝道：「你還有甚麼話好說？」

董宣嚷道：「陛下使漢室中興（推翻王莽新朝，重建漢家天下），聖德深厚。但縱容奴僕擅殺好人而不究，怎麼可以治理天下？我不必受杖了，讓我自行了斷好了。」說罷，就用頭碰向宮中的大柱，頭皮撞破了，血流滿面。

光武帝叫小黃門（殿中聽使喚的宦官）抓住他，令他向身旁的湖陽公主叩頭，賠了罪也就算了。董宣不從。小黃門強行壓著他的頭，向下猛按，董宣用雙手撐地，就是不肯俯首，連小黃門也沒法可施了。

湖陽公主悠悠說道：「文叔（光武之字）！你當年身爲平民時（未起義之前），窩藏過亡命的匪徒，掩護過判死刑的囚犯。那時府官州吏都怕你，不敢跨進你的大門。如今貴爲天子，威儀赫赫，竟然連一個小小市長也制服不了嗎？」

光武帝笑了，答道：「做了天子，行事就和做老百姓不相同了呀！」因叫這位「強項令」（頸項很強，不肯低頭的市長）出宮去吧，並賜他錢幣三十萬。

董宣全數分給辦事的小吏，一文不取。從此打擊豪強，更加順手。京都裡的惡人，無不畏懼他。

**【原文附參】**：董宣爲洛陽令。湖陽公主蒼頭白日殺人，匿主家，吏不能得。及主出，以奴驂乘。宣於夏門亭候之。駐車叩馬，以刀畫地，大言數主之失。叱奴下車，殺之。主還宮，訴之帝。帝大怒，召宣，欲箠殺之。宣叩頭曰：願乞一言而死。帝曰：欲何言？宣曰：陛下聖德中興，而縱奴殺良人，將何以治天下？臣不須箠，請自殺。即以頭擊楹，流血被面。帝令小黃門持宣，使叩頭謝主，宣不從，彊使頓之，宣兩手據地，終不肯俯。主曰：文叔爲白衣時，藏亡匿死，吏不敢至門。今爲天子，威不能行一令乎？帝笑曰：天子不與白衣同。因敕強項令出，賜錢三十萬，宣悉以班諸吏。由是能搏擊豪強，京師莫不震慄。（見：《資治通鑑》、卷四十三、漢紀三十五。又見：《後漢書》、卷第一百七）

**【編者私語】**：古之人，認爲是「對」的事，便擇善固執，到死不改。這種例證太多：鉏麑觸槐，樊於期割下自己的頭，朱雲扳倒了皇殿欄杆，嵇紹血濺帝衣，張巡牙齒嚼碎了，文天祥寫正氣歌，陸秀夫負帝投海，鄒容投案坐牢，陸皓東起義殉國，都是「只見一義，不見生死」的仁人。董宣如不遇光武帝，也死掉了。爲甚麼他們這樣傻呢？乃是由於深受儒學的薰陶，認爲「行得正」比生命還重要之故。現代人就聰明多了，絕不肯爲了堅信某一項理念，竟連性命也願賠進去。慷慨赴死我不幹，賴皮活著又何妨？價值觀念完全變了。

## 三二四 偷摘石榴（奸詐）

秦檜在南宋高宗朝中當宰相，他的宰相府左面的院子裡，有一株高大的石榴樹。每年石榴結成時，秦檜就暗地裡數一數，在心底記下果實的個數。

有一天，他再點數時，發現少了兩個石榴，不知是府中誰個偷摘了？他本來就工於心計，也不說破，假裝不知道，卻命準備車馬，要出外處理公務，還要府中的管事人員，一同集合隨行。

人員都到了院中，秦檜忽然說：「左院裡這株石榴樹不好，誰去拿把斧頭來，現在就砍掉它吧！」

旁邊一位管衣物的小吏溜口說道：「這樹上結的石榴味道非常好，砍掉了很可惜。」

秦檜露著奸笑，問他道：「偷吃我的石榴的人，就是你嗎？」

小吏大驚，只得認罪，俯首接受懲罰。

馬車不用了，人也散了。從此以後，服事秦檜的這班人，沒有一個再敢作弊了。

**【原文附參】**：宋、秦檜爲相日，都堂左廡前有石榴一株，每著實，乃默記其數。一日，偶亡其二。佯爲不知，將排馬。忽顧左右，取斧伐去之。衣吏在旁卒告曰：

其實佳甚，斫之可惜。檜笑曰：盜食吾榴，乃是汝耶？吏大驚服罪。自此下人罔敢作弊。（見：《龍文鞭影》、二集、卷下）

**【編者私語】**：秦檜奸臣，無處不用奸詐，故朱子說：「秦檜借外權以專寵利，竊主柄以遂奸謀。」朱子又在《戊午讜議》序中說：「檜之罪，萬死不足以贖。」終至南宋滅亡。「莫須有」固無論矣，即對自己屬吏，也常用心計，想他隨時都在計算別人，奸心從不休息，也太苦勞了吧？

## 三二五　高山流水（知音）

伯牙是春秋時代善於鼓琴的高士，學於成連，盡得其妙。而他的知音（懂得音律的高士），僅有好友鍾子期（春秋楚人）一人。

伯牙的琴藝高妙，鍾子期也善於鑒賞。當伯牙的琴聲弦意，蘊藏著志在高山之音。鍾子期聽了，贊道：「善哉乎鼓琴，巍巍乎若太山（列子湯問則曰「峨峨然若泰山」）。」過了一陣，琴的節奏改變了，隱然有志在流水之音。鍾子期聽了，又贊道：「善哉乎鼓琴，湯湯（音商，大水疾流狀）乎若流水（列子湯問則曰「洋洋然若江河」）。」

伯牙覺得鍾子期有高度的聽琴辨音水準，惟有他在，才有鼓琴之樂。而鍾子期則覺得伯牙琴藝超絕，惟有他優雅的彈奏意境，才值得欣賞。

後來鍾子期死了，伯牙鬱鬱不歡，覺得再沒有知音的人了。便將古琴砸碎，將琴弦弄斷，終生不再鼓琴，因爲世界上沒有人値得他再來撥弄琴弦了。

**【原文附參】**：伯牙鼓琴，鍾子期聽之。方鼓琴，而志在太山。鍾子期曰：善哉乎鼓琴，巍巍乎若太山。少選之間，而志在流水。鍾子期又曰：善哉乎鼓琴，湯湯乎若流水。鍾子期死，伯牙破琴絕弦，終身不復鼓琴，以爲世無足爲鼓琴者。（見：

《呂氏春秋》、本味）

【另文錄參之一】：伯牙子鼓琴，鍾子期聽之。方鼓而志在太山，鍾子期曰：善哉乎鼓琴，巍巍乎若太山。少選之間，而志在流水，鍾復曰：善哉乎鼓琴，蕩蕩乎若流水。鍾子期死，伯牙破琴絕絃，終身不復鼓琴，以爲世無足爲鼓琴者。非獨鼓琴若此也，賢者亦然。雖有賢者而無以接之，賢者奚由盡忠哉？驥不自至千里者，待伯樂而後至也。（見：漢、劉向：《說苑》、卷八、尊賢）

【另文錄參之二】：伯牙善鼓琴，鍾子期善聽。伯牙鼓琴，志在登高山。鍾子期曰：善哉，峨峨兮若泰山。志在流水，鍾子期曰：善哉，洋洋兮若江河。伯牙所念，鍾子期必得之。伯牙遊於泰山之陰。卒逢暴雨，止於巖下，心悲、乃援琴而鼓之，初爲霖雨之操，更造崩山之音，曲每奏，鍾子期輒窮其趣。伯牙乃舍琴而歎曰：善哉善哉、子之聽、夫志、想象猶吾心也，吾於何逃聲哉？（見：《列子》又名《沖虛至德眞經》、卷第五、湯問第五）

【編者私語】：境界愈高，知音愈少。故宋玉興和寡之悲，伯牙起絕弦之歎。《孟子》盡心章曰：「大匠不爲拙工改廢繩墨，后羿不爲拙射變其彀率。」高士既不肯降低格調，此所以常感寂寞也。

## 三二六　得其所哉（誑騙）

有人送給鄭國大夫子產（又稱東里子產，有賢名。元前?—前五二二）一條活魚，子產叫那管魚池的小吏將魚蓄養在池子裡。

不料那小吏私下將魚煮來吃了，卻謊報子產說：「我把魚放進水池裡，放手的當初，這魚困困的，呆呆的，似乎還沒有舒轉過來。待一會兒，就搖著尾巴，活潑自如的游進水中去了。」

子產很高興，說道：「這魚回到屬於它生活的地方去了，這魚回到屬於它生活的地方去了。」

小吏出來後，對別人說：「誰說子產聰明?我已經把魚兒煮來吃了，他還說：『這魚回到屬於它生活的地方去了，這魚回到屬於它生活的地方去了。』」

由此看來，有道德的正人君人，可以拿一些合情合理的事情去誑騙他，但很難拿一些不合理的事情去蒙蔽他。

**【原文附參】**：昔者有饋生魚於鄭子產，子產使校人畜之池。校人烹之。反命曰：始捨之，圉圉焉，少則洋洋焉，攸然而逝。子產曰：得其所哉，得其所哉。校人

出，曰：孰謂子產智？予既烹而食之，曰：得其所哉，得其所哉。故君子可欺以其方，難罔以非其道。（見：《孟子》、萬章章句上）

**【編者私語】**：只要言之成理，即使說謊，正人君子都可能接受，這也是正人君子的弱點，容易受騙。但若謊言拆穿，就永不信任你了。

## 三二七　梁上君子（感化）

東漢陳寔（一〇四—一八七），字仲弓，穎川人，立志上進，好學不倦。不論坐著站著，都不停的唸書背書。穎川縣長鄧邵與他交談時，就發覺他是位奇才，十分佩服。

陳寔在縣鄉鄰里之間，也普受讚佩，公認他心地公正。遇到爭訟案子，每每找他來評判對錯。他總是明白的分析出誰是誰非，讓各人心服，爭端就此解決了，事後竟也沒有人抱怨過。因此大家都說：「寧可受到法律的制裁，但不可被陳寔先生說我不是。」

有一年遇到天災，糧食沒有收成，百姓生活艱困。有個小偷，晚上潛入陳寔家中，藏身在廳堂的橫梁上，想偷東西。

陳寔暗中發覺了，他不動聲色，穿上整齊衣服，把廳堂裡的香案茶几坐椅都拂拭潔淨，端肅的坐在正上方，一副莊敬的樣子。他把兒孫輩都召喚過來，集合在廳堂裡，凝重的訓示他們說：「我們做人，不可不自己勉勵，以免走到壞路上去。那種不走正路的人，起初未必本性不好，但壞事做多了，日久習性養成，便難得回頭，這是要不得的。例如今晚這位『梁上君子』就是個實際的例子。」

這位偷兒，對陳寔的全部動作都瞧見了，聽到這番訓話，更大吃一驚，知道行藏敗露，只好自動下來，伏在地上叩頭請罪。

陳寔慢慢地向他開導說：「看你的像貌和舉止，並不像個壞人。希望你能深深反省，改過向善。不過，如今淪爲偷盜，諒必也是由於貧困受逼的原故。」順便送給他絹綢兩匹，讓他帶著回家。

這件事傳了開來，從此穎川一縣再也沒有小偷了。

**【原文附參】**：陳寔，字仲弓。有志好學，坐立誦讀。縣令鄧邵與語，奇之。寔在鄉閭，平心率物。其有爭訟，輒求判正。曉譬曲直，退無怨者。至乃歎曰：寧爲刑罪所加，不爲陳君所短。時歲荒民儉，有盜夜入其室，止於梁上。寔陰見，乃起自整拂，呼命子孫，正色訓之曰：夫人不可不自勉。不善之人，未必本惡，習以性成，遂至於此。梁上君子者是矣。盜大驚，自投於地，稽顙歸罪。寔徐譬之曰：視君狀貌，不似惡人，宜深克己反善。然此當由貧困。令遺絹二匹。自是一縣無復盜竊。（見：《後漢書》、卷九十二、列傳第五十二）

**【編者私語】**：陳寔所爲，恩威齊下：既勉向善，復濟其貧，況本非惡，焉有不化。唯余有感焉：昔人爲竊爲盜，多係迫於饑寒，偷來以維溫飽。今人爲偷爲盜，卻係耽於奢侈，劫財以供揮霍。古人作盜，尚存羞恥之心，今人爲盜，卻有得意之色。只因現代社會，論金錢不論人品（品德一斤值幾文）。只問你財富有多少，不問你財富從何來？如果偷盜得手，就可大事玩樂；如果失手，大不了坐牢去免費吃住。在獄中與同道交換偷盜心得，出獄後技術段數又更升高。雖然鐵窗鋼門、警鈴保鑣，重重防護，仍然消弭不了綁票搶劫之猖獗。若不從淨化人心的根本救起，盜風是很難遏止的。

# 三二八　涸轍鮒魚（紓困）

戰國時代的莊子，名周，因家貧，便往監河侯（《說苑》作魏文侯）的府上去借米。監河侯說：「沒有問題。等我領到封地上的邑金，我便借給你三百金，好嗎？」

這番話明明是託辭，沒有誠意。莊周動了怒，臉上變了色，應道：「我莊周昨天來時，路上有聲音在喊救命。我四面張望，才發現泥土路上，因車輪輾過，壓成了兩道凹溝，就是車轍。有一條鮒魚（鯽魚）正困在車轍裡，原來是牠在喊我。

「我對牠說：『魚兒，過來！你在車轍裡幹什麼呢？』

「鮒魚答道：『我本是東海的波臣，如今困在這乾涸的車轍裡，你有沒有半斗一升的水來救活我呢？』

「我說：『沒有問題。等我到南方去遠遊時，說動吳國和越國君王，同意我鑿開西來的大江之水，引導到這裡來迎接你回去，好嗎？』

「鮒魚大怒道：『我日常是要靠水來活命的，如今失去了水，沒法活了。我只要有半斗一升的水就能得救。你竟然這般大費周章，卻是緩不濟急，照你這麼說，倒不如早一些到乾魚店裡去尋我吧！』」

【原文附參】：莊周家貧，故往貸粟於監河侯。監河侯曰：諾。我將得邑金，將貸子三百金，可乎？莊周忿然作色曰：周昨來，有中道而呼者，周顧視，車轍中有鮒魚焉。周問之，曰：鮒魚來，子何爲者耶？對曰：我東海之波臣也，君豈有斗升之水而活我哉？周曰：諾。我且南遊吳越之王，激西江之水，而迎子可乎？鮒魚忿然作色曰：吾失我常與，我無所處。吾得斗升之水然活耳。君乃言此，曾不如早索我於枯魚之肆。（見：戰國、莊周：《莊子》、外物）

【另文錄參】：莊周貧，往貸粟於魏文侯。曰：待吾邑粟之來而獻之。周曰：乃今者，周之來，見道傍牛蹄中有鮒魚焉，太息謂周曰：我尚可活也。周曰：須我爲汝，南見楚王，決江淮以漑汝。鮒魚曰：今吾命在盆甕之中耳，乃爲我見楚王，決江淮以漑我，汝則求我枯魚之肆矣。今周以貧，故來貸粟，而曰須我邑粟來也而賜臣，即來，亦求臣傭肆矣。文侯於是發粟百鍾，送之莊周之室。（見：漢、劉向：《說苑》、卷十一、善說）

【編者私語】：本文宜有兩項省思。其一：他人困頓之際，適時伸以援手，以我之有餘，分潤別人，在我並無大礙，在人卻濟急難，或許就救人一命，莫以善小而不爲也。其二：本篇莊子借魚兒不可離水之喻，隱以譬吾人不可離道之義。《中庸》首篇曰：「道也者，不可須臾離也，可離非道也。」道是日用事物當行之理，今人應予三思。

## 三二九　欲為梁相（短長）

梁國的宰相死了，惠子（即惠施）要趕到梁國去。渡河之時，不小心掉到河裡去了。划船的人趕忙救起他上船，神情好生狼狽。

船夫問他說：「你要去哪裡？爲甚麼這般急急忙忙呢？」

惠子答道：「梁國沒有宰相了，我想去梁國接宰相之任。」

船夫說：「你在船上，就如此粗心大意，自己都管不好，落到水裡去了。如果沒有我，你早就死了。你有甚麼能力去管理梁國的政事呢？」

惠子答道：「救我一命，自當深謝。你長時期在船上過活，操舟擺渡，熟諳水性，這方面我自然不如你能幹。至於安定國家，保全社稷，這方面你來比我，就像那矇著眼睛看不見的狗一樣哪。」

**【原文附參】**：梁相死，惠子欲之梁。渡河而遽墮水中，船人救之。船人曰：子欲何之而遽也。曰：梁無相，吾欲往相之。船人曰：子居船楫之間而困，無我則子死矣，子何能相梁乎？惠子曰：子居艘楫之間，則吾不如子。至於安國家，全社稷，子之比我，蒙蒙如未視之狗耳。（見：《說苑》、卷第十七、雜言）

**【編者私語】**：人人有其所長，也有其所短。故《論語》子路章孔子說：「吾不如老農、吾不如老圃。」天下事、不能我都精通，也無法全部包辦。必須各司其職，分工合作。廚師與總統同樣重要，吃飽了才能辦事。通訊兵的重要性，也不亞於總司令，因要靠他傳遞戰情。我們要建立職業無貴賤的觀念，所異者只是崗位不同而已。

## 三三〇　殺父可以　（怪誕）

晉朝阮籍（公元二一〇—二六三），字嗣宗。他博覽群書，尤喜老莊之學。好飲酒，善彈琴，性情疏放，是竹林七賢之一。

一位掌管刑罰的朋友，談起他辦理的案件中，有個不肖的兒子，將自己的母親殺了。阮籍聽後，接口說道：「啊喲！殺死父親還可以，竟然將母親殺死了嗎？」

同座的友朋們，都怪阮籍失言。儒士以孝義爲先，怎能說出殺父可以這種違反倫常的荒誕之話？

阮籍解說道：「禽獸只知道有母親，不知道有父親。殺父親、是禽獸行爲。殺母親、連禽獸都不如了。」

衆人聽此解釋，覺得尙言之成理，大家也佩服他的急智，化除了窘態。

**【原文附參】**：有司言：有子殺母者，阮籍聞之曰：嘻！殺父猶可，乃殺母乎？坐中怪其失言。籍曰：禽獸知母而不知父。殺父、禽獸也；殺母、禽獸不若矣。衆乃悅服。（見：《晉書》、卷四十九、列傳第十九）

**【編者私語】**：晉人好清談，說話每每標新立異，力求與衆不同，好引人注意，循而流於怪誕。殺父猶可之語，確實驚世駭俗，令人錯愕。幸而阮籍雖狂，卻有急智，一番解釋，倒也能自圓其說，勉可過關（急智能解圍，有時也可學一學）。奉勸喜作妄語怪言者，最好不要逞口舌之利，若專耍嘴皮子，固可譁衆於一時，拆穿了終究只剩一張大嘴，卻害了國家民族。彼岸有人說：「中國不能談民主。」豈不是要專制獨裁到底嗎？此岸有人說：「台灣地位未定。」豈不是要把台灣淪為殖民地嗎？這些論調本都別有用心，但不可以藉這類怪話來當幌子，為害中華民族。

## 三三一　郭威薄葬　（儉素）

殘唐五代，就是梁唐晉漢周五朝。那後周乃是郭威（九〇四—九五四）所建，稱爲周太祖。他沒有兒子，收養了柴榮作爲義子。柴榮征戰有功，封爲晉王。以後即帝位便是周世宗，這是後話。

郭威晚年，害了病，一時好，一時壞。柴榮在郭威身旁服侍，日夜不離。

郭威自知活不多久了，告諭晉王說：「我如果死了，你就趕快將我埋葬，不要久留在宮殿裡，耽擱時間，使人鬼都不安寧。修築墳墓時，務必節儉樸素。那些修墓的工役、力伕、泥匠、石匠，都去雇來，發給工資，不可攤派官差、徵用百姓來服義務勞役。皇陵不必用石柱，以免耗費人工材料，用磚塊砌起來就好了。柩用瓦棺，遺體只用紙衣殯殮。不必派人守墓。也不要雕塑石人石獸在陵上守護。只要立一塊石碑，刻上『大周天子臨晏駕（瀕臨死亡時），與嗣帝約（和繼位的皇帝約定），緣（由於）平生好儉素，只令著瓦棺紙衣葬。』如若違背我的囑咐，我的陰靈便不會助佑於你。」

郭威又說：「我看過李家（殘唐五代是承接唐朝，唐是李淵的家天下）十八個皇帝的陵園墓地，當時都大耗錢物人力，多數都被挖開盜發，不得善終，厚葬有何益處？你可聽說漢文帝一生儉素，死後簡葬在霸陵原，至今仍然完好嗎？你要切記，不可忘了我的這番話。」

**【原文附參】**：帝疾，乍瘳乍疾。晉王省侍，不離左右。累諭晉王曰：我若不起，汝即速治山陵，不得久留殿內。陵所務從儉素。役力人匠，並須和雇，不得差配百姓。陵寢不須用石柱，費人工，只以磚代之。用瓦棺紙衣。不要守陵宮人。亦不得用石人石獸。只立一石，鐫字云：大周天子臨晏駕，與嗣帝約，緣平生好儉素，只令著瓦棺紙衣葬。若違此言，陰靈不相助。又言：朕見李家十八帝陵園，廣費錢物人力，並遭開發。汝不聞漢文帝儉素，葬在霸陵原，至今見在，莫忘朕言。（見：《舊五代史》、卷一百一十三、周書四、太祖紀第四）

**【編者私語】**：《舊五代史》贊美郭威說：「及鼎駕之將昇，命瓦棺而薄葬，勤儉之美，終始可稱。」郭威在位，惜乎只有三年，他遺命喪葬從簡，細節都交代清楚，應是深慮後的決定。皇帝如此守儉，乃是古今第一人。今人喪葬，喜愛鋪張，大起墓園，與活人爭地。殊不知死後糜費，何如生前奉養？歐陽修也說：「祭而豐，不如養之薄也」——歿後花大錢鋪張，死者享受不到。不如在生前盡力，以悦親心。這是由喪葬的豐儉而引申到盡孝的遲早，讀者諸君子，可有贊同郭威及歐陽修者乎？

## 三三二一　雪夜訪相　（情篤）

宋代趙普（九二二—九九二），字則平，佐宋太祖（九二七—九七六）定天下，作了宰相，封魏國公。宋太祖倚仗他爲左右手，事無大小，都要咨詢他來作決定。

太祖喜歡微服私行，每每在散朝無事時，到功臣家去造訪。趙普在退朝之後，都不敢換穿便服，唯恐太祖突來，疏忽了君臣禮節。

有一天，正下大雪，天也很晚了。趙普一想，這種壞天氣，皇上大概不會外出了。過了許久，聽到叩門的聲音，趙普出來，開門一看，宋太祖正披著外氅，在門外風雪之中站著。

趙普一時惶急，連忙伏地叩頭，迎接皇上。宋太祖說：「不必多禮，趕快起來，我已經約了晉王（太祖之弟趙光義，時封晉王，後爲宋太宗），他也快要到了。我們進去吧！」

隔不多久，晉王來了。趙普在地上鋪了軟厚的裀毯，大家坐在客堂中，生了旺盛的炭火取暖，又燒了烤肉，談天消夜。由趙普夫人向大家斟酒，宋太祖以嫂嫂的尊稱叫她，夜闌極歡才散。

【原文附參】：宋趙普既拜相，上視爲左右手，事無大小，悉咨決焉。太祖數微行，過功臣家。普每退朝，不敢便衣冠。一日，大雪向夜，普意帝不出。久之，聞叩門聲，普亟出，帝立風雪中，普惶懼迎拜，帝曰：已約晉王矣。已而太宗至，設重裀地，坐堂中，熾炭燒肉，普妻行酒，帝以嫂呼之。（見：明、《御製賢臣傳》、相鑑、卷之十一）

【編者私語】：宰丞尊帝，天子重賢。乳水交融，君臣歡洽。一聲大嫂，呼來彼此連心；幾碟佳餚，贏得主賓盡興。酒卮常滿，窗前瑞雪仍寒；爐火頻添，室內豪情正暖。好一幅雪夜訪相畫圖也。

## 三三三　魚頭參政（剛毅）

魯宗道（九六六—一〇二九，字貫之）爲人剛毅正直，痛恨邪惡，絕少寬容奸僞之人。宋眞宗時（九六八—一〇二二），官任諭德（掌侍從贊諭，職比常侍）。有的史書則說他官任右正言（宋改右拾遺叫右正言，是諫官）。

他的住家，鄰近酒店。有一天，他微行（尊貴者便衣出行，不使人知叫微行）到酒店裡喝酒。正好眞宗有急事，須即刻召喚魯宗道。使者到了他家，焦急的等了好久，宗道才從酒店回來。

使者要趕忙先回皇宮覆命，相約問道：「皇上如果責怪你何以遲來，要怎樣回答？」

魯宗道說：「只是實情實講就好了。」

使者道：「如果講實話，相公你準會獲罪。」

魯宗道回答說：「喝酒，是人的常情，可以見諒。至於說謊，那是犯了欺君大罪，不可赦。」

眞宗果然問及爲何遲回，使者照宗道的話老實奏明。不久，魯宗道也趕來了，眞宗再詰問他，宗道謝罪奏道：「有位相識很久的好友，從故鄉特來看我。我家很窮，杯盤都不夠，只好邀他到酒店裡去叙舊。」眞宗認爲他很忠實，可以大用，後來任爲參知政事。

那時執政的大臣們，多將兒子送到館閣去唸書（宋代以史館、集賢院、昭文館爲三館，又以祕閣、龍圖閣、天章閣統稱館閣，選大儒居之）。魯宗道說：「館閣是儲育天下英才的地方，哪能由這些紈袴子弟（鄙稱富貴子弟不學者曰紈袴）倚仗父輩的恩澤就可以進去？」一概將他們剔掉。

他不怕權勢，那些貴戚用事的都特別畏懼他，稱他爲「魚頭參政」。魚是魯字的頭，又形容他剛正鯁直有似魚頭一樣。

**【原文附參】**：魯宗道，爲人剛正，疾惡少容。爲諭德時，居近酒肆。嘗微行就飲肆中。偶眞宗亟召，使者及門久之，宗道方自酒肆來。使者先入，約曰：上怪公來遲，何以爲對？宗道曰：第以實言之。使者曰：然則公當得罪。曰：飲酒、人之常情；欺君、臣子之大罪也。眞宗果問，使者具以宗道所言對。帝詰之，宗道謝曰：有故人自鄉里來，臣家貧無杯盤，故就酒家飲。帝以爲忠實，可大用。時執政多任子於館閣讀書，宗道曰：館閣育天下英才，豈紈袴子弟得以恩澤處之耶？自貴戚用事者皆憚之，目爲魚頭參政。因其姓，且言骨鯁如魚頭也。（見：《宋史》、卷二百八十六、列傳第四十五）

**【編者私語】**：說眞話的人，別人認爲他不夠聰明，實則最爲穩當。他不必託詞掩飾，不必挖空心思找理由來自圓其說，完全沒有心理負擔，豈不是最好？司馬光說他的一生，事無不可對人言，就是誠實二字的注腳。魯宗道官居參政，家裡拿不出整套一式的杯盤來招待客人，足見他平日一介不取，廉潔可風。這種不貪而自愛的人，誰個不畏他三分？可惜現代這種人少有了，大家都爭逐銅臭，雖「有」億萬家財，卻仍舊聚斂貪婪不已，一「無」可取。如果像魯宗道一樣甘於澹泊，我想他心裡應是很充實很富「有」的了。

## 三三四　麥舟贈友（仁義）

北宋范仲淹（九八九－一〇五二），字希文，諡文正，故稱范文正公。才高志遠，樂善好施。當他在睢陽時（即今河南商邱），命他次子范堯夫（范純仁的字，卒諡忠宣）前往姑蘇（即今江蘇吳縣，地有姑蘇山得名），去運回麥子五百斛（音富，十斗爲斛）。

那時堯夫年紀尚輕，領了麥子後，押著麥船回來。歸程中，在丹陽停靠（今江蘇丹陽縣），不期遇見了石曼卿（即石延年，宋城人，有氣節，不務俗事）。

堯夫問他道：「你寄居這裡多久了？」

石曼卿說：「兩個月了。因爲有三位親人去世，現在暫時用淺土將棺柩護著，想要歸葬北方，尙須籌謀大筆費用，目前還沒有人可以商議支助這事。」

范堯夫聽了，就將所有的麥子，連船一併送給了他。無累一身輕，堯夫獨自回來了。到了家裡，拜見了父母，就站立在一旁，等候吩咐。過了許久，范仲淹問道：「你去東吳（姑蘇丹陽，都是東吳轄地），碰見了熟朋友沒有？」

堯夫答道：「在丹陽遇到石曼卿，因三喪沒有辦完，仍舊留在那裡。由於沒有逢到像郭元振（唐代郭震，樂於助人）那樣慷慨解囊的人，以致還未能移葬。」

范仲淹說：「爲何不把那船麥子送給他呢？」

堯夫道：「兒已經連船都給他了。」

**【原文附參】**：范文正公在睢陽，遣堯夫到姑蘇，般麥五百斛。堯夫時尚少，既還，舟次丹陽，見石曼卿，問寄此久如？曼卿曰：兩月矣。三喪在淺土，欲葬之，而北歸無可與謀者。堯夫以所載麥舟付之，單騎而回。到家拜起，侍立。良久，文正曰：東吳見故舊乎？曰：曼卿爲三喪未舉，方留滯丹陽，時無郭元振，莫可告者。文正曰：何不以麥舟與之？堯夫曰：已付之矣。（見朱熹：《五朝名臣言行錄》、第七卷、七之二。又見宋、釋惠洪：《冷齋夜話》）

**【編者私語】**：父子聯輝，確是美談。文正說：「何不以麥舟與之？」堯夫說：「早已連船付之矣。」有其父必有其子也。《古文觀止》中錢公輔有一篇「義田記」，敘說「范文正平生好施與，置田千畝，號曰義田，以養濟族人：嫁女者五十千，娶婦者三十千。公雖位高祿厚，而貧終其身。歿之日，身無以爲斂，子無以爲喪，唯以施貧之義遺子而已。公之忠義滿朝廷，事業滿邊隅，功名滿天下，後世必有史官書之者。」范仲淹之義，不獨難以望之晚近，即求之千古，亦不可多見。有人撰聯贊之曰：「義立田千畝，仁推麥一舟。」上句指義田濟人，下句說麥舟贈友。倘有仁人君子，偶閱本篇，能起而效之乎？義助仁施之途徑很多，茲建議兩種妄想：一爲設立貸學金基金會，貧而可造者（富者不必貸），無息貸款（養成償還責任），不要擔保（憑榮譽心），學成就業後分期歸還（俾可繼續貸借），以造就下代優秀人才（資優而無錢深造，乃是國家之損失）。二為創立免費產科醫院（單科易於專注），只收貧者，免費接生（連同免費產前檢查），以繁衍健康的下一代（國者人之積，有強健的國民，則國家前途無量）。然乎？

# 三三五　唸佛一千遍（喋喋）

江西鄱陽地方，有位何梅谷，他太太信佛很誠，每天早晚都要誦唸觀世音菩薩一千遍。何梅谷實在受不了。有一天，何梅谷故意喊他太太的名字，太太答應了，梅谷仍舊在喊，而且隨應隨喊，一直不停。

他太太動了肝火，大聲問道：「你這是發甚麼神經？爲甚麼不斷的叫我，喧喧嚷嚷，一直不停，有毛病？」

何梅谷慢慢回應說：「我不過叫你幾分鐘，你就大發脾氣。觀世音菩薩被你早上叫一千遍，晚上又叫一千遍，她難道不對你生氣嗎？」他太太便不再唸佛了。

【原文附參】：鄱陽何梅谷妻好佛，晨夕每念觀音菩薩千遍。梅谷一日呼妻，至再至三，隨應隨呼，弗輟。妻怒曰：何聒噪若是耶？梅谷徐應曰：呼僅二三，汝即我怒。觀音菩薩，一日被你呼千遍，安得不怒爾？其妻遂止。（見：《朱氏淘沙》、卷二）

【編者私語】：燒一柱香，就要求福求財，叫我怎生施捨？唸千遍佛，祇想免災免禍，看你何等嘮叨！

## 三三六　國有三不祥（爲政）

春秋時代，齊景公出去打獵，進入山中，看到老虎，走到水邊，遇到大蛇。回宮之後，召見宰相晏子（名嬰字平仲）問道：「今天我去打獵，上山見虎，臨水遇蛇，這大概就是所謂不吉祥吧？」

晏子答道：「作萬民之君，治理國家，有三項不祥之事，卻不包括你所說的虎蛇在內。首先、國內有賢德的人，主政的卻不知道，是第一項不祥。其次、知道有賢人而不願用他，是第二項不祥。再次、用了賢人卻不信任他，不放手讓他做事，是第三項不祥。所謂不吉祥，乃是這三項。至於上山見虎，那山林原是虎的居所；臨水見蛇，那水澤原是蛇的窩窟。你走到虎的家裡，走近蛇的窩邊，看到它們，怎好算是不吉祥呢？」

**【原文附參】**：景公出獵，上山見虎，下澤見蛇。歸、召晏子而問之曰：今日寡人出獵，上山則見虎，下澤則見蛇，殆所謂不祥也？晏子對曰：國有三不祥，是不與焉。夫有賢而不知，一不祥。知而不用，二不祥。用而不任，三不祥也。所謂不祥，乃若此者。今上山見虎，虎之室也。下澤見蛇，蛇之穴也。如虎之室，如蛇之穴，而見之，曷爲不祥也？（見：《晏子春秋》、內篇諫下。又見、《說苑》、卷一、

君道篇）

【編者私語】：古今都有迷信。春秋時代，距今二千五百年。蛇虎不祥，或正當時所忌。景公所見者淺，只憑行獵所遇而問；晏子所見者高，乃以治國大道作答。打獵只是小動作，不吉祥也只是個引子，晏嬰卻轉用一番大道理來解釋，順勢婉對齊景公進諫，不溫不火，聽得進去。這種勸善規過的方式，可供今天位居首長老闆或身任參謀伙計的多予體會。

## 三三七　惜公遲四年（無恥）

南宋末，國勢衰弱，元兵南侵。有位夏貴（公元一一九六—一二七九），擔任淮西（即淮河上游之地，又稱淮右）邊防將師，抵抗元軍。夏貴於德祐（宋恭帝年號）丙子年（公元一二七六，即元朝至元十三年）降元，被任命爲中書左丞（大約是掌理國家文書），那時他已滿七十九晉八十歲了。到己卯年（公元一二七九），夏貴八十三歲，死了。

夏貴一生享受了宋朝的俸祿，到八十歲暮年卻投降於蒙古族的元朝，祇偷活了四年，許多人都罵他不該臨老變節，靦顏事仇。死後，有人送他打油詩一首，詩云：「自古誰無死，惜公遲四年；問公今日死，何似四年前？」

又有人到他墳上，題詩在墓碑挖苦他，詩曰：「享年八十三，何不七十九？嗚呼夏相公，萬代名不朽？」

【原文附參】：夏貴，爲淮西閫帥，德祐丙子降元，授中書左丞，時年八十矣。己卯薨。有人贈以詩云：自古誰無死，惜公遲四年；問公今日死，何似四年前。又有人弔其墓云：享年八十三，何不七十九？嗚呼夏相公，萬代名不朽。語見三朝野

史。（見：宋、胡省三：《資治通鑑胡注表微》、生死篇第十九）

**【編者私語】**：時空在改變，歷史是動的。不同的民族，已逐漸溶合成一個中華民族。但在宋末，敵人入侵，夏貴以八十衰朽殘年降敵，變節無恥，劣行可誅。偷生苟活，僅只四年。想他也過得窩囊，良心受譴。遺臭千古，宜乎受人唾罵也。

## 三三八　硬抗常將軍　（嚴正）

歐陽銘，字日新，明代初期人。洪武（明太祖朱元璋年號）年間，任爲江都（在今江蘇）縣丞（等於副縣長）。縣裡有位後母，來衙控告兒子不孝。歐陽銘傳呼他兩人到公案之前，委婉的勸解，雙方感動得哭了起來，叩謝了縣丞開導的恩典，回家去了。終於傳出母慈子孝的美稱。

後來，他調升爲臨淄縣長（屬山東省），境內大治。明初開國大將後封鄂國公的常遇春（一三三〇—一三六九，字伯仁），帶領部隊由臨淄過境。部下有個兵卒，進入民家拿酒，起了衝突，互相毆打，老百姓被打傷了，全市都喧嘩起來，幾乎要鬧成事變。歐陽銘將那名悍卒，當街痛打了一頓，才放他走了。

這位兵卒回營，向常遇春報告，說縣長打他板子，羞辱了部隊的名譽，還咒罵了常將軍。常遇春大怒，質問歐陽銘，要討回公道。

歐陽銘抗聲回稟道：「將軍的兵卒，是國家的武士，沒錯。但我治理下的百姓，也是國家的良民呀。老百姓挨打，快要被打死了。這個毆人的兵卒，難道不該受鞭責，以平民憤嗎？再說、我歐陽銘雖然愚笨，處理這樁小事，何至於要辱罵到將軍頭上呢？明顯的是造謠生事吧了。將軍是個大賢人，當也不致於袒護一個部卒而阻擾國法的施行吧！」

常遇春怒氣消除了。轉頭斥責那個士兵的不是，還向歐陽銘道謝。

後來，官封大將軍的徐達（一三三二—一三八五，字天德，與常遇春同爲朱元璋的左右手），大軍也來到臨淄城。士兵們互相告誡說：「在這臨淄縣裡，我們不可胡來。這位歐陽銘縣長，可是個強人鐵漢。不久之前，還硬抗折服了常將軍，我等不要犯在他的手上呀！」

**【原文附參】**：歐陽銘者，字日新，爲江都縣丞。有繼母告子不孝者，呼至案前，委曲開譬，母子泣謝去，卒以慈孝聞。後遷知臨淄，常遇春師過其境，卒入民家取酒，相毆擊，一市盡譁。銘笞而遣之。卒訴令罵將軍，遇春詰之。曰：卒、王師；民、亦王民也。民毆且死，卒不當笞耶？銘雖愚，何至詈將軍？將軍大賢，奈何失一卒而撓國法？遇春意解，爲責軍士以謝。後、大將軍徐達至，軍士相戒曰：是健吏，曾抗常將軍者，毋犯也。（見：《明史》、卷二百四十、列傳第二十八）

**【編者私語】**：俚詞調寄西江月：世亂法不能亂，國安民要先安；當街撻士滿城觀，悍卒刁兵喪膽。縣長敢違軍長，文官壓服槍官；頂多丟掉爛紗冠，永博吾人激賞。

# 三三九　貧賤才驕人

（敦品）

戰國時代，有個叫子擊的人（後來登位爲魏武侯），在朝歌（地名，是殷商的首都，在今河南淇縣）遇到魏文侯（戰國魏王，尊賢禮士，以子夏、段干木、田子方爲師友）的老師田子方（賢者，文侯奉爲老師，認爲是魏國之寶）。子擊將座車避讓到路邊，自己下得車來，向田子方謁見行禮。哪知田子方全不理會。

子擊因而請問道：「究竟是有錢有勢的富貴人（如我）値得驕傲呢？還是無錢無位的貧賤人（如你）値得驕傲呢？」

田子方說：「當然是貧賤人能對任何人顯示驕傲了。你看那諸侯如果驕傲，四鄰圍攻，侯國就會滅失。大夫如果驕傲，衆叛親離，家族就會敗亡。只有那貧賤之士，他懷抱著理想，如果覺得所行的不被接納，所言的沒有採用，志向不能實現，就可離開中原，往南去投效楚國越國，另圖發展。他們脫離原住之國，就好像脫掉破草鞋一樣，昂著頭驕傲灑脫的走了。這兩種人哪裡會相同呢？」

**【原文附參】**：子擊逢文侯之師田子方於朝歌，引車避，下、謁。田子方不爲禮。子擊因問曰：富貴者驕人乎？抑貧賤者驕人乎？子方曰：亦貧賤者驕人耳。夫諸侯而驕人，則失其國；大夫而驕人，則失其家。貧賤者行不合、言不用，則去之楚越，若脫屣然。奈何其同之哉？（見：《史記》、卷四十四、魏世家第十四）

【編者私語】：《孟子》公孫丑篇說：「天下有達尊三（天下之所共尊的）：爵一（官高）、齒一（年長）、德一（德溥）。朝廷莫如爵，鄉黨莫如齒，輔世長民莫如德。惡得有其一（豈可只憑官高），以慢其二哉（侮慢齒德俱尊的長者）？」他又說：「彼以其富，我以吾仁；彼以其爵，我以吾義，吾何慊乎哉（我又何須慚愧）？」有人說孟子好說大話，但這兩段卻眞有道理。因爲升官常受外在因素所制，不能斷定官大學問必大。只要我有內在的修爲，便絕不比別人低賤。讀了本篇，宜知在朝的人，貴乎屈尊（謙遜）；在野的人，重在立品（修德）。這是本篇的第一項啓發。第二：田子方說：「行不合，言不用，便走去楚國越國，沒有留戀。」正說出了目前的狀況。有志節的人，長期看到國家不上進，政治不民主，社會不安定，而自己又無力作貢獻，憂心不已。由於生命沒保障，前途無光明，察覺出這不是個適合久呆的國家。這批知識份子，懂得世界是個地球村，比這裡好的國家還不少，便放棄了希望，一心離開。如果這批精英都移民出國，這便是個不良的警訊。如果出國後不願再回來，更是個嚴重的警訊。

## 三四〇　運甓與惜陰　（習勞）

晉代陶侃（二五九—三三四，字士行），做過江夏太守、武昌太守、荆州刺史、江州刺史、湘州刺史。他在州府裡，存放了一百塊磚，每天早晨，將這一百塊磚搬到書齋之外，到傍晚又搬回書齋之內。

別人問他這是何意？陶侃說：「我正致力於中原（時當五胡亂華之初，中原混戰），如果太優遊閒逸，體力變弱，一旦有事，恐怕就不能承擔大任了。」他激勵意志，鍛鍊身體，如此可見一斑。

陶侃稟性聰敏，對公務十分盡力。衙裡衙外的事，千緒萬端，沒有一樁遺漏。遠近來往的公文函牘，每一件都親手回答，運筆如飛，從未耽擱。賓客來訪，沒有停過。他常勸人說：「大禹是聖人，他還要惜寸陰（一寸光陰一寸金），至於我們這輩凡人，更須愛惜分陰，何可逸遊荒醉？倘若活著對時局無益，死了也身後無名，那是自暴自棄而已。」

他的部屬，包括參謀佐吏，如果因酗酒賭博而延誤公務的，他就把酒尊酒鐺及骰子籌碼，統統丟進長江水裡。

【原文附參】：陶侃爲江夏太守、武昌太守、荆州刺史、江州刺史、湘州刺史。侃在州無事，輒朝運百甓於齋外，暮運於齋內。人問其故，答曰：吾方致力中原，過爾優逸，恐不堪事。其勵志勤力，皆此類也。侃性聰敏，勤於吏職。閫外多事，千緒萬端，罔有遺漏。遠近書疏，莫不手答，筆翰如流，未嘗壅滯。引接疏遠，門無停客。常語人曰：大禹聖者，乃惜寸陰，至於衆人，當惜分陰，豈可逸遊荒醉？生無益於時，死無聞於後，是自棄也。諸參佐以戲廢事者，乃取其酒器蒱博之具，悉投之於江。（見：《晉書》、卷六十六、列傳第三十六）

**【編者私語】**：運甓乃是習勞，習勞以求體健，準備將來有能力挑重擔也。我們無論做任何事，大至開國創統，小至以薄技謀生，都要有好的身子去奮鬥經營。陶侃嘗說：「若王事之暇，文人何不騎馬操舟，武人何不射弓擊劍？」都是鍛鍊。人若弱病，即或有遠大的抱負，也甚麼都撐不起，那怎麼成呢？至於愛惜光陰，更是成功的條件。善用一分一秒，平時充實自己，機會來時，才有本事迎接。隋朝楊素對皇帝說：「我只恐富貴來逼我。」因爲他早已準備好了，果然封爵越國公。（見《隋書》卷四十八）。元代孛朮魯翀，也表示：「說我能做宰相固不敢當，但我所學的都是做宰相的事。」（見《元史》卷一百八十三）現在是知識爆炸時代，新的東西太多。若不珍惜時間求進步，大了甚麼都不懂，即令幸運之神降臨，給你任何職位都做不來，挑不起，豈不後悔太遲了？

（人名合計一千〇六十五人）

## 十八劃



## 十九劃



## 二十劃以上

## 十七劃

**十六劃**

**十五劃**

## 十三劃

## 十二劃

## 十一劃

## 十　劃

## 九　劃

## 八劃

## 七劃

## 六劃

## 五　劃

# 人名索引（依筆劃順序，數字代表篇章）

——上冊1～170，中冊171～340，下冊341～502——

## 二～三劃



## 四劃

# 人 名 索 引

（依筆劃順序，數字代表篇章）

上冊1～170

中冊171～340

下冊341～502